Alois Svoboda

PRAG

**Das tausendjährige hunderttürmige Prag
in Stadtwanderungen
— ein intimer Führer
durch Prags Schönheiten,
Denkmäler, Sehenswürdigkeiten
und romantische Winkel**

SPORTOVNÍ A TURISTICKÉ NAKLADATELSTVÍ, PRAHA 1967

© Sportovní a turistické nakladatelství, 1964

Inhalt

Einführung 7
Zwei Tage rings um die sehenswertesten Denkmäler Prags . . . 13
Der älteste Stadtkern Prags 102
Wohin bei Regenwetter? 144
Auf dem Königshügel 157
Die Musikstadt Prag 191
Es ist schön — machen wir einen Spaziergang! 216
Wohin am Abend? 248
An Stadien, Sportflächen und Schwimmbädern vorüber 260
Rings um Prag gibt es viele interessante Orte 270
Prag und die ČSSR im Spiegel der Geschichte 301
Wichtige Anschriften 309
Die häufigsten Begriffe tschechisch 312
Verzeichnis der Aufnahmen 313
Namensregister 314
Sachregister 319
Plan der Innenstadt in der Beilage

Inhalt

Einführung

Ihr Bild sieht man auf kostbaren Wandteppichen. Alte Stahl- und Kupferstiche feiern ihre Schönheit. Reisende aus längst verflossenen Jahrhunderten preisen ihre Anmut. Sie nennen sie die Goldene und die Liebliche, und lateinische Hexameter singen über sie gleich begeisterte Oden wie moderne freie Verse. Die Goldene, Hunderttürmige, Liebenswerte, so heißt die Stadt Prag — eine der schönsten Städte der Welt.

Eine romantische Legende schreibt ihre Gründung einer Frau zu. Die Fürstin Libuše, bekannt dadurch, daß sie ihr Roß aussandte, um ihren Gatten zu finden und heimzubringen, mit dem sie sodann die Přemyslidendynastie begründete, hatte für die künftige Hauptstadt des Landes in seherischer Ekstase diesen Ort an einem Fluß gewählt, der Böhmen von Süden nach Norden durchströmt. Die Hand der Frau, die an der Wiege Prags stand, scheint ihre zarte Lieblichkeit der ganzen Stadt aufgeprägt zu haben. Von Liebreiz erfüllt, erstreckt sich die Stadt längs beiden Moldauufern; sie birgt etwas zart weiblich Anmutvolles, jedoch auch Raffiniertes in ihrer Schönheit, und jeder ihrer zahllosen Bewunderer muß jedesmal von neuem ihre Schönheit erobern, sie wiederum entdecken, sich ihrer neuerdings bemächtigen. Ähnlich wie eine Frau, hat auch die Stadt Prag Tausende von Antlitzen, ähnlich wie eine Frau ist sie kapriziös: einmal zeigt sie sich Ihnen in schwellender Frühlingsfülle und in sonniger Sommerzeit, dann wieder in gänzlich veränderter Schönheit, angetan mit dem Schleier herbstlichen Nebels und wiederum berückend im schimmernden Pelzwerk der Schneeflocken.

An Rom gemahnend, erstreckt sich Prag über sieben Hügel, dabei jedoch bildet es zusammen mit dem Fluß eine vollendete Einheit. Die Vermählung der Stadt mit dem Moldaufluß, die sich irgendwann im neunten oder zehnten Jahrhundert vollzog, hat nach tausend Jahren noch nichts von ihrem Zauber eingebüßt. Auch andere Städte werden von — sogar größeren und mächtigeren — Flüssen durchströmt. Aber nirgends verschmilzt die Stadt mit dem Flußlaufe zu einer so vollendeten Harmonie wie in Prag.

Es war der Fluß, der diese Stadt gründete, dieselbe Moldau, der Bedřich Smetana eine seiner wundervollsten sinfonischen Dichtungen gewidmet hat. Prag entstand an der zarten Kurve ihres Laufes, dort wo eine häufig aufgesuchte Furt schon im Altertum den Transport von Waren über das Hindernis des Flußlaufes ermöglichte. Ganz in der Nähe jener Stelle, wo sich einer der Konzertsäle der bekannten Musikfestwochen „Prager Frühling" befindet, kreuzten sich in fernster Vergangenheit von Norden nach Süden führende Handelspfade, auf denen Salz und Bernstein gebracht wurden, mit von Westen nach Osten führenden Pfaden, die dem Handel zwischen dem fränkischen Reich und Byzanz dienten. Auf diesen Wegen kamen Händler und Staatsleute, und ihre Aufzeichnungen bilden die ältesten schriftlichen Dokumente über die Bedeutung und die Schönheit Prags. Auf denselben Wegen nahten jedoch auch feindliche Heere: Bayern und Polen, Preußen und Franzosen, Sachsen und Schweden, Kreuzheere und die Truppen des Hitlerfaschismus. Es fehlte nie an Vorwänden: Kampf um die böhmische Krone, Ausrottung der hussitischen Ketzer, Feldzüge gegen Napoleon, oder Hitlers wahnwitziger Traum vom Tausendjährigen Reich. Immer jedoch ging es darum, das von Gebirgen umsäumte Zentrum des böhmischen Beckens in die Gewalt zu bekommen, jenes Herz Europas, von dem Bismarck sagte, wer es besitze, der beherrsche den Kontinent. Deshalb floß viel Blut in den Prager Gassen und auf den Brücken, und deshalb floß es hier öfter und ausgiebiger als anderwärts. Und deshalb geschah es, daß zum Schluß des letzten Krieges, als über Berlin schon längst die Fahne der Kapitulation wehte, als in Moskau Salven zur Feier des Sieges dröhnten und als in Washington und London mit Jubel und Tanz der Waffenstillstand gefeiert wurde, Prag immer noch kämpfte, weil ihm als letzter der Hauptstädte Europas immer noch der Frieden versagt war. Tausende kleiner Denkmäler und Gedenktafeln an den Häusern zeigen, wo überall hier in den letzten Stunden des Krieges, und eigentlich bereits nach dem Kriege, noch Menschen gefallen sind.

Sprechen wir jedoch nicht vom Krieg — wenden wir uns der Stadt zu. Gemauerte romanische und gotische Häuser bezeugen noch heute die jahrhundertealte Bedeutung Prags, das unter Karl IV. nicht nur Hauptstadt des Landes, sondern auch des Heiligen Römischen Reiches Deutscher Nation war. Hundertvierundvierzig Jahre vor der Entdeckung Amerikas durch Kolumbus bestand in Prag bereits eine Universität von Weltruf, die erste in Mitteleuropa. Die 113 Kirchen, die mit dazu beitrugen, daß Prag schon vor Jahrhunderten die Bezeichnung „hunderttürmige Stadt" erhielt, und viele Dutzende von Palästen sind das äußere Merkmal ihrer bereits in ferner Vergangenheit erlangten Größe.

Von hier war Jan Hus in den Kampf gegen die allmächtige Kirche und gegen ihre korrupte Verdorbenheit ausgezogen, und als er in Konstanz den Tod auf dem Scheiterhaufen erlitten hatte, erstürmten die Tschechen — anstatt das Urteil als warnende Belehrung aufzunehmen — die Klöster und Paläste und schlugen die aus ganz Europa zu ihrer Bezwingung herbeiziehenden Heere. Jan Žižka, ein südböhmischer Landedelmann, stellte sich an die Spitze der für den heiligen Gedanken der Wahrheit kämpfenden Hussitenheere, und obwohl er zum Schluß das Augenlicht völlig verlor, führte er doch ihre Heerscharen von Sieg zu Sieg. Einer der gewaltigsten wurde gerade vor den Toren Prags errungen, und die imposante Reiterstatue mit dem erblindeten Helden auf dem Vítkov-Hügel gehört zu den bedeutendsten Dominanten der Stadt. Jerome Klapka Jerome schrieb in seiner lustigen Wanderung durch Europa, Fenster hätten für die Prager von jeher eine große Versuchung gebildet, denn es habe hier immer Vorliebe für Fensterstürze geherrscht. Dies ist nun freilich übertrieben, doch ist es eine Tatsache, daß die Defenestration der habsburgischen Statthalter auf der Prager Burg ziemlich unmittelbar den Dreißigjährigen Krieg entfacht hat, der einen großen Teil Europas verwüstete und Böhmen nahezu restlos zugrunde richtete. In Prag wurde im Mai 1942 der von Hitler entsandte Nazi-Protektor Reinhardt Heydrich beseitigt, der die tschechische Widerstandsbewegung liquidieren wollte. Obwohl dieses Attentat grausame Repressalien hervorrief, gelang es den Okkupanten nicht, den Widerstand zu brechen. Stark diskutiert wurde im Westen auch der Februarsieg der Arbeiterklasse im Jahre 1948, der manchmal als „Prager Putsch" bezeichnet wurde; unter diesem schimpflichen Etikett verbirgt sich jedoch nichts anderes als die Tatsache, daß das Volk von Prag durch eine gewaltige, von hunderttausenden Teilnehmern getragene Manifestation im Februar 1948 jene bourgeoisen Minister zum Rücktritt zwang, die zuvor dem Präsidenten der Republik ihre Demission gegeben hatten, in der Annahme, durch diesen gelungenen Trick die Kommunisten zum Verlassen der Regierung bewegen zu können. Das Ergebnis war gegenteilig. Es war der Tag, an dem die Tschechoslowakei sich auf streng verfassungsmäßigem Parlamentswege eindeutig für den Sozialismus als Ziel entschied.

Die Geschichte Prags wird auch durch die Lage der Stadt bestimmt — sie liegt seit je im Schnittpunkt benachbarter oder aufeinandertreffender Kulturen und Ideen, Philosophien und Armeen, stets der Welt aufgeschlossen, aber stets jede Demütigung abweisend. Prag kennenlernen heißt, den kürzesten Weg durch zehn Jahrhunderte hindurch von der Vergangenheit bis zur Gegenwart Mitteleuropas kennenlernen. Man kann hier geradezu mit der Hand ebensogut die romanische oder gotische Zeit berühren wie die Renaissance, den Barock oder das Empire — und ich glaube, daß kaum irgendwo auf der Welt mit solcher Liebe die von der Vergangenheit übernommenen Schätze betreut werden wie in Prag. Und nirgends ist ein historischer Stadtkern in solcher Vollständigkeit erhalten geblieben wie hier. Es gibt Dinge, von denen jedes für sich allein einen Besuch in Prag lohnt: so etwa die geschnitzten böhmischen gotischen Madonnen, das einzigartige Museum des tschechischen Schrifttums, die das Stadtbild krönende Burg mit dem Dom oder der Alte jüdische Friedhof und die Kostbarkeiten des jüdischen Museums, das paradoxerweise gerade dank der nazistischen Verworfenheit in Prag bewahrt blieb.

Prag ist die Stadt des längst verstorbenen, aber dennoch so intensiv lebendigen Schriftstellers Franz Kafka, der in den gewundenen Gäßchen der Prager Altstadt aufwuchs, Prag ist die Heimatstadt des rasenden Reporters Egon Erwin Kisch, dessen Vaterhaus unweit von der Altstädter astronomischen Rathausuhr steht; sein berühmtes uraltes Portal schmücken zwei goldene Bären. Prag ist die Stadt eines Karel Čapek, dessen „Krieg mit den Molchen" — wie wir erst heute bemerken — geradezu seherisch vor der durch die Entfesselung vernichtender Kräfte drohenden Gefahr warnt.

Dabei steht allerdings fest, daß Prager Schinken nicht viel weniger berühmt ist als der Prager Barock, und viele Menschen schwärmen noch mehr für das würzige Smíchover Lagerbier Staropramen als für die Andenken an Mozart, der hier seinen Don Giovanni komponierte und zur Uraufführung brachte. Gerade das ist für diese Stadt typisch, daß ihre architektonischen Denkmäler keine muffige Museumsangelegenheit sind, sondern dem Leben dienen, daß darin Menschen leben, schaffen, sich zanken und lieben — ausgesprochen optimistische und gleichzeitig ausgesprochen kritische Leute, aus deren Reihen Typen wie der brave Soldat Schwejk, aber auch Menschen wie Fučík, lustige Schelme, aber auch erbitterte Barrikadenkämpfer hervorgegangen sind. Prag ist nicht nur eine einzigartige Schatzkammer der Künste, sondern gleichzeitig, obwohl man es ihr auf den ersten Anblick gar nicht ansieht, die höchstentwickelte Industriestadt der Republik. Es lebt hier je einer von vierzehn

Tschechoslowaken. Eine Millionenstadt ist im heutigen Europa ja nichts besonderes, jedoch soll Prag — so wurde festgesetzt — nicht weiter wachsen, damit nicht jene glückliche Harmonie von architektonischer Gestalt und Landschaft zerstört wird, in der das Geheimnis seiner Anmut beruht. Begreiflicherweise wird hier lebhaft gebaut. Die neuen Stadtviertel ersetzen jedoch nur die chaotisch und in Hast errichteten Straßenzüge, die nüchtern und reizlos während der Jahrzehnte des rapiden Wachstums der Stadt um die Jahrhundertwende entstanden waren. Hingegen wird Prag jeden Steinblock, dem irgendein künstlerischer oder historischer Wert zukommt, liebevoll pflegen. Begeben Sie sich also auf den weiteren Seiten mit uns auf eine Wanderung durch diese steinerne Wunderwelt — und vergessen Sie nicht, den Photoapparat mitzunehmen. Wir werden Sie gern beraten, wo und wie Sie Aufnahmen machen können, mit denen sich nicht so leicht jeder brüsten kann.

Zwei Tage

rings um die sehenswertesten

Denkmäler Prags

9 km, davon 1 km Straßenbahnfahrt

DIE INTERESSANTESTEN OBJEKTE

- ★★ **2** — Pulverturm, gotischer Turmbau, zugänglich
- ★★★ **8** — Altstädter Rathaus, Ausschmückung, astronomische Aposteluhr, Rathausturm mit Rundblick
- ★★ **9** — Gotische Teyn-Kirche, mehrere Gemälde von Škréta, Grabmal des Astronomen Tycho Brahe
- ★★ **11** — Kinský-Palais mit grafischen Sammlungen der Nationalgalerie
- ★★★ **12** — Gotische Alt-Neu-Synagoge
- ★★ **14** — Maisel-Synagoge, Teil des Silberschatzes der böhmischen jüdischen Kultusgemeinden
- ★★★ **15** — Klausen-Synagoge, nunmehr Staatliches Jüdisches Museum mit den reichhaltigsten Sammlungen der Welt (Fortsetzung in weiteren Gebäuden)
- ★★★ **16** — Der älteste erhaltene jüdische Friedhof Europas, sehenswerte Grabmäler
- ★★★ **17** — Pinkas-Synagoge, Gedenkstätte für 77 297 hingemordete Juden, deren Namen an den Wänden der Synagoge eingetragen sind
- ★★ **19** — Prager Zentralbibliothek mit Sammlung moderner tschechischer Kunst
- ★★ **20** — Universitätsgebäude Clementinum mit barocker Sternwarte und Bibliotheken
- ★★★ **21** — Kreuzherrenplatz, die schönste Platzanlage von Prag
- ★★★ **22** — Altstädter Brückenturm mit interessanter Ausschmückung, Aussicht
- ★★★ **23** — Karlsbrücke mit Statuengalerie, Blick auf das Prager „Klein-Venedig"
- ★★★ **28** — St.-Nikolaus-Kirche, das prachtvollste Barockbauwerk Prags, Fresken von Kracker
- ★★★ **29** — Prager Burg, königliche Residenz und Amtssitz des Präsidenten der Republik, wundervoller Ausblick auf Prag
- ★★ **30** — Hl.-Kreuz-Kapelle mit dem St.-Veits-Domschatz
- ★★★ **31** — St.-Veits-Dom, der größte kirchliche Bau von Prag, kostbare gotische Architektur, Gemälde, Plastiken, Domfenster, Gruft der böhmischen Könige, Ausgrabungen, Turm mit Aussicht, Grabmal des hl. Johannes von Nepomuk, mit Halbedelsteinen ausgekleidete St.-Wenzels-Kapelle
- ★★★ **32** — Mittelalterlicher Königspalast mi dem Vladislav-Saal, der Stätte der Präsidentenwahl

★★★ **33** — Romanische St.-Georgs-Kirche
★★ **37** — Nationaltheater, innere und äußere Ausschmückung
★★ **38** — Maria-Schnee-Kirche, das höchste Kirchenschiff von Prag
★★ **39** — Nationalmuseum

ZUR BEACHTUNG!

Die Nummern am Rande bezeichnen Objekte, die im beigefügten Stadtplan angeführt sind. Die Zahl der Sterne deutet den Grad der Interessantheit an.

Falls im Rahmen einer weiteren Stadtwanderung noch einmal über eine bereits erwähnte Denkwürdigkeit etwas Interessantes berichtet wird, erscheint am Rand in *Kursivschrift* die betreffende Hinweisnummer. Bei bloßer neuerlicher Erwähnung ist im Text nur die entsprechende Hinweisnummer in Klammern genannt.

Im Stadtplan und in den einzelnen Plänen für die Stadtwanderungen sind die Objekte nur in tschechischer Sprache bezeichnet, so wie sie auf den Straßenschildern lauten, und auch um es Ihnen zu ermöglichen, durch Nachfrage bei vorbeigehenden Pragern Rat einzuholen, wie Sie am besten weitergehen müssen, um an ein bestimmtes Ziel zu gelangen. Nichtunterbrochene Linien in den Trassenplänen bezeichnen Fußwanderungen, gestrichelte bedeuten kürzere Alternativen; punktierte Linien deuten Strecken an, die mit einem Verkehrsmittel zurückgelegt werden.

Die in der Welt bekannten Namen erscheinen in unserem Stadtführer durchgehend deutsch. Deshalb führen wir hier zur besseren Verständigung noch die entsprechenden tschechischen Bezeichnungen an: Altstadt — Staré Město; Kleinseite — Malá Strana; Neustadt — Nové Město; Wenzelsplatz — Václavské náměstí; Altstädter Ring — Staroměstské náměstí; Kreuzherrenplatz — Křížovnické náměstí: Kleinseitner Ring — Malostranské náměstí: Karlsbrücke — Karlův most.

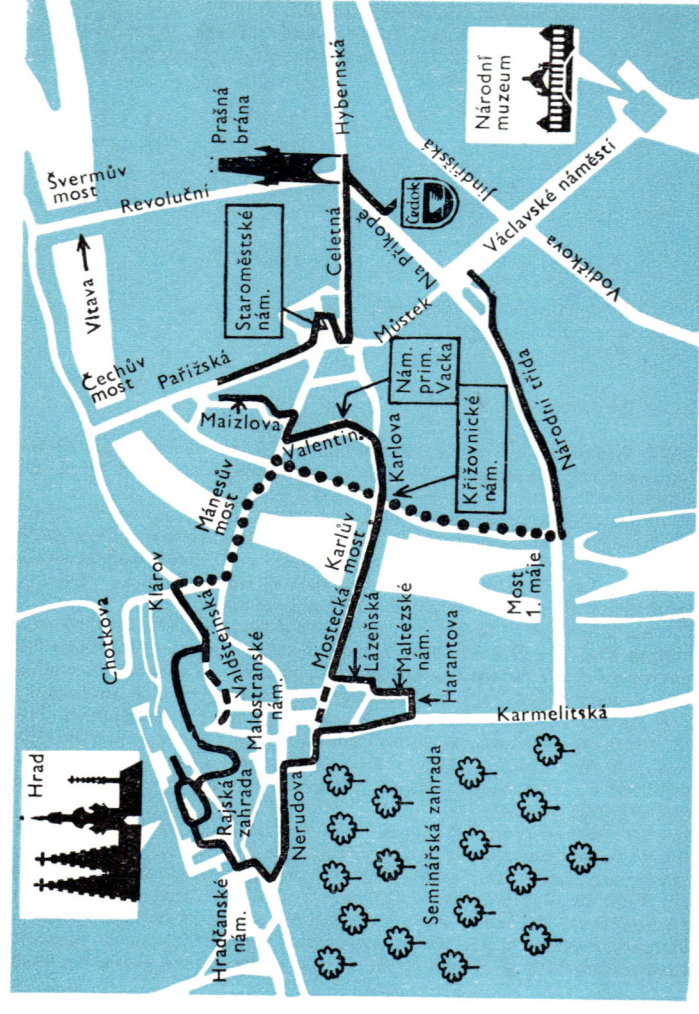

Lassen Sie sich zu einem zweitägigen Ausflug einladen, der Sie mit den hauptsächlichsten Kleinoden Prags zusammenbringt. Zwei Tage sind allerdings recht wenig zum eingehenden Erleben einer Stadt, deren Geschichte ein Jahrtausend umfaßt, aber sie reichen immerhin aus, um ihre Eigenart und ihren Liebreiz kennenzulernen, auch wenn sich ihre schönsten Denkmäler oft nicht gerade an der belebtesten Straße befinden. Und wenn Sie nicht einmal zwei Tage erübrigen können, wählen Sie aus dem Programm unserer Stadtwanderung eben nur die mit drei Sternen gekennzeichneten Ziele. Dadurch können Sie die Besichtigung der interessantesten Denkmäler innerhalb eines einzigen Tages bewältigen; aber Sie werden sich dann bestimmt entschließen, Prag noch einmal aufzusuchen.

Wir beginnen an der Grabenstraße — Na příkopě — beim **Čedok-Gebäude** oder bei der Staatsbank, wo wir unser Geld gewechselt haben. Hier befinden wir uns an der Grenze der Prager Altstadt, genau gesagt, auf dem aufgeschütteten Wehrgraben, von dem diese bedeutende Geschäftsstraße ihren Namen erhalten hat. Der Graben bestand hier bereits um das Jahr 1235 und wurde im Jahre 1760 eingeebnet. Der heutige belebte Straßenzug weist keine bedeutenderen Denkmäler auf, und auch die an der Ecke der Panská ulice stehende, aus dem vorigen Jahrhundert stammende Kreuzkirche ist nicht erwähnenswert.

Über der stark frequentierten Straßenkreuzung an

★★2

PULVERTURM

der Mündung der Hybernská ulice ragt der **Pulverturm** — Prašná brána — empor, der gegen Ende des 15. Jahrhunderts von dem Steinmetzen Matthias Rejsek als einer der Zugänge durch die Altstädter Stadtbefestigungen erbaut wurde. Der Turm ist zugänglich, und in den Innenräumen werden Überreste seiner ursprünglichen Ausschmückung aufbewahrt. Gegen Ende des vorigen Jahrhunderts wurde der Turmbau restauriert, wobei er sein heutiges neugotisches Aussehen erhielt. Vorübergehend diente er als Pulvermagazin, wovon sein jetziger Namen herrührt. Als Torturm bildet der Bau die Eintrittspforte zum sogenannten Krönungsweg, auf dem die böhmischen Könige zur Prager Burg hinaufzogen.

3 Der Pulverturm ist mit dem **Repräsentationshaus** — Obecní dům — der Hauptstadt Prag verbunden, einem Beispiel tschechischer Sezessionsarchitektur vom Beginn unseres Jahrhunderts. Über dem Haupteingang sieht man die nach Karel Špillars Entwurf ausgeführte Mosaik „Huldigung für Prag", an den Seiten Figuren in böhmischen Trachten sowie von verschiedenen Künstlern geschaffene allegorische Gestalten. Bei näherer Betrachtung der künstlerischen Ausschmückung findet man berühmte Namen: die Maler Mikoláš Aleš, Alfons Mucha, Max Švabinský, Karel Špilar, J. Preisler, J. Panuška, V. Jansa, J. Dobrovský, J. Ullman und andere;

ferner die Bildhauer J. V. Myslbek, L. Šaloun, J. Pekárek, F. Hergesel, E. Hollman. Das Haus spielte eine nicht geringe Rolle in der modernen politischen Geschichte des Landes; im Oktober 1918 trat hier der Ausschuß des ersten nationalen Widerstandskampfes zusammen, und am 28. Oktober 1918 wurde hier feierlich die Tschechoslowakische Republik ausgerufen. Gegenwärtig findet im Großen Smetana-Saal alljährlich das Eröffnungskonzert des Prager Frühlings statt. In früheren Jahrhunderten stand hier der Königshof, an dessen Tor Jan Hus seinen Aufruf anschlug, mit dem er die Beschuldigung der Ketzerei zurückwies und verlangte, daß sie ihm bewiesen werde.

Gegenüber bemerkt man das **Haus der Ausstellungsdienste** — U hybernů —, eine ehemalige Barockkirche mit interessantem Portal; heute werden hier für Verbraucherkreise bestimmte sowie populärwissenschaftliche Ausstellungen abgehalten. Die ehemalige Barockkirche gehörte seit dem Jahre 1620 den irischen Franziskanern. Als deren bedeutendste Tat ist die Anpflanzung der ersten Kartoffeln in Böhmen zu nennen. Die züchterischen Bemühungen der Mönche scheinen allerdings die tschechische Küche nicht ausschlaggebend beeinflußt zu haben, denn bis zum heutigen Tag herrschen schwere Mehlspeisen, vor allem das typischste Gericht — Knödel —, vor. 4

Durch den Torbau des Pulverturms gelangen wir in die Celetná ulice. Gleich zu Beginn befindet sich linkerseits ein stattliches mit einem Laubengang geschmücktes Gebäude, in dem seit dem Jahre 1539 die **Prager Münzstätte** — mincovna — untergebracht war. Sie entstand zur Zeit, als in Böhmen die ungemein reichen Silbererzgruben erschlossen waren, namentlich in Kutná Hora (Kuttenberg) und in Jáchymov (Joachimstal), das später dem Taler und damit auch dem Dollar seinen Namen gab, und sodann als erste Uranfundstätte der Welt Berühmtheit erlangte (aus dem dortigen Material gewann Marie Curie ihr erstes Radium). Später wurde das 5

Gebäude zum Sitz eines Gerichtes, das hier heute noch amtiert; vor seinen Toren fand im Jahre 1848 ein blutiger Zusammenstoß des kaiserlich habsburgischen Militärs mit den Pragern statt, der das Signal zum Aufstand gab. In Prag wurden Hunderte von Barrikaden errichtet, doch wurde die Erhebung zuletzt, ebenso wie ähnliche Aufstände in vielen anderen europäischen Städten, blutig niedergeschlagen.

6 Gegenüber, im Eckhaus Nr. 29, befand sich das Grandhotel **Zum Goldenen Engel** — U zlatého anděla — samt dem zugehörigen Hauszeichen. Hier wohnte eine Zeitlang auch W. A. Mozart (siehe dazu Seite 197). Auf der linken Seite ragt in die Straße auch eine Front der ursprünglichen Karls-Universität heraus. Die meisten Häuser in dieser Straße sind ursprünglich romanische oder gotische Bauten. Das Mauerwerk ist allerdings nur in den Kellergeschossen erhalten.

7 Auch das sog. **Sixt-Haus** — Sixtův dům, Nr. 2 — an der Ausmündung der Celetná ulice auf den Altstädter Ring, das durch sein barockes Aussehen fesselt, hat im heutigen Kellergeschoß einen quadratischen romanischen Raum mit Kreuzgewölbe samt dem ursprünglichen romanischen Hausflur. Das Gebäude gehörte dem Historiker Sixtus von Ottersdorf, dessen Sohn Johannes Theodor Mitglied des aufständischen Direktoriums vom Jahre 1618 war. Er war zum Tode verurteilt worden, zusammen mit den übrigen böhmischen Adelsherren, die auf Geheiß der Habsburger 1621 am Altstädter Ring hingerichtet wurden; Sixtus wurde jedoch zur Verbannung begnadigt. Sein Haus erstand verhältnismäßig billig jener Schreiber Fabricius, der zusammen mit den kaiserlichen Statthaltern im Jahre 1618 aus dem Fenster der Prager Burg gestürzt worden war.

★★8 Der Altstädter Ring wird vom **Altstädter Rathaus** mit dem schlanken, nahezu 70 m hohen Rathausturm überragt, der zugänglich ist und einen imposanten Ausblick auf Prag, über die Hohlziegeldächer der Altstadt und die Prager Türme bietet. Er bildet einen Bestandteil des Rathausgebäudekomplexes, das seit dem 14. Jahrhundert von den Altstädter Ratsherren fortschreitend durch den Kauf weiterer Häuser geschaffen wurde.

Zur Errichtung des Rathauses erteilte der böhmische König Johann von Luxemburg seine Zustimmung unter der Bedingung, daß die Prager die Kosten aus dem Ertrag der Weinsteuer bestreiten. Damals trank man in Prag sichtlich nicht wenig Wein, denn noch im selben Jahre 1338 wurde es in einem gekauften Hause, neben dem jetzigen Turm, errichtet. Dem Rathausgebäude wurden noch im 14. Jahrhundert mehrere benachbarte Häuser angegliedert. Der Turm entstand um das Jahr 1380 und wurde zu Beginn des 15. Jahrhunderts durch die berühmte astronomische Uhr ergänzt. Ihre neue Ausgestaltung vollzog im Jahre 1490 der utraquistische Professor der Karls-Universität Hanuš z Růže. Die Rathausuhr — in Prag heißt sie Orloj — war für die damalige Zeit ungemein kompliziert und versagte nicht selten. Daraus entstand später die romantische Sage von der Blendung des Magister Hanuš, der den kunstreichen Mechanismus der Uhr absichtlich zerstörte, weil er von den Ratsherren des Augenlichtes beraubt worden war, angeblich damit er eine ähnliche Einrichtung nicht in weiteren Städten anfertige. Die astronomische Rathausuhr in Prag

besteht aus zwei Teilen: Oben zeigt sie den Aufgang und Untergang der Sonne, Abnahme und Zunahme des Mondes, die Tageszeit und viele weitere astronomische Einzelheiten. Die Kalenderscheibe des unteren Teils gibt die Tage und die Monate an. Man sieht hier die Tierkreiszeichen und Medaillons der Monate mit Bildern aus dem ländlichen Leben von Josef Mánes (1865). Die jetzige Kalenderscheibe ist eine Kopie; das von Mánes angefertigte ursprüngliche Gemälde wird im Städtischen Museum aufbewahrt. Über der astronomischen Uhr erscheinen beim Stundenschlag in zwei Fenstern die huldvoll herabnickenden Figuren der Apostel und des Heilands, es bewegen sich hier auch der Sensenmann, der der dahinschwindenden Zeit das Sterbeglöckchen läutet, der Türke, der Geizhals und der Eitle. Die Apostelluhr hat täglich zahlreiche Bewunderer, obwohl sie lange vor Kolumbus' Aufbruch zu seiner Entdeckungsreise nach Amerika entstanden ist.

Die Eintrittshalle des Rathauses neben dem Turm schmücken zwei nach Kartons von Mikuláš Aleš ausgeführte Mosaiken „Die Fürstin Libuše weissagt Prags künftigen Ruhm" und „Huldigung an das Slawentum".

Eine besonders bedeutende Stellung erhielt das Altstädter Rathaus während der Hussitenzeit, wo es den Mittelpunkt des revolutionären Geschehens bildete und später sogar erlebte, daß in seinen Räumen die Königswahl stattfand. Die Wahl Georgs von Poděbrady zum böhmischen König wird auf einem der beiden Monumentalgemälde von Brožík im Sitzungssaal dargestellt. Das andere Gemälde Brožíks schildert den Beginn der hussitischen Bewegung — die Verurteilung des Magisters Jan Hus auf dem Konzil in Konstanz.

Während des Prager Aufstandes zu Ende des zweiten Weltkrieges erlitt das Rathaus schwere Beschädigungen. In seinen unterrirdischen Räumen war bei Beginn des Aufstandes im Mai 1945 das Hauptquartier der Widerstandsbewegung. Durch das Artilleriefeuer der Hitlerfaschisten wurde der Saal, in dem Georg von Poděbrady zum König von Böhmen gewählt worden war, zerstört, ebenso wurde das Stadtarchiv mit 70 000 Bänden und vielen kostbaren alten Manuskripten vernichtet. In der Feuersbrunst zerschmolz damals auch die aus dem Jahre 1313 stammende älteste Glocke Böhmens. Dennoch gehört das, was noch erhalten ist, zu den wertvollsten Denkmälern Prags. Erstaunlich gut bewahrt blieb der alte Ratsaal aus dem 15. Jahrhundert mit Deckenbalken und den vergoldeten Ketten, mit denen in der Vergangenheit oft die Straßen gesperrt wurden. An den Wänden sieht man die sechzig Wappen der alten Prager Zünfte, und im Saal steht auch eine kostbare gotische Christusstatue aus dem

ALTSTÄDTER RATHAUS

Jahre 1414 mit der lateinischen Mahnung an die Richter, die hier Entscheidungen zu treffen hatten: „Richtet gerecht, ihr Söhne des Menschen!" Den Eingang zum Saal bildet ein prächtiges Renaissanceportal aus rotem Marmor.

Der aus romantischen, gotischen und Renaissancehäusern entstandene Rathausgebäudekomplex wirkt als Ganzes ungemein malerisch. Bemerkenswert ist das große Renaissancefenster mit der Inschrift „Praga caput regni" und die

Gedenktafel mit der Büste des hussitischen Priesters Jan Želivský, der im Rathaus 1422 meuchlerisch ermordet wurde Noch vor kurzem stand hier die Sandsteinstatue des Jan Roháč von Dubá zum Andenken an die Hinrichtung dieses bedeutenden Hussitenführers: Jan Roháč von Dubá wurde im Jahre 1437 nach brutaler Folterung mit seinen 60 Mitkämpfern vor dem Rathaus gehenkt. Das Denkmal steht heute beim Lustschloß Hvězda. Die Inschrift im Pflaster vor dem Turm erinnert an eine andere Massenexekution — die Hinrichtung der 27 böhmischen Adelsherren und Bürger, die den Aufstand gegen die Habsburger geführt hatten und nach der verlorenen Schlacht am Weißen Berg hier auf dem Altstädter Ring teils mit dem Schwert, teils am Galgen hingerichtet wurden. An der Wand des Rathausturmes sind auf einer Messingtafel ihre Namen verewigt. Daneben ist ein Schrein mit Erde vom Schlachtfeld am Dukla-Paß in den Karpaten aufbewahrt, jener Stelle, wo sich während des zweiten Weltkrieges die ersten Formationen der Befreiungsarmee den Zugang in die Tschechoslowakei erkämpften.

Im Rathaus kann man auch den mit Gemälden von Cyril Bouda geschmückten populärsten Trauungssaal Prags sehen (siehe auch Seite 113—117).

Der ganze Altstädter Ring bildet gleichzeitig einen der frühesten Stadtkerne, denn hier kreuzten sich seit ältesten Zeiten wichtige Handelswege. Der Ringplatz ist an drei Stellen von gotischen, Renaissance-, Barock- und Rokokohäusern umgeben, die trotz ihrer baulichen Verschiedenheit ein harmonisches Ganzes bilden. Über den Laubengängen der sogenannten Teynschule mit im Stil der venezianischen Renaissance gehaltenen Giebelfassaden ragen die beiden

★★9 Türme der **Teyn-Kirche** — Týnský chrám — empor. Der wundervolle gotische Doppelturmbau entstand an der Stelle eines ursprünglichen romanischen Spitalkirchleins, das zur Niederlassung fremder Kaufleute gehörte. Bei dieser Kirche

TEYNKIRCHE

befand sich auch der nur 48 Klafter messende kleinste Prager Friedhof. Der jetzige gotische Bau wurde im Jahre 1365 begonnen und trägt Spuren der Arbeit der Parlerschen Bauhütte, die auch das größte kirchliche Gebäude Prags, den St.-Veits-Dom, schuf. Die Türme der Teynkirche wurden erst in der zweiten Hälfte des 15. und zu Beginn des 16. Jahrhunderts aufgeführt. Das Gotteshaus war die Hauptkirche der Hussiten, und es wirkten hier Konrad Waldhauser, Jakoubek von Stříbro und der kalixtinische Bischof Jan Rokycana. Sein Wappen, Huf mit Stern, ist heute noch an der Kirche zu sehen. In der Giebelnische zwischen den beiden Türmen stand damals ein mit Goldblech überzogener aus Stein gehauener Kelch, das Symbol des hussitischen Glaubens. An seiner Stelle sieht man heute eine Bildsäule der Jungfrau mit dem Kinde, die nach der Schlacht am Weißen Berg hier von den Jesuiten angebracht wurde. Ihre Krone, der Strahlenkranz und ihr Zepter wurden aus dem Golde des beseitigten Hussitenkelches angefertigt. Die Kirche betritt man durch ein aus dem 14. Jahrhundert stammendes Portal mit Eichenholztür vom Jahre 1677. An der in das Teyngäßchen mündenden Nordseite der Kirche ist ein prächtiges Kirchentor, dessen Tympanon Szenen aus Christi Leidensgeschichte von Künstlern der Parlerschen Hütte (Ende des 14. Jahrhunderts) schmücken. Eine Reihe von Altären im Inneren der Kirche zieren Gemälde von Karel Škréta, so z. B. den Hauptaltar vom Jahre 1649 eine Darstellung von Mariä Himmelfahrt und der Heiligen Dreifaltigkeit; von Škréta stammt auch das Gemälde am linken Eckaltar des Presbyteriums usw. Das zinnerne gotische Taufbecken vom Jahre 1414 ist das älteste in Prag; die Grabmalplatte des berühmten am Hofe Kaiser Rudolfs II. wirkenden Astronomen Tycho Brahe stammt aus dem Jahre 1601; sie befindet sich vorn an der rechten Seite des Mittelschiffes hinter dem Altar mit Christus auf dem Ölberg. Aus der Skulptur auf dem Marmorgrabmal geht deutlich hervor, daß der Astronom im Duell die Nasenspitze verloren hatte (es wird von ihm erzählt, er habe an Werktagen eine wächserne, aber an Sonn- und Feiertagen eine silberne Nasenspitze getragen). Was man ihm aber nicht ansieht, ist die Tatsache, daß der große Astronom einer Schrulle Rudolfs II. zum Opfer gefallen war. Der Kaiser, ein Gönner und Förderer von Alchimisten, Künstlern und Wissenschaftlern, duldete nicht, daß sich jemand von seiner Tafel entfernte, und Tycho Brahe, der mehr getrunken hatte, als er vertrug, starb, als ihm bei einem kaiserlichen Bankett die Harnblase platzte. Bei einer Besichtigung des Kircheninneren bemerkt man auch eine wertvolle gotische Kalvarienplastik vom Beginn des 15. Jahrhunderts, eine wundervolle geschnitzte Renaissancelade mit einer Reliefdarstellung der Taufe des Erlösers aus der Zeit um 1600 sowie eine spätgotische aus Stein gehauene Kanzel vom 15. Jahrhundert. In der Kirche wurde der italienische Bischof Augustinus Lucianus de Mirandola beigesetzt. Trotz ihres Ablassens von Rom hatten die böhmischen Kalixtiner keine eigene kirchliche Organisation aufgebaut und wagten es auch nicht, selbst Priester zu weihen. Die utraquistischen Anwärter zogen deshalb gewöhnlich nach Italien, um durch gewaltige Geldopfer dortige Bischöfe zur Erteilung der Priesterweihe zu bewegen. Der Bischof de Mirandola bereicherte sich auf diese Weise, und um den böhmischen Novizen die Italienreise zu ersparen, übersiedelte er im Jahre 1482 nach Prag, wo er die Funktion eines Weihbischofes ausübte. Er hatte unerhörte Einnahmen und verkam mit zunehmendem Reichtum auch moralisch, so daß sein unwürdiges Verhalten die Utraquisten maßlos empörte. Trotzdem bestatteten sie ihn nach seinem Tode in ihrer Hauptkirche. Aus der Teynkirche gelangen wir in das schmale Gäßchen Týnská ulička, wo in dem inzwischen umgebauten Hause zum Schwarzen Hirsch im Jahre 1604 der Maler Karel Škréta zur Welt kam, dessen wundervolle Gemälde den Schmuck mehrerer Prager Kirchen bilden. Am Hause ist eine Gedenktafel angebracht. Am Ende der Týnská ulička erblickt man das Renaissanceportal des **alten Ungelt-Zollamtes,** das wir jedoch im Rahmen einer anderen Stadtwanderung (Seite 120) besuchen werden. Wir kehren durch das Gäßchen zum Altstädter Ring zurück, wo sich ein Eckhaus erhebt, das nach dem plastischen Hauszeichen den Namen Zur Steinernen Glocke erhalten hat. Das ursprünglich gotische Haus wurde im Barockstil umgestaltet und trägt an der Frontseite ein St.-Ludmilla-Bild. Bekannter ist jedoch das delikate Barockreliefrebus über dem Portal, das eine üppige Frauengestalt zeigt, die auf den vor ihrem Schoße kreisenden Erdball hinweist, — andeutend, worum sich die Welt dreht.

Unmittelbar nebenan erhebt sich die Rokokofront des

★★11 ehemaligen **Kinský-Palais,** das um die Mitte des 18. Jahrhunderts von Anselmo Lurago nach älteren Plänen Kilian Ignaz Dientzenhofers erbaut wurde. Das Palais birgt heute die mehr als 100 000 Aquarelle, Zeichnungen und grafische Blätter enthaltende Grafiksammlung der Nationalgalerie. Sehenswert sind vor allem die großen Kollektionen von Josef Mánes, Mikoláš Aleš, Max Švabinský und Václav Hollar, dessen Grafikkollektion mit der bekannten Windsor-Sammlung konkurriert. Man findet hier jedoch auch bedeutende ausländische Grafiken.

An der Frontseite des Palais gemahnt eine Gedenktafel an Klement Gottwalds historische Ansprache vom 25. Februar 1948. Der nachmalige Präsident der Republik sprach hier im Rahmen einer Massendemonstration der gegen den Rücktritt der Minister der bourgeoisen Parteien manifestierenden Bevölkerung. Gegenüber dem Palais erhebt sich das von Ladislav Šaloun geschaffene Jan-Hus-Denkmal*). Von hier aus betreten wir die boulevardartig angelegte Pařížská třída, in deren zweiter Hälfte linksseits, etwas unter dem Straßenniveau, eine bronzene Moses-Statue von František Bílek sowie das kostbarste historische Denkmal des Prager Gettos, die **Alt-Neu-Synagoge** — Staronová synagóga —,

★★★12 stehen. Dieses einzigartige gotische Bauwerk Prags ist heute die älteste erhaltene Synagoge von Europa. Sie entstand um das Jahr 1270 und wurde durch spätere Anbauten ergänzt. Die Rippenwölbungen des Doppelschiffes ruhen auf zwei Pfeilern, und ihr mit feiner Ornamentik geschmücktes Tor ist das älteste erhaltene architektonische Portal in Prag. Ein gotisches Eisengitter teilt die Synagogenmitte. Diese Synagoge befand sich im Mittelpunkt der Judenstadt, die hier von jüdischen Händlern angelegt wurde, die sich seit dem Beginn der Stadtbesiedelung in Moldaunähe niedergelassen hatten. Obwohl die jüdische Bevölkerung immer wieder

---

*) Hier besteht jedoch auch die Möglichkeit, an die Route der Besichtigung des historischen Stadtkerns von Prag (Seite 118) anzuknüpfen.

brutale Überfälle und Plünderungen zu erdulden hatte, bildete sie anfangs des 18. Jahrhunderts nahezu ein Viertel der Prager Einwohnerschaft. Sie lebte allerdings zusammengepfercht auf der winzigen Fläche dieses Stadtteiles, der gegen Ende des 19. Jahrhunderts bedauerlicherweise größtenteils der baulichen Assanierung weichen mußte. Nichtsdestoweniger sind in Prag mehr jüdische historische Andenken zusammengetragen worden als an irgendeiner anderen Stelle in Europa. Die Hitlerfaschisten, die während des zweiten Weltkrieges mit geradezu wissenschaftlicher Gründlichkeit alles Jüdische mit Stumpf und Stiel auszurotten begannen, beabsichtigten, in Prag eine Art Schule des Antisemitismus aufzubauen, und ließen deshalb als Reservation nicht nur das ganze Areal des ehemaligen Gettos unberührt bestehen, sondern schafften hierher auch aus anderen Städten jüdische Andenken, die an dieser Stelle in mehreren Synagogen untergebracht wurden. Gegenüber der Alt-Neu-Synagoge befindet sich in der Červená ulice die aus dem 16. Jahrhundert stammende **Hochschul- bzw. Rathaussynagoge** — Radniční synagóga —, in der sich heute die Sammlungen des Staatlichem Jüdischen Museums befinden. Dieser Tempel schließt an das ehemalige jüdische Rathaus mit seinen charakteristischen Holztürmchen und der mit hebräischen Ziffern bezeichneten Uhr an, deren Zeiger rückwärts kreisen. Nahe dem Gebäude wurden noch mehrere andere Bauten auf Kosten des Mordechai Maisel, des reichsten Mannes im rudolfinischen Prag, errichtet. Die nach seinem Tod

ALT-NEU-SYNAGOGE

aufgenommene Vermögensaufstellung ergab eine für die damalige Zeit phantastische Summe: mehr als eine halbe Million Gulden. Nach ihm ist auch die Straße benannt samt

★★14 der **Maisel-Synagoge,** in der die Sammlung „Silber aus böhmischen Synagogen" untergebracht ist. Hier befinden sich rund 500 Gegenstände von weltlichem und Kult-Charakter aus dem 17. bis 20. Jahrhundert einschließlich verschiedener Gewürzbehälter, schöner getriebener Schüsseln, Schalen und Behälter mit Figuralschmuck. Der Silberschatz des Museums umfaßt 6000 Gegenstände, die aus 153 von den Naziokkupanten liquidierten jüdischen Kultusgemeinden nach Prag gebracht wurden. An der Ecke der beiden Straßen Maislova ulice und Kaprova ulice, baulich zusammenhängend mit der Altstädter Nikolauskirche, steht das Geburtshaus des Prager Dichters Franz Kafka. Den größten Teil des Jüdischen Museums findet man zusammengefaßt in der Straße U starého hřbitova im ehemaligen Gebäude der Begräbnisbruderschaft sowie in der früheren, im Jahre 1618 er-

★★★15 richteten **Klausen-Synagoge** — Klausova synagóga. Hier besteht die ständige Ausstellung „Prager Juden seit dem 10. Jahrhundert bis zum Jahr 1848", sowie Belege zur Entwicklung der jüdischen Wissenschaft in Böhmen. Und so befinden sich in Synagogen, deren Gläubige nicht mehr unter den Lebenden weilen, Hunderte von silbernen Händen, mit denen die zu verlesenden Thorastellen gezeigt wurden, Hunderte von Mesusah-Streifen, die an Türpfosten befestigt wurden, um den Weggehenden zum Geleit Ruhe und Frieden zu wünschen, Unmengen von achtarmigen Leuchtern, wie sie am Chanuka-Tag angezündet werden, Hunderttausende von Gebetbüchern, darunter auch kostbare Wiegendrucke aus der ersten Prager jüdischen Druckerei des Schalman Horowitz. Es gibt auf der Welt kein Museum, das in seinen Sammlungen mehr als zehn oder zwölf Tempelvorhänge aufzuweisen hätte. In den Prager Musealsynagogen sind davon nahezu dreitausend, dazu ganze Kilometer von Brokat,

Stickereien und schlichter Leinwand. Kein zweites Museum könnte sich mit diesen Prager Sammlungen messen.

Von dem Gäßchen U starého hřbitova aus gelangt man auch zur Pforte eines der denkwürdigsten jüdischen Friedhöfe der Welt, der nach der Verwüstung und Vernichtung des Judenfriedhofes von Worms zum ältesten **jüdischen Friedhof** Europas geworden ist — židovský hřbitov. ★★★1
Sein Kernstück wurde zu Beginn des 14. Jahrhunderts angelegt; obwohl er mehrmals erneuert wurde, genügten seine Ausmaße nie, und so liegen die Verstorbenen an manchen Stellen sogar in zehn Schichten übereinander bestattet. Die letzten Begräbnisse fanden hier gegen Ende des 18. Jahrhunderts statt. Wenn man von den gotischen Grabsteinen aus dem 14. Jahrhundert absieht, die von einem früheren, um das Jahr 1350 aufgelassenen Friedhof herrühren, so gehört das älteste Grabmal dem Dichter Abigdor Karo, der im Jahre 1439 begraben wurde. Mehr als 12 000 Grabmäler sind hier zwischen knorrigen Bäumen aneinandergedrängt — ein Steinmeer aus fallenden, umgestürzten und noch ragenden Grabsteinen, manche davon kunstvoll gemeißelt, andere nur grob behauen, aus dunklem, verwittertem Sandstein oder auch Rosenmarmor, ein steinernes Archiv verschollener Zeiten. Die Grabmäler sinken unaufhörlich weiter zu den Toten hinab, alle hundert Jahre zehn Zentimeter tiefer. Und es versinken unwahrscheinliche Dinge: obwohl der Talmud die Anfertigung von Bildnissen und Abbildungen untersagte, erblickt man vielen Grabmälern nicht nur Mädchengestalten, sondern auch Kinderbilder oder Handwerkszeichen, und auf dem Grabmal des

DER ALTE JÜDISCHE FRIEDHOF

Rabbi Spiro ist sogar dessen Porträt angebracht. Die Fachleute können nur achselzuckend herumraten. Hatte eine Welle der Ketzerei die Prager Juden erfaßt? Es trifft freilich zu, daß in Prag auch jüdische Häretiker mit ihren talmudwidrigen Ansichten Zuflucht suchten; hierher zogen Kabbalisten, hier lebte Loebel Pressnitz, der den Namenszug Gottes mit Gold auf seine Brust malte und ihn mit einer leuchtenden Substanz bestrich, so daß er, als er sie dann im Dunkel des Tempels enthüllte, Entsetzen hervorrief. Oder waren es Arbeiten böhmischer Handwerker, die gewohnt waren, auf den Grabsteinen Rosen, Tulpen und Herzen einzumeißeln, und ihre Kunst auch bei der Erfüllung von Aufträgen für den jüdischen Friedhof ausübten? Oder wollten es die Prager Juden den Schöpfern der bunt geschmückten Kirchen und Friedhöfe gleichtun, wie sie es zu Hunderten in ganz Böhmen, Mähren und in der Slowakei gab? Die Erklärung dieses Rätsels steht noch aus.

Im Jahre 1564 errichtete die jüdische Gemeinde an der Mauer des alten Friedhofes einen Gebäudekomplex, der Talmud-Hochschul, Spital und Synagoge vereinte. Sieben Jahre später wurde dort als Lehrer Jehuda Löw, Sohn des Bezallel, Sohnes des Chaim, bestellt. Er erlangte in solchem Maße Gelehrtheit, Ruf und Achtung, daß später mit seiner Person auch die Sage vom zauberhaften Golem, Löws aus Lehm geschaffenem Diener, verbunden wurde. Es genügte angeblich, wenn Rabbi Löw dem Golem einen Pergamentstreifen mit der aufgeschriebenen Zauberformel unter die Zunge legte, und die Lehmfigur stand sofort auf, reckte die Glieder, rieb sich den Schlaf aus den Augen aus und sprach, weil sie von einem Rabbiner und nicht von einem Pfuscher geschaffen war, mit den Worten der Bibel: „Herr, rede, dein Diener hört!" Davon, was alles Rabbi Löw sich wünschte und was der Golem angestellt hat, über sein geheimnisvolles Entstehen und seinen nicht weniger geheimnisvollen Untergang gibt es wohl Hunderte von Büchern und Schauspielen, von dem jüdischen Sippurim über A. v. Armin, Meyrink, Kisch und von d'Alberts Oper bis zu Wegeners und Werichs Golem-Filmen. Hunderte von Schwärmern suchten in der Kabbala die Geheimformel, um ihren eigenen Golem zu erschaffen, weitere Hunderte — Bequemere — versuchten, unmittelbar Rabbi Löws Lehmgestalt zu entdecken. Aber keine Zauberformel führte zum Ziel, alle Nachforschungen auf den Dachböden der Synagogen und an verlassenen Stellen blieben erfolglos, und der Wunderrabbi, der hierüber gewiß hätte Aufschluß erteilen können, schläft schon seit mehr als drei Jahrhunderten seinen Schlaf unter einem Baldachin aus Marmorplatten, unweit von der Stelle, wo er lehrte und wirkte. Auch sein Tod ist von Legenden umwoben, und eine von ihnen hat Mikoláš Aleš in seinem letzten Werk dargestellt. Rabbi Löw war angeblich so hochgelehrt, daß selbst der Tod ihn scheute und ihm aus dem Wege ging. Erst als hochbetagter Greis begegnete der Rabbiner einem Mädchen, das ihm seine Rose darbot, mit der Aufforderung, ihren Duft einzuatmen. Doch aus der Blume sprang der Tod heraus und raffte den gelehrtesten der Prager Rabbiner dahin. Aus all dem geht als Moral und Belehrung hervor, daß sich betagte Männer, auch wenn sie noch so grundgelehrt sind, nicht mit jungen Mädchen einlassen sollen.

Die Tumba des Rabbi Löw, der eines so poetischen Todes dahinschied, wird auch heute noch von allen Gräbern des alten Judenfriedhofes am meisten besucht, obwohl die kleine baldachinartige Steinhütte — sein Grabmal — längst nicht mehr die ursprüngliche ist. Mit dem Namen des Rabbi Löw ist noch immer vieles Seltsame und Wunderbare verknüpft, und weil sich auch der Mensch des 20. Jahrhunderts gelegentlich abergläubischem Spiel hingibt, steckt er in den Schlitz der geborstenen Tumbaplatte Zettel mit aufgeschriebenen ernsten und närrischen Wünschen. Die Zahl der Zettel wächst zumal vor den Abiturterminen und besonders im Frühjahr, wenn sehnliche Wunschbriefe Verliebter die Tumba des Rabbi Löw anfüllen. Und so hat der Wunderrabbi, der zu seinen Lebzeiten den von ihm konstruierten Golem arbeiten ließ, jetzt nach dem Tod alle Hände voll zu tun. Wer weiß, was alles Rabbi Löws Tumba birgt — es heißt sogar, in der versinkenden Gruft sei ein bedeutender Schatz verborgen; viele Juden, die während des Krieges aus Prag zu den für die Vernichtungslager bestimmten Transporten antreten mußten, wären angeblich vor ihrem Weggang zum alten Friedhof gekommen und hätten in die Tumba ihre Schmucksachen geworfen, damit sie nicht von den Hitlerfaschisten gefunden werden. Und so ist dieses aus Grabsteinen mit hebräischen Inschriften bestehende Meer nicht nur eine Stätte für historisches Studium, sondern auch eine sehr romantische Angelegenheit, ein Ort der Inspiration für Dichter, Komponisten, gestaltende Künstler und Liebespaare.

★★★17 Durch die Maiselova ulice und sodann gleich nach rechts durch die Široká ulice weitergehend, kommt man an das andere Ende des alten jüdischen Friedhofes, wo man die sozusagen im Boden steckende **Pinkas-Synagoge** — Pinkasova synagóga —, ein 1479 von Rabbi Pinkas gegründetes gotisches Bauwerk, sieht. Die Synagoge ist nunmehr eine Gedächtnisstätte für die während des Krieges hingemordeten

PINKASSYNAGOGE

Juden aus Böhmen und aus Mähren. An ihren Wänden sind 77 297 Namen von Opfern eingetragen, so daß die Synagoge eigentlich eine einzige riesige Tumba bildet, mit der sich nicht einmal die Grabmäler der ägyptischen Pharaonen messen können.

Durch die Valentinská ulice begeben wir uns nun auf den Platz náměstí primátora dr. V. Vacka. Im Mittelalter stand hier eine Marienkirche am Weiher, wo der deutsche Revolutionsprediger Nikolaus von Dresden wirkte, der ähnlich wie Hus als Kämpfer die Reform der Kirche und der Gesellschaft auftrat. Ebenso wie Hus wurde auch er als Ketzer — im Jahre 1417 in Meißen — mit dem Tode bestraft. An der Gartenmauer des Clam-Gallas-Palais steht eine Kopie der **Moldaustatue,** deren von W. Prachner im Jahre 1812 geschaffenes Original in der Nationalgalerie aufbewahrt wird. Die Figur ist ungemein populär. Von den Pragern wird sie vertraut Terezka (Resl) genannt und es werden von ihr zahlreiche Sagen erzählt. Zu der lieblichen sitzenden Mädchengestalt, die aus einer Kanne den Sternenhimmel fließen läßt, so wie er sich auf den Wellen der Moldau widerspiegelt, entbrannte, obwohl sie eine Steinfigur war, in heißer Liebe ein Altstädter Bürger, der ihr nach seinem Tode sein ganzes Vermögen vermachte. Und so wurde Terezka zur wohlhabendsten Figur in der Stadt. Beurteilen Sie selbst, ob ihr Liebreiz ein solches Vermächtnis verdient hat.

★★19 Gegenüber der Figur ragt das Gebäude der **Prager Zentralbibliothek** — Ústřední knihovna — empor, die weit über eine Million Bände zählt; in ihrem zweiten Geschoß befindet sich die Sammlung moderner tschechischer Kunst der Nationalgalerie. Hier findet man Gemälde und auch Skulpturen aus der Zeitspanne vom Ende des vergangenen Jahrhunderts bis zur Gegenwart. An der Hauptfront des Platzes erhebt sich das neue Rathaus, ein Spätsezessionsbau, geschmückt mit Plastiken von Stanislav Sucharda, Josef Mařatka und Ladislav Šaloun, von dem an den Eckpfeilern auch die Statuen des Eisernen — gleichfalls eine der romantischen Gestalten, die in den Prager Legenden weiterleben — sowie die Statue des Rabbi Löw mit dem Akt der Verführerin stammen.

Gegenüber dem Rathaus befindet sich einer der Eingänge zum Universitätsgebäudekomplex des **Clementinums,** dem größten Bauwerk Prags nach der Prager Burg. Im Jahre 1653 wurde der Bau begonnen und erst nach mehr als hundert Jahren zu Ende geführt. Das Clementinum bildet ein klassisches Beispiel für die Expansivität der Jesuiten, die hier die Kraft und die Macht der Kirche zu demonstrieren strebten; seine eigentliche Bestimmung bestand darin, aus dem Denken der Tschechen das Andenken an Hus und an seine Ideen auszurotten. Heute ist der Gebäudekomplex Sitz der Universitätsbücherei, der Nationalbibliothek sowie der Slawischen und der Technischen Bibliothek. Berühmt ist die Handschriftenabteilung, in der mehr als 5000 kostbare Manuskripte aufbewahrt werden. Zu den bedeutendsten gehört der von der Prager Malerschule im 11. Jahrhundert illuminierte Vyšehrader Kodex; im Juni 1086 legte auf dieses lateinische Evangelienbuch der erste böhmische König, Vratislav II., den Krönungseid ab. Das St.-Georgs-Brevier, etwa im Jahre 1360 entstanden, ist statt mit Malereien mit aufgeklebtem Foliengold geschmückt. Die um das Jahr 1340 angefertigte Velislav-Bibel stellt eigentlich die älteste tschechische Form von ,,Comics" dar: es ist eine Bilderfolge aus dem Alten und Neuen Testament und war für einen Magnaten bestimmt, der zwar nicht lesen konnte, sich aber trotzdem mit den biblischen Begebnissen bekanntmachen wollte. Man findet hier auch frivole tschechische Glossen, die im dreizehnten oder vierzehnten Jahrhundert von adeligen Jungfräulein im Georgskloster auf der Prager Burg in lateinische Pergament-Singbücher hinzugefügt wurden, wertvoll auch deshalb, weil die Glossen die ältesten schriftlich belegten tschechischen Schimpfnamen festhalten. Man kann hier auch eine große Gradualensammlung mit gewaltigen, dabei größtenteils überraschend schön illuminierten Meßbüchern betrachten: das Kleinseitner Graduale vom Jahre 1572 enthält eine einzigartig überzeugende Darstellung der weltlichen

Entwicklung der Reformation in einem katholischen Buche. Im Kapitel „Über den heiligen Magister Jan Hus" ist zuerst Wiclif gemalt, der aus Feuersteinen Funken zu schlagen bemüht ist, darunter Hus bereits mit flammender Kerze und noch tiefer Luther mit lodernder Fackel. Die Universitätsbücherei kann sich auch der größten Wiclif-Schriftensammlung der Welt rühmen; sie besitzt davon über hundert, d. h. mehr, als selbst in England vorhanden sind. Die böhmischen Studenten, die ihre Ausbildung an der Universität von Oxford genossen, als die böhmische Prinzessin Anna Königin von England war, kehrten nach Böhmen mit Abschriften von Wiclifs Traktaten zurück, und von diesem Strom wurde später gleichfalls Jan Hus mitgerissen.

Der Clementinum-Komplex ist jedoch auch in kunsthistorischer und baulicher Hinsicht interessant. Gleich hinter dem Innenhof, den man vom Platz her kommend betritt, ragt ein barocker Observatoriumsturm empor, dessen Spitze eine eherne Atlasstatue vom Jahre 1722 trägt. Hier wirkte der Astronom Joseph Stepling, und bereits seit dem 18. Jahrhundert werden hier regelmäßige Temperaturmessungen und sonstige meteorologische Aufzeichnungen durchgeführt. Bis zum Beginn des ersten Weltkrieges wurde von der Turmspitze aus durch Flaggenzeichen die genaue Mittagszeit signalisiert. Das ehemalige Sommerrefektorium im Erdgeschoß ist jetzt in einen Fachliteratur-Lesesaal verwandelt worden. Der Raum ist mit Monumentalgemälden von Christoph Tausch geschmückt — Christus bei Maria und Martha und die Hochzeit von Kanaan — einem der sympathischsten Wunder, die jemals von den Künstlern dargestellt wurden. Beachten Sie nur, wie realistisch das Bild wirkt: An einem langen Pult sitzen die sich schon angeregt unterhaltenden Hochzeitsgäste und geben sich dem rauschenden Gelage hin, nur der Bräutigam und die Braut sehen etwas benommen aus; vielleicht rechnen sie besorgt nach, ob ihre Mittel ausreichen werden. Dabei ahnen sie noch nicht, daß es im Gegenteil das billigste Hochzeitsmahl werden wird, das die Welt kennt, denn unten in der Mitte segnet bereits der Heiland eine Kanne mit Wasser, das er in Wein verwandelt. An das Refektorium schließt die Spiegelkapelle mit zahlreichen in Stukkaturen eingesetzten Spiegelflächen an. Sie dient heute der Veranstaltung von Ausstellungen und Konzerten. Eine Besichtigung verdient auch der barocke Saal im ersten Stockwerk, besonders die von J. Hiebl im Jahre 1727 gemalten Fresken mit Symbolen der Wissenschaft und der Künste sowie der im Rokokostil eingerichtete Mozartsaal und der mathematische Saal mit der berühmten Sammlung von Tischuhren und Globussen. Die Gänge der Bibliothek sind mit Deckengemälden aus Legenden vom hl. Ignatius und vom hl. Franziskus Xaverius geschmückt.

Aus dem Clementinum kann man in das Gäßchen Karlova hinausgehen; am Tor ist eine Gedenktafel für den nationalen Erwecker Josef Šafařík angebracht, der hier um die Mitte des 19. Jahrhunderts wirkte. An der Giebelseite des Gebäudes sieht man auch eine bemerkenswerte Johannes-Nepomuk-Statue aus der Werkstatt des Bildhauers Matthias Braun. Ein anderer, für unseren Spaziergang günstigerer Ausgang führt über den mittleren Hof mit dem Standbild des Prager Studenten von Josef Max (1848), das hier zur Erinnerung an die Verdienste der Prager Studenten bei der Verteidigung Prags gegen die Schweden im Jahre 1648 aufgestellt wurde. Durch eine Pforte neben der Salvatorkirche kommt man auf den **Kreuzherrenplatz** — Křižovnické náměstí — hinaus, der trotz seines kleinen Umfanges zu

21★★★

den architektonisch am schönsten gelösten Plätzen in Prag gehört.

Die barockisierte Salvatorkirche, ein dreischiffiger Bau mit Kuppel und reicher Stuckverzierung, entstand mit dem Jahre 1578 beginnend, wobei Carlo Lurago, Francesco Caratti und F. M. Kaňka einander ablösten, wie auch die Urheber der Stukkaturen, J. J. Bendel und D. Galli; malerische Motive hat Raphael Santi beigesteuert, und die Bilder schufen J. J. Hering, J. J. Heintsch sowie Karel Kovář, der auch der Autor des Deckenfreskengemäldes „Die vier Weltteile" ist. In der Krypta der Kirche ist der patriotische Jesuitenpriester, Historiker und Verteidiger der tschechischen Sprache Bohuslav Balbín beigesetzt, zusammen mit seinem gänzlich entgegengesetzt eingestellten Ordensbruder, dem Gegenreformationsprediger Antonius Koniáš, der in Prag und auf dem Land in Böhmen Hunderte sogenannter Ketzerbücher, oft von unersetzlichem literarischem Wert, verbrannte.

An der Ecke der Křižovnická ulice und des Platzes erhebt sich die in der zweiten Hälfte des 17. Jahrhunderts nach einem Plan des französischen Architekten Jean B. Mathey errichtete St.-Franziskus-Kirche. Der Barockbau, den eine interessante Kuppel krönt, hat ein monumentales Freskodeckengemälde von V. V. Reiner „Das jüngste Gericht" vom Jahre 1722. Der Hauptaltar und einige Heiligengestalten sowie Prunkrahmen gehen auf den Bildhauer M. V. Jäckel zurück. In der rechten Seitenkapelle sieht man als Altarschmuck eine gotische Madonna, und vor der Kapelle steht ein zinnernes Taufbecken, gleichfalls aus dem 15. Jahrhundert. An der Ecke vor der Kirche steht die Winzersäule mit einer St.-Wenzels-Statue von J. J. Bendel aus dem Jahre 1676. Mit der Kirche hängt das im Frühbarockstil von C. Lurago erbaute ehemalige Kreuzherrenkloster zusammen, das später um ein Stockwerk erhöht wurde. In der Mitte des Platzes steht das neugotische Denkmal des Kaisers und böhmischen Königs Karl IV. Es wurde nach einem von Ernst Hähnel aus Dresden in der Nürnberger Werkstatt des J. Burgschmiedt gestalteten Modell aus Erz gegossen. Den Denkmalsockel schmücken Allegorien der vier Fakultäten der Karls-Universität, die das Standbild zur Fünfhundertjahrfeier ihres Bestehens stiftete, sowie Gestalten bedeutender Männer am damaligen Hofe Karls IV.: der Erzbischöfe Arnošt von Pardubice und Jan Očko von Vlašim sowie Beneš von Kolovraty und des kaiserlichen Dombaumeisters Matthias von Arras; Karl IV. hält in der Hand die gesiegelte kaiserliche Bulle.

Die Straßenbahn fährt zum Křížovnické náměstí zwischen zwei Laubengängen hindurch, die an das zu Beginn des 18. Jahrhunderts errichtete Colloredo-Mansfeld-Palais anschließen. In seinem Hoftrakt ist ein Tanzsaal, dessen Originaldeckengemälde den Olymp darstellen.

ALTSTÄDTER BRÜCKENTURM

Von hier aus führt der sog. Krönungsweg weiter durch das Tor des **Brückenturmes** — Mostecká věž — auf die Karlsbrücke. Der Turm am Brückenkopf wird allgemein als der prachtvollste mittelalterliche Brückenturm in Europa angesehen. Er bildet einen Bestandteil der Steinbrücke,

22★★★

auf deren erstem Pfeiler er ruht, und fesselt den Betrachter durch seine Plastiken. Seine Gründung geht zurück auf Peter Parler gegen Ende des 14. Jahrhunderts; und trotz der zahlreichen Kämpfe, die im Verlaufe der Jahrhunderte auf der Karlsbrücke ausgefochten wurden, hat er vom Platz aus gesehen nahezu unverändert seine ursprüngliche Gestalt bewahrt. Über dem Tor erblickt man die Wappen der Länder, die Karl IV. unter seinem Zepter vereinigte, sowie in mehrfacher Darstellung das Motiv des Eisvogels im Liebesknoten, des Symbols seines Sohnes König Wenzel IV., der den Bau zu Ende führte. Vier Bilder spärlich bekleideter Bademägde beziehen sich auf die bekannte Bademagd Susanne. Sie verhalf Wenzel IV. zur Flucht aus der Altstädter Gefangenschaft, als ihm erlaubt worden war, bei ihr das Bad zu nehmen. Außer anderen Annehmlichkeiten verschaffte Susanne dem König auch einen Kahn, in dem sie ihn ans Kleinseitner Moldauufer brachte, dessen Bewohner ihm die Treue bewahrt hatten. Für diese Tat wurde der schönen Susanne innige Zuneigung des Königs zuteil, nebst 20 Schock Silbergroschen jährlich, und für die Bader und Barbiere, die bis dahin als unehrbare Gewerbe behandelt wurden, die Erhebung zu einer ehrsamen Zunft, deren Zunftzeichen ein grüner Papagei war.

Der Altstädter Brückenturm hat auf der dem Kreuzherrenplatz zugewandten Frontseite eine reiche plastische Ausschmückung, die zu den bedeutendsten Werken der

Bildhauerkunst des 14. Jahrhunderts gehört. Am weitesten oben sieht man Plastiken der Landespatrone von Böhmen St. Adalbert und St. Sigismund, darunter zu beiden Seiten des jugendlichen St. Veits die sitzenden Gestalten Karls IV. und König Wenzels IV. Die Brückenseite des Turmes ist heute kahl; ihre ursprünglich gleichfalls reiche plastische Ausschmückung wurde während der schwedischen Belagerung 1648 vernichtet. An den Krieg mit den Schweden erinnert die eingesetzte Gedenktafel. In geringer Höhe über dem Boden sind an den Turmecken neckische Plastiken versteckt, z. B. ein Ritter, der auf frivole Art mit einer Nonne, nach anderer Lesart mit einer Bademagd, scherzt. Der Turm ist zugänglich durch einen niedrigen Wehrgang aus der Tordurchfahrt. Das Kerkergelaß des Turmkellers diente früher als Schuldturm; an seinen Wänden liest man heute noch Inschriften, die von seinen ehemaligen Insassen hinterlassen wurden. Das darüberliegende Geschoß diente den Turmwächtern; hier stand ein Ofen, an den Fenstern waren bequeme Sitze, und die beiden über den Fluß hinausragenden Aborte (der Fachausdruck lautet „Scheißnasen") können in Anbetracht ihrer praktischen Anordnung als die ersten Spülklosetts angesehen werden. Zum Wehrgang des Turmes führen die 138 Stufen einer Wendeltreppe hinauf, die durch die pittoreske Turmwächterstatue abgeschlossen wird. Zögern Sie nicht, denn Sie werden den Aufstieg niemals bereuen, und falls Sie einen Photoapparat mitgenommen haben, bereiten Sie sich darauf vor, daß Sie hier eine tüchtige Portion Film belichten werden: es eröffnet sich von hier ein überwältigender Ausblick auf die gedrängt emporragenden Prager Türme, über die Karlsbrücke, über die Moldau und auf den Hradschin.

23★★★

Die **Karlsbrücke** — Karlův most — gehört im wahrsten Sinne des Wortes zu den Kleinoden Prags. Sie ist nicht die erste steinerne Brücke, die die beiden Moldauufer verband; schon vor ihr stand hier eine Steinbrücke, die den Namen der Königin Judith trug: aber immerhin gehört die **Karlsbrücke** zu den ältesten erhaltenen Brückenbauten Mitteleuropas. Die eigentliche Brücke ist mehr als einen halben Kilometer lang, 10 m breit und verläuft, wie Sie möglicherweise vom Altstädter Brückenturm aus bemerkt haben, in einer strömungstechnisch zweckmäßig geführten Krümmung. Sie wird von 16 Brückenpfeilern getragen. Bis auf kleinere Instandsetzungen weist die Brücke dieselbe Gestalt auf, die ihr der siebenundzwanzigjährige Architekt des Prager Domes, Peter Parler, verlieh, der den Brückenbau im Jahre 1357 begann. Bis auf den heutigen Tag ist sie ungeachtet ihres Alters die schönste unter den vierzehn Prager Brücken. Ihren Reiz bilden nicht nur die einzigartige, aus dreißig Statuengruppen bestehende Skulpturenallee, die hier um die Wende des 17. Jahrhunderts errichtet wurde, sondern auch die an beiden Enden emporragenden Brückentürme und das bezaubernde Panorama der Kleinseite samt dem Hradschin. Rechnen Sie also mit einer weiteren Filmrolle! Auch wenn die Plastiken nicht alle derselben Epoche entstammen (manche davon mußten bereits ersetzt werden) und obwohl sie nicht das einheitliche Werk einer einzigen Bildhauerschule sind und unterschiedlichen Kunstwert aufweisen, wurden sie dennoch mit so untrüglichem Sinn für Wirkung aufgestellt, und so organisch mit der Brücke zu einem Ganzen verbunden, daß sie ein unvergleichliches Werk bilden, das mehr einer Freilicht-Kunstausstellung gleichkommt als einem bloßen Kommunikationsweg. Die Karlsbrücke verbindet als steinerner Steg die Vergangenheit mit der Gegenwart. Und obwohl man die Besichtigung der Brücke bei Tag durchführen muß, empfehlen wir Ihnen, falls Sie Zeit und Sinn für Romantik haben, noch am Abend hierherzukommen, wenn die zwischen den Statuenreihen aufgestellten Lampen den Eindruck erwecken, als schreite man durch eine steinerne Allee mit Märchengestalten.

LINKE SEITE

1. Statuengruppe mit St. Ivo — Kopie eines im Lapidarium des Nationalmuseums aufbewahrten Originals von Matthias Braun, 1711
3. Statuengruppe St. Barbara, St. Margaretha und St. Elisabeth von F. M. Brokoff, 1707
5. Beweinung Christi von Emanuel Max, 1859, an der Stelle einer alten Pieta aus dem 15. Jahrhundert

7. Der hl. Joseph von Emanuel Max, 1854
9. Statuengruppe des Franziskus-Xaverius-Denkmals, Kopie von Čeněk Vosmík, 1913, nach von F. M. Brokoff aus dem Jahre 1711 stammendem Original, das durch die Hochwasserkatastrophe im September 1890 zerstört wurde
11. St.-Christoph-Statue von E. Max, 1857
13. Statuengruppe St. Franziskus von Borgia von F. M. Brokoff, 1710
15. St. Ludmilla aus M. B. Brauns Werkstatt, etwa 1720

RECHTE SEITE

2. Die Madonna mit St. Bernhard — von M. V. Jäckel, 1709

4. Madonna mit dem hl. Dominikus und Thomas von Aquino, Kopie eines Originals von M. V. Jäckel, 1708
6. Vergoldete Kreuzigungsgruppe, in Dresden 1629 gegossen, Statuen von E. Max, 1861. Die vergoldete hebräische Lobpreisung Christi wurde im Jahre 1696 aus dem Bußgeld angefertigt, das einem Juden wegen angeblicher Schmähung des Kreuzes auferlegt wurde.
8. Die hl. Anna Selbdritt von M. V. Jäckel, 1707
10. St. Cyrill- und Methodius-Statuengruppe von K. Dvořák, 1928, anstelle des St.-Ignatius-Denkmals von F. M. Brokoff, das im Lapidarium des Nationalmuseums aufbewahrt wird.

12. Johannes der Täufer von J. Max, 1857
14. Statuengruppe St. Norbert, St. Wenzel und St. Sigismund von J Max, 1853
16. St. Johannes von Nepomuk (nach einer Zeichnung von J. B. Mathey). Die älteste Statue auf der Brücke, 1683. Bronzefigur mit Reliefs nach M. Rauchmiller aus Wien

45

17. St. Franziskus Seraph — von E. Max, 1855
19. Statuengruppe St. Vinzenz Ferrarius und St. Prokop — von F. M. Brokoff, 1712
21. St. Nikolaus von Tolentin, bei der Steintreppe zur Insel Kampa, von J. F. Kohl, 1708
23. Statuengruppe St. Luitgard von M. F. Braun, 1710, die künstlerisch wertvollste Plastik der Brückengalerie
25. St. Adalbert, wahrscheinlich von J. M. Brokoff, 1709

27. Figurengruppe St. Johannes von Matha, St. Felix von Valois und St. Ivan — mit der populären Gestalt des Türken — von F. M. Brokoff, 1714
29. St. Wenzel von K. Böhm, 1858

und Modell von J. Brokoff, gegossen von W. Heroldt in Nürnberg.
18. St. Antonius von Padua — von J. U. Mayer, 1707
20. St. Judas Thaddäus von J. U. Mayer, 1708
22. St. Augustinus von J. F. Kohl, 1708

24. St. Kajetan (über dem Flußarm Čertovka) von F. M. Brokoff, 1709
26. St. Philipp Benitius, vom Salzburger Bildhauer M. B. Mandel, 1714, aus Salzburger Marmor gehauen
28. St. Veit von F. M. Brokoff, 1714

30. Erlöser-Gruppe mit St. Kosmas und Damian von J. O. Mayer, 1709

Außer dem den Brückenweg säumenden Figurenschmuck gehört zur Karlsbrücke noch eine weitere Statue auf einem Pfeiler links über dem Fluß, unweit vom Ufer der Kampa-Insel. Es ist die Bruncvík-Statue, die an den legendären Recken erinnert, der durch erstaunliche Abenteuer und unerhörte Tapferkeit in der Welt die Freundschaft eines Löwen erwarb, dessen Symbol er in sein Wappen aufnahm. Das Zauberschwert des Recken wurde der Sage zufolge in die Pfeiler der Karlsbrücke eingemauert, deren Mörtel angeblich durch rohe Eier verfestigt wurde.

Nach einmütiger Ansicht der Fachleute ist in künstlerischer Hinsicht am wertvollsten das St.-Luitgard-Denkmal von M. Braun (Nr. 23 links). Sie haben recht: keine der übrigen Skulpturen drückt so überzeugend innere Bewegung und leidenschaftliches menschliches Empfinden aus.

Am meisten wird natürlich das Relief an der steinernen Brüstung auf der rechten Brückenseite aufgesucht, das die Ertränkung des Johannes von Nepomuk darstellt. Um diesen Heiligen herum, der einen so schmählichen Tod in den Wellen fand und dennoch für seine zahlreichen Statuen mit Vorliebe Stellen auf Brücken oder in der Nähe von Gewässern wählt, haben sich viele Vorfälle ereignet, die nicht durchweg glaubwürdig erscheinen. Um die Wahrheit zu sagen, hängt seine Heiligsprechung vor allem mit dem Ketzer Jan Hus zusammen. Die Jesuiten wollten sein Andenken in Böhmen ausrotten und waren deshalb der Ansicht, dies könnte am besten dadurch geschehen, daß den Gläubigen ein anderer Märtyrer präsentiert wird. Und so griffen sie, im 18. Jahrhundert, recht weit in die Vergangenheit zurück bis auf Zeiten, an die sich niemand mehr erinnern konnte, und stellten dem ketzerischen tschechischen Volke als neuen Heiligen den Johannes von Pomuk — später von Nepomuk genannt — vor, der auf Geheiß König Wenzels IV. unter der Karlsbrücke in einem Sack ertränkt wurde. Die Gegner seiner Kanonisierung, darunter auch bedeutende katholische Geistliche, wiesen darauf hin, daß der Generalvikar Johannes von Pomuk deshalb ertränkt worden war, weil er gegen den Willen des Königs den neuen Abt des Klosters Kladruby in seiner Würde bestätigt hatte und nicht deshalb, weil er wie behauptet wurde, sich geweigert hätte, dem König das Beichtgeheimnis seiner Gattin Sophie zu verraten. Um die Verwirrung zu vollenden, behaupteten die Jesuiten, Johannes von Nepomuk sei im Jahre 1383 ertränkt worden, obwohl damals niemand in der Moldau derart umgekommen war, und historisch erwiesen ist, daß der Kanonikus erst im Jahre 1393 von der Brücke gestürzt worden war. Allen Unklarheiten zum Trotz wurde jedoch Johann von Nepomuk im Jahre 1729 kanonisiert. Im St.-Veits-Dom wurde für ihn ein imposantes Grabmal aus nicht weniger als 37 Zentnern Silber errichtet.

Verlassen wir jedoch nunmehr die Statuen samt ihren Begebenheiten und setzen wir unseren Spaziergang fort. Die Karlsbrücke mündet am Kleinseitner Ufer in ein durch zwei weitere **Brückentürme** — Malostranské mostecké věže — bewehrtes Tor, von denen der größere (rechts) zugänglich ist und einen bezaubernden Ausblick auf Prag, die Karlsbrücke, die Kleinseite und den Hradschin bietet. Betritt man das mit dem linksseits stehenden Turm zusammenhängende Haus, so findet man im ersten Stock ein kostbares Denkmal spätromanischer böhmischer Bildhauerkunst aus der Mitte des 13. Jahrhunderts. Es hat ein leider unvollständiges Votivrelief, das wahrscheinlich einen vor dem thronenden Herrscher knieenden Fürsten darstellt. Der linke Brückenturm hat einen romanischen Baukern und bildete einen Bestandteil der ursprünglichen Befestigung der Judithbrücke, einer Vorgängerin der Karlsbrücke. Der rechte, höhere Brückenturm wurde im Jahre 1464 erbaut.

Durch das Brückentor zwischen den Türmen kommen wir in die Mostecká ulice, aus der wir nach einigen Schritten nach links in die alte Lázeňská ulice abbiegen. (Sollte Ihnen die Zeit oder Geduld fehlen, gehen Sie geradeaus weiter bis zum Kleinseitner Ring hinauf, siehe Seite 51). Gleich das erste Eckhaus auf der linken Seite — im 19. Jahrhundert ein Hotel — war ein Treffpunkt der vornehmen europäischen Gesellschaft. Eine Gedenktafel erinnert an den Aufenthalt François René Chateaubriands, aber es wohnte hier unter anderen auch Peter der Große, ähnlich wie gegenüber an einem weiteren ehemaligen Hotel eine Gedenktafel an Ludwig van Beethoven gemahnt, der hier im Jahre 1796 weilte. Das ehemalige Konventgebäude des Malteserritterordens, ein Barockbau, ist heute der Sitz des Orientalischen Institutes der Tschechoslowakischen Akademie der Wissenschaften. Es ist der **Kirche „Maria unter der Kette"** — kostel Panny Marie pod řetězem — benachbart, die bereits im Jahre 1169 als romanisches Bauwerk gegründet, jedoch im 14. Jahrhundert im gotischen Stil umgewandelt wurde. Der Umbau wurde allerdings, wie man sofort bemerkt, nicht zu Ende geführt, und um die Mitte des 17. Jahrhunderts wurde die Kirche von Carlo Lurago im Barockstil renoviert.

KLEINSEITNER BRÜCKENTÜRME

Wir begeben uns zum Platz Maltézské náměstí, in dessen Mitte ein Denkmal Johannes des Täufers steht, die Überreste eines ehemaligen Stadtbrunnens von F. M. Brokoff aus dem Jahre 1715. Auf der linken Seite ragt unter den mit Laubengängen versehenen Häusern der geräumige Bau des vor dem Jahre 1700 aufgeführten Straka-Palastes empor. Heute befindet sich hier die Deylsche Blindenanstalt mit Musikschule. Im Inneren ist ein Prunksaal mit ursprünglichen Deckenmalereien des Schweizer Malers Hans Rudolf Wyss vom Jahre 1715 erhalten, die eine Huldigung für den Türkenbesieger Kaiser Leopold sowie antike Gottheiten darstellen. In weiteren drei Räumen des zweiten Stockwerkes befinden sich wertvolle Originaldekors. Gegenüber erhebt sich der Barockbau der japanischen Botschaft.

Durch das kurze Gäßchen Harantova ulička gelangen wir auf die Straße Karmelitská ulice hinaus, wo wir nach rechts weitergehen. Nur wenige Meter weiter erblicken wir links einige Stufen, die zur **Kirche Maria de Victoria** — chrám Panny Marie Vítězné — hinaufführen. Dieses Gotteshaus wurde in den Jahren 1611—1613 als erster Barockbau Prags von deutschen Protestanten errichtet, später jedoch den Karmelitern überlassen. Die Kirche hat Weltruf erlangt, denn sie beherbergt die Wachsstatue des Prager Jesukindes, das in vielen Ländern der Erde, namentlich in Italien, Spanien und in Lateinamerika, verehrt wird. Der Statue, einem Werk der spanischen Renaissance, werden zahlreiche Wundertaten zugeschrieben. Die Figur des Jesukindes verfügt über eine umfangreiche Garnitur von Garderoben, die je nach den Abschnitten des Kirchenjahres bzw. den Festtagen gewechselt werden. Die Statue ist auf einem Marmoraltar rechts vom Hauptaltar aufgestellt. Der Barockaltar wirkt in der sonst so schlichten Ausgestaltung der Kirche durch seine Kombinationen von Gold und Schwarz überwältigend. Die Bilder des hl. Joseph, des hl. Joachim und der hl. Anna an den Seitenaltären sowie das frei hängende Bild des hl. Simon stammen von dem bekannten Maler vieler Prager Altarbilder und Porträtisten Peter Brandl (etwa 1700), das Bild der hl. Theresie von dem Dresdner Maler Hans Georg Dietrich (1752). Unter der Kirche erstreckt sich eine Krypta mit offenen Särgen von Karmelitermönchen und Wohltätern des Ordens, deren Körper von der strömenden Luft völlig getrocknet sind. Vor der Kirche erinnert mahnend eine vom Bildhauer František Adamec angefertigte Bronzeplatte an die Kinder, die im zweiten Weltkriege den Tod fanden.

Von der Kirche schreiten wir weiter in Richtung zum Kleinseitner Ring, vorüber an dem rechts stehenden ehemaligen Thun-Hohenstein-Palast, einem Barockbau vom Jahre 1747, dessen Hauszeichen drei goldene Hände bilden. Im 18. und 19. Jahrhundert befand sich hier ein Hotel, in dem zum Beispiel Admiral Nelson mit Lady Hamilton oder der Komponist Carl Maria von Weber wohnten.

Das Eckhaus links, unmittelbar vor dem Marktplatz, ist der Renaissancebau des **Vrtba-Palastes,** in dem heute das Tschechoslowakische Auslandsinstitut seinen Sitz hat. Hier wohnte gegen Ende des 19. Jahrhunderts der bekannte tschechische Maler Mikoláš Aleš. Im Altan des Terrassengartens, der einen wundervollen, wenig bekannten Ausblick auf die Nikolauskirche und auf den Hradschin gewährt, ist eine Ausstellung von Reproduktionen der Bilder und Zeichnungen untergebracht, die Aleš während seines Aufenthaltes hier geschaffen hat. Die barocke Gartenanlage ist mit Statuen und Vasen von M. B. Braun oder aus dessen Werkstatt geschmückt.

27

Vom Tor des Vrtba-Palastes sind es nur wenige Schritte zum Kleinseitner Ringplatz — Malostranské náměstí. Hier ragt dominierend die imposante Patinakuppel und der Glockenturm der Nikolauskirche, des bedeutendsten Werkes des Prager Barocks, empor. Auch der ganze Komplex der den Platz säumenden Gebäude gehört bis auf wenige Ausnahmen dem Barock an. Die großartige barocke Umgestaltung der Kleinseite, die von den Adelsfamilien im 17. und 18. Jahrhundert durchgeführt wurde, hat mit ihren Palästen ein ganz eigenartiges und dabei harmonisch geschlossenes architektonisches bauliches Ganzes geschaffen, wobei dieses Prager Viertel gleichzeitig bis zu einem bestimmten Grad einen ausgesprochen exklusiven Charakter annahm.

Das Kirchenschiff von **St. Nikolaus** — chrám sv. Mikuláše — wurde in den Jahren 1704—1711 mit bewunderungswürdiger Inspiration und Kühnheit von Christoph Dientzen-

★★★28

ST. NIKOLAUS-KIRCHE

hofer erbaut. Nach Plänen seines Sohnes Kilian Ignaz Dientzenhofer wurde sodann der Bau der Kuppel in Angriff genommen, und 1755 beendete Anselmo Lurago noch den schlanken hohen Glockenturm. Auch das Innere des Gotteshauses läßt erkennen, daß es sich um eine Gipfelleistung des Prager Barocks handelt. Dies beweist unter anderem das monumentale Deckenfreskogemälde von Joh. Ludwig Kracker (1760). Sein Motiv ist die Glorifizierung des hl. Nikolaus. Mit seinen rund 1500 Quadratmetern gehört dieses Gemälde zu den größten in Europa. Gegen Ende der fünfziger Jahre wurde es mit nicht geringem Aufwand durch Kaseininjektionen zuverlässig wieder an der Decke befestigt, denn es hatte sich die Gefahr eines Abbröckelns von Freskenteilen bemerkbar gemacht. Als Kracker um die Mitte des 18. Jahrhunderts sein gewaltiges Werk auf den feuchten Deckenputz malte, standen unten Scharen von Pragern, die mit angehaltenem Atem aufwärts blickend seine Arbeit verfolgten. Das Fresko wirkt bis auf den heutigen Tag durch seine einzigartige Schönheit.

Es ist dabei nicht auf einer gewöhnlichen Wölbung gemalt, sondern es bildet eine Harmonie der verschiedensten sphärischen Flächen, die ineinander übergehen, und das Gemälde ist so kunstfertig ausgeführt, daß der hinaufblikkende Betrachter nicht erkennen kann, wo das Meisterwerk des Baumeisters Dientzenhofer endet und wo das Meisterwerk des Malers Kracker beginnt.

Die Kuppel ist mit ihren 75 m so hoch, daß in ihr der Aussichtsturm vom Petřínhügel Platz finden könnte, den man von vielen Stellen Prags aus erblickt. Ihren Innenschmuck bilden Freskogemälde von F. X. Balko. Unter der Kuppel bemerkt man vier gewaltige Statuen der hl. Kirchenväter von I. F. Platzer, der auch die gigantische vergoldete St. Nikolaus-Statue über dem Hauptaltar schuf. In einem Glasschrein links vom Hauptaltar sieht man eine gotische Statue der Madonna, die von den Jesuiten aus Belgien im Jahre 1629 nach Prag gebracht wurde. Die Seitenkapellen sind gleichfalls prunkvoll geschmückt mit Gemälden von Karel Škréta, Ludwig Kohl, Francesco Solimena, Ignaz Raab und F. X. Balko sowie mit Skulpturen von Richard und Peter Prachner.

Gegenüber der Hauptfront der Kirche steht der ehemalige Liechtensteinpalast, wo der berüchtigte „blutige" Statthalter, der Inspirator der Prager Exekution — der Hinrichtung der böhmischen Herren auf dem Altstädter Ring —, Karl von Liechtenstein, lebte.

Unweit von hier, um die Ecke, an der Nordseite des Platzes, im Haus Nr. 18, das der alten tschechischen Adelsfamilie Smiřický gehörte, wurde im Mai 1618 die Beratung der böhmischen Ständeopposition abgehalten, auf der die Defenestration der Statthalter beschlossen wurde, der berühmte (zweite) Prager Fenstersturz, der das Signal zum böhmischen Aufstand gab und letzten Endes den Anstoß zum Dreißigjährigen Krieg bildete und der auch die erwähnte Massenhinrichtung am Altstädter Ring zur Folge hatte.

Das Eckhaus der Ostseite des Platzes ist das ehemalige Kleinseitner Rathaus, urspünglich ein imposantes Bauwerk, unter dessen Dach im Jahre 1575 die sogenannte „böhmische Konfession" abgefaßt wurde (Sammlung der Glaubensartikel, die die böhmischen nichtkatholischen Herren als Grundlage zu Verhandlungen über die Glaubensfreiheit aufstellten. Die böhmische Konfession wurde erst durch den Majestätsbrief Kaiser Rudolfs II. im Jahre 1609 angenommen).

Vom Kleinseitner Ring führt unser Weg steil hinauf durch die Nerudova ulice, die früher einen Abschnitt des sogenannten Krönungsweges bildete. Die Straße trägt ihren Namen nach dem hervorragenden tschechischen Dichter und Journalisten Jan Neruda, der am oberen Ende der Gasse wohnte. Den Charakter dieser Gasse bestimmten die Barockpaläste, die Kirche und die Fassaden der Bürgerhäuser, die großenteils schöne Hauszeichen tragen aus der Zeit, als in Prag noch keine Hausnummern benutzt wurden. Da hier nur selten spätere Umbauten durchgeführt wurden, gehört dieser Straßenzug zu den baulich wertvollsten von Prag, und der Prager Hochbarock hat ihm bis auf den heutigen Tag seinen Charakter aufgeprägt. Das Haus Nr. 12 führt als Hauszeichen drei kleine Violinen, denn hier lösten sich drei Prager Geigenbauerfamilien ab. Einer der bedeutendsten Namen davon ist Thomas Edlinger. Das Haus Nr. 14 wurde im Jahre 1704 von Christoph Dientzenhofer umgebaut und gehörte später dem großen Architekten Giovanni Santini. Das Nachbargebäude trägt als Hauszeichen einen von der glatten Renaissancefassade ausdrucksvoll abstechenden goldenen Kelch. Eigentümer des Hauses war der Goldschmied Bartholomäus Schumann.

Auf der gegenüberliegenden (linken) Straßenseite fesselt unsere Aufmerksamkeit die Fassade des Morczin-Palastes — heute Sitz der rumänischen Botschaft — mit gigantischen Mohrenstatuen, die den Balkon tragen, der allegorischen Büstengruppe „Tag und Nacht" und der bewegten Allegorie der vier Weltteile auf der Attika. Urheber dieser Plastiken ist F. M. Brokoff. Sein heutiges Aussehen erhielt der Palast im Jahre 1714 durch G. Santini. Über dem Haus Nr. 18 mit St. Johannes von Nepomuk als Reliefhauszeichen steht das Thun-Hohenstein-Palais, heute der Sitz der italienischen Botschaft. Auch dieser prächtige Bau wurde nach Plänen von G. Santini aufgeführt. Am Portal sieht man das Wappen der Grafen Kolovrat mit Adlern von Matthias Braun, von dem auch die Statuen des Jupiter und der Juno stammen. Im Säulenvestibül findet man zwei weitere mythologische Gruppen aus A. Brauns Werkstatt. Das den Treppenaufstieg schmückende Gemälde mit dem Motiv des menschlichen Lebens geht auf Josef Scheiwl, Josef Tulka und František Ženíšek zurück. Seitlich am Palast führt ein schmaler Treppenaufgang zur Schloßstiege hinauf. Durch zwei gedeckte Verbindungsgänge ist der Palast mit der benachbarten Kajetankirche verbunden, deren innere Barockausgestaltung samt der Vorderfront dem Architekten G. Santini zu verdanken ist. Die Plastiken am Hauptaltar wurden von M. V. Jäckel, die übrigen Skulpturen von J. U. Mayer, und die Gemälde von F. X. Balko, M. Halvachs und J. V. Callet geschaffen.

Auf der gleichen Straßenseite befindet sich im Haus Nr. 32 in der ursprünglichen alten Apotheke ein kleines pharmazeutisches Museum (Seite 151).

Das Haus Nr. 25 mit der entzückenden Barockfassade führt den Namen Zum Esel in der Wiege. An der Ecke der den Johanneshügel hinabführenden ulice Janský vršek steht das Rokoko-Palais Bretfeld mit einem St.-Nikolaus-Relief, das in der Werkstatt Ignaz Platzers entstanden sein dürfte. Hier fanden glanzvolle Ballfeste statt, an denen auch W. A. Mozart sowie G. G. Casanova teilnahmen. Das Haus Nr. 47 mit interessanten Frühbarockgiebeln trägt nach seinem Hauszeichen den Namen Zu den zwei Sonnen, und eine Gedenktafel erinnert daran, daß hier der tschechische Dichter Jan Neruda wohnte. Nerudas Haus ist von weiteren Gebäuden mit Hauszeichen umgeben. Etwas tiefer steht das Barockhaus Zum schwarzen Löwen, das einem trinkfesten Inhaber gehören mußte, denn der Löwe des Hauszeichens hält in den Pranken einen Becher. Daneben steht das Haus Zum grünen Krebs mit entsprechendem Relief an der Fassade. Auf die

Zwei Sonnen folgt das Haus Zum weißen Schwan mit Hauszeichen in einer zierlichen Rollwerkkartusche und das Haus Zum grünen Hirschlein mit Empirehauszeichen. Die Nerudagasse mündet eigentlich auf einen kleinen Platz, von dem als Fortsetzungen die Straße Úvoz sowie die zur Loretánská ulice hinaufführende Rathausstiege — Radnické schody — und die nach rechts abzweigende Burgrampe ausgehen; die Rampe geht zum Hradčanské náměstí vor der Burg hinauf.

Von der steilen Straße Úvoz aus kann man einen wundervollen Blick auf Prag und auf den Eingang zu den Parkanlagen am Petřínhügel genießen, die wir jedoch im Rahmen eines anderen Spazierganges besuchen werden (Seite 220). Die alte Rathausstiege geht zu einem Laubengang hinauf, der dem Photographen Gelegenheit zu einigen nicht alltäglichen Aufnahmen der Nerudagasse und der Kleinseite bietet. Den Eingang zur Stiege beschirmen eine St.-Johannes-Nepomuk-Statue von M. J. Brokoff (1709) und eine St.-Joseph-Statue vom Jahre 1714, als deren Urheber F. S. Aichel angesehen wird. Am Fuße der Burgrampe, gegenüber dem Haus Zum grünen Hirschlein, bemerkt man die Bronzefigur der Eva, auch als Frau nach dem Bad bezeichnet, von Jan Štursa, die nach dem Kriege hierher übertragen wurde. Über der Rampenmauer sieht man eine Pietasäule aus dem 17. Jahrhundert und ein St.-Wenzels-Standbild, das Čeněk Vosmík zu Beginn unseres Jahrhunderts schuf. Die Rampe bildet eine verhältnismäßig neue Auffahrt zur Prager Burg; sie wurde erst im Jahre 1663 aus dem Felshang unterhalb des Schwarzenberg-Palastes gehauen und später entsprechend erweitert. Sie eröffnet jedoch einen hinreißenden Rundblick über Prag, die Moldau mit ihren Brücken und die ganze Stadt.

★★★29 Über die Burgrampe hinauf gelangt man zu dem unebenen Platz Hradčanské náměstí, dessen ganze rechte Seite die Front der **Prager Burg** — Pražský hrad — einnimmt.

Die heutige Burg erhebt sich an der Stelle einer im 9. Jahrhundert gegründeten Burgstätte, die entstand, als die tschechischen Fürsten ihre Residenz von Levý Hradec (nördlich von Prag) hierher verlegten. Ursprünglich war die Burgstätte nur mit Lehmwällen befestigt, die mit Flechtwerk und Pfählen versteift waren — im Prinzip eine Analogie zum heutigen Stahlbeton. Im 11. Jahrhundert wurden diese Befestigungen durch Steinmauern ersetzt, und die ersten christlichen Kirchlein auf der Burg waren — bereits gegen Ende des 9. Jahrhunderts — allem Anschein nach schon mit Mörtel gemauerte Steinbauten. Von hier aus, von der Prager Burg, die ungemein günstig an der Kreuzung wichtiger Handelsstraßen und über der Moldaufurt im Zentrum des böhmischen Beckens erbaut worden war, lenkten die Fürsten der Přemyslidendynastie den Prozeß der Schaffung des tschechischen Staates. Die Burg wurde bald zum Mittelpunkt eines Reiches, das vorübergehend bis zur Adria, über Krakau hinaus, bis an die Ostsee zum heutigen Kaliningrad und weit nach Deutschland hinein reichte. Zwölfhundert Jahre hindurch spielten sich die bedeutendsten Geschehnisse des Landes auf diesem Hügel über der Moldau ab. Und während einer solchen Zeitspanne hat sich bei Völkern, die eine so bewegte Geschichte aufweisen wie die Tschechen und Slowaken, vieles ereignet.

Alle diese Jahrhunderte haben sich mit erstaunlicher Übersichtlichkeit im Mauerwerk der Prager Burg eingetragen. Als Residenz weist sie zwar nicht eine solche epochale Reinheit auf wie Versailles oder Buckingham, und mit ihren im Laufe der Jahrhunderte hinzugekommenen Anbauten mag sie jemandem sogar wie ein riesiger Landsitz vorkommen. Doch gerade diese Anbauten erregen oftmals das Staunen der Fachleute, und die Jahre ihrer Entstehung sind größtenteils Geschichte geworden, längst bevor etwa die Erbauer des jetzigen englischen Königspalastes das Licht der Welt erblickten. Der tschechische Fürst, der Prag gründete, hatte diese Burg ursprünglich als Grenzfeste an der Mark seines Gebietes errichtet. (Am anderen Moldauufer lebten zwar auch Slawen, jedoch gehörten sie einem anderen Stamme an als die Tschechen —, und die Sitten der damaligen Welt unterschieden sich nicht allzusehr von den heutigen: es war besser, auf der Hut zu sein.) Jedoch dadurch, daß er den uralten europäischen Weg nach Osten beherrschte, gewann er eine ungemein wichtige Schlüsselstellung, von der aus er neue Vorstöße wagen konnte. Bald gelang es den tschechischen Fürsten, von hier aus die Herrschaft über die übrigen Stämme zu erlangen. Es war keineswegs ein Idyll, und das Herzland Böhmen entstand hier in erbarmungslosen, oft brudermörderischen Kämpfen. So manches von dieser Frühgeschichte und von den darauffolgenden Jahrhunderten ist heute noch in den Burgmauern, oftmals in aufeinandergetürmten Schichten auffindbar, so wie die Jahrhunderte dahinschwanden und von weiteren abgelöst wurden; gerade dies erlebt man bei einer Besichtigung der Burg.

Begreiflicherweise hatte der Herrschersitz auf der Prager Burg nicht jederzeit dieselbe Geltung: den Gipfelpunkt ihrer Bedeutung erreichte sie unter Karl IV., wo die Burg das Zentrum des Hl. Römischen Reiches bildete; aber bereits wenige Jahrzehnte nach Karls Tod wurde sie durch das von den Hussiten geführte Prager Volk erstürmt. Damals wurde die Geschichte des Landes nicht auf der Burg, sondern in den Straßen unter der Burg entschieden. Später gewann die Residenz von neuem Macht und Ansehen, als hier die Landesgerichte und Landtage abgehalten wurden, zu anderen Zeiten erlangte sie Ruhm als Mittelpunkt der Wissenschaften und Künste, besonders als sie um die Wende des 16. Jahrhunderts unter Rudolf II. zu einem Treffpunkt der Künstlerelite wurde. Im Jahre 1618 bemächtigten sich der Burg von Prag die aufständischen böhmischen Herren; sie vermochten sie jedoch nur zwei Jahre lang zu halten, und der von ihnen auf den Thron berufene König Friedrich von der Pfalz, der wegen der kurzen Dauer seiner Herrschaft den Beinamen „Winterkönig" erhielt, mußte nach dem Siege der habsburgischen Heere auf dem Weißen Berg — Bílá hora — bei Prag, seine Residenz von der Tafel aufstehend eilends verlassen. Während des Dreißigjährigen Krieges wurde sodann die Burg zuerst im Jahre 1632 von den Sachsen und im Jahre 1648 noch von den Schweden geplündert, und da die Habsburger von Wien aus herrschten, wurde sie unweigerlich zu einer Nebenresidenz. Trotz aller Katastrophen und Plünderungen ist dennoch auf ihrem Areal eine solche Fülle von Reichtümern verblieben, daß sie als Krone Prags bezeichnet werden kann, und ihre Silhouette über der Stadt war weiterhin jederzeit das Symbol der souveränen böhmischen Staatsoberhoheit. Als nach dreihundertjähriger Unterdrückung die Tschechoslowakei im Jahre 1918 endlich wiederum ein freier Staat war, wurde die Prager Burg begreiflicherweise von den ersten Augenblicken des neuen Staatswesens an zum Sitze des Präsidenten bestimmt. Die Präsidentenflagge mit dem Staatswappen und dem Wahlspruch „Pravda vítězí" — „Die Wahrheit siegt" — weht vom Gipfel des Flaggenmastes über dem der Stadt zugewandten Burgtrakt zum Zeichen, daß der Präsident in seinem Amtssitz anwesend ist. Auf der Burg werden heute wichtige Beratungen und Sitzungen abgehalten: im historischen Vladislav-Saal wählt die Nationalversammlung den Präsidenten der Republik, im rudolfinischen Spanischen Saal tritt zumeist das Zentralkomitee der KPČ zusammen; hier werden die Tüchtigsten und Besten — Werkleute, Wissenschaftler und Künstler — durch Überreichung von Auszeichnungen geehrt; hier finden Empfänge und Konferenzen der gesellschaftlichen Organisationen statt.

Vom Platz Hradčanské náměstí aus betreten wir die Burg durch ein Rokoko-Rustika-Tor; den Zugang schmücken von Čeněk Vosmík ausgeführte Kopien ringender Giganten, deren Originale auf Ignaz Platzer zurückgehen. Wir stehen nunmehr auf dem ersten Burghof, dem jüngsten, aus der zweiten Hälfte des achtzehnten Jahrhunderts stammenden Teil der Burg. Heute dient dieser Burgraum als Ehrenhof, auf dem bei Besuchen ausländischer Staatsmänner und Diplomaten, die dem Präsidenten ihre Beglaubigungsschreiben überreichen, die Front der Burgwache abgeschritten wird. Die den ersten Burghof begrenzenden Gebäude ließ Kaiserin Maria Theresia im Wiener Rokokostil erbauen, und in den Mittelteil wurde eine Toreinfahrt eingegliedert. Sie wurde von Kaiser Matthias im Jahre 1614 als Haupteingang zur Burg in dem Befestigungssystem errichtet, das hier über dem Wehrgraben bestand, der den Platz von der Residenz trennte. Dieser Torbau, das älteste profane Baudenkmal des Prager Barocks, wird dem Baumeister Vincenzo Scamozzi von Vicenza zugeschrieben. Von dem Torbau aus führt eine Rokokotreppe zu den Empfangsräumen des Staatspräsidenten — in das sogenannte Kinderzimmer — in den im Rokokostil gestalteten Thronsaal, den Brožík-Saal (nach dem Monumentalgemälde dieses Malers, das die böhmische Abordnung darstellt, die um die Hand einer französischen Prinzessin für Ladislav Postumus anhielt), und zum Habsburgischen Saal. Dies ist auch der Weg der offiziellen Besuche. Aus dem Habsburgischen Saal gelangt man durch einen weiteren Raum hindurch zum Arbeitszimmer des Präsidenten. Im Musiksalon nebenan sieht man eine Kopie der Plastik „Nacht" aus weißem Marmor. Von hier kommt man weiter durch einen langen Korridor zur rudolfinischen Schatzkammer und zum Spanischen Saal, einem weiß schimmernden Märchen mit kunstvollen Stukkaturen, Spiegeln und vergoldeten Kronleuchtern. Dort hatte Rudolf II. seine Kunstschätze untergebracht, und dort verliehen früher die Kaiser den Rittern vom Orden des Goldenen Vlieses die Insi-

gnien; heute erteilt dort der Präsident der Republik den verdientesten Werktätigen Orden und Auszeichnungen für den Aufbau des Sozialismus, und am Neujahrstag werden hier von ihm Kinder bewirtet. Zum Spanischen Saal führt von dem links vom Matthias-Torbau befindlichen Burgtrakt her noch ein moderner, fast zu pompöser Zugang.

Das Matthias-Tor gewährt den Zugang zum zweiten Burghof. In der Mitte befindet sich ein barocker Sandsteinbrunnen aus dem 17. Jahrhundert von Fr. de Torre mit Plastiken von Hieronymus Kohl und ein mit einer geschmiedeten Abdeckung versehener Ziehbrunnen. Das Mauerwerk der den zweiten Burghof umgebenden Gebäude wurde zum Teil auf romanischen Fundamenten aus dem elften und zwölften Jahrhundert — den Überresten von unter Soběslav I. errichteten Bauten — aufgeführt. Unmittelbar gegenüber dem Matthias-Torbau stand der viereckige Soběslav-Turm, der sog. Weiße Turm, der in die später errichteten Burggebäude einbezogen wurde. In diesem Turme waren z. B. König Wenzel IV. eingekerkert und noch vor ihm der Geliebte und nachmalige Gatte der Königinwitwe Kunhuta, Záviš von Falkenstein, der zuletzt mit einem geschärften Holzbrett vor der Burg Hluboká in Südböhmen enthauptet wurde, und weitere historische Gestalten.

Ihre größte Glanzzeit erlebten die Burgräume um den zweiten Burghof unter dem kunstliebenden Rudolf II. Hierher hatte er seine gesamte Kunstgalerie übertragen, die so dramatische, bis auf den heutigen Tag noch nicht völlig geklärte Geschicke hatte. An dieser Stelle war auch die zweite von den Habsburgern im 17. Jahrhundert angelegte Gemäldesammlung installiert. Während man die erste nach dem Tode des Kaisers teils nach Wien wegführte, und schwedische Truppen im Jahre 1648 einen großen weiteren Teil aus der berühmten „Schatzkammer" verschleppten, verschwand nahezu der ganze übrige Rest in der berüchtigten Auktion vom Jahre 1782. Es hatte den Anschein, als wäre tatsächlich alles Wertvolle verschleppt, geraubt und für einen Pappenstiel verschleudert worden; zweihundert Jahre lang herrschte diese Ansicht auch in Fachkreisen und in der einschlägigen Literatur. Die unfachgemäß abgefaßten Verzeichnisse registrierten auch die verbliebenen Restbestände nur als anonyme Einzelstücke.

In den Jahren 1961 bis 1963 führte das Institut für Kunsttheorie und Kunstgeschichte bei der Tschechoslowakischen Akademie der Wissenschaften eine kunsthistorische Erforschung der Burggalerie durch, die überraschende Resultate ergab. Mit Hilfe moderner chemischer Methoden und Farbanalysen mittels Natriumdampfentladungslampen, UV-Strahlen und Röntgendurchleuchtung wurde ein ganzer Komplex von Werken der venezianischen Malerschule aufgedeckt. Unter mehr als 70 Bildern von erstrangigem Kunstwert gelang es bisher, vier Gemälde von Paolo Veronese zu ermitteln, von denen zwei dem zehnteiligen Zyklus alt- und neutestamentarischer Gemälde angehörten, der früher vollständig in Prag war. Von zwei Gemälden Jacopo Tintorettos ist das großartigste seine Darstellung der Geißelung Christi. Man vermochte auch bereits mehrere Bilder der Venediger Malerfamilie Bassani zu bestimmen, einschließlich des bekanntesten von ihnen — Jacobo Bassano —, weiter sind darunter Arbeiten von Pordenone, Schiavone, Rocco Marconi, Palma il Giovanne, eine schöne Kollektion von D. Feti sowie ein monumentales, nahezu vier Meter breites Ölgemälde mit der die Venus vor den Göttern auf dem Olymp beschuldigenden Juno, ein früher Rubens, — eine Entdeckung, die bei den Kennern großes Aufsehen erregte. Die Burggemäldegalerie ist am zweiten Burghof untergebracht, und der Eingang befindet sich neben dem Durchgang zur Pulverbrücke; sie gehört zu jenen Teilen der Burg, die Sie entschieden besuchen sollten. Von der Gemäldegalerie aus sieht man auch sehr gut das älteste Kirchlein der Burg, das von den Archäologen erst um die Mitte des zwanzigsten Jahrhunderts entdeckt wurde. Der Kirchenbau — genauer gesagt, seine etwa 1 m hohen Fundamente — wurden erst in den fünfziger Jahren unseres Jahrhunderts von dem Archäologen Dr. Ivan Borkovský entdeckt. Es war kein imposantes Gotteshaus, viel eher eine Art Privatkapelle, denn um das Ende des 9. Jahrhunderts bestand in unseren Ländern das Christentum noch als Elite-Institution. Das Volk hing überwiegend dem Heidentum an, und Fürst Bořivoj, der Gründer des Kirchleins, hatte es für sich selbst erbauen lassen. Er war der erste christliche Fürst von Prag. Als ihn nach der Taufe sein heidnisches Gefolge vertrieb, flüchtete er nach Mähren und gelobte, als Danksagung eine Kirche zu Ehren der Mutter Gottes zu errichteten, falls ihm die Rückkehr vergönnt würde. Er erlebte tatsächlich sein Comeback und erfüllte sein Gelübde. Böse Zungen behaupten, die Kirche sei deshalb so klein ausgefallen, weil der Fürst größere Kosten für die Erfüllung seines Gelübdes gescheut habe.

Auf dem zweiten Burghof stand früher auch der sogenannte Mathematische Turm, dessen Reste man noch im Mauerwerk feststellen kann; sein flaches Dach diente den rudolfinischen Astronomen und Astrologen als Observatorium. In der rechten Ecke vor dem Matthias-Tor steht die noch gut erhaltene **Hl.-Kreuz-Kapelle,** die von A. Lurago im Jahre 1753 gebaut und später in einem Neobarockstil renoviert wurde. In dieser Kapelle ist seit dem Jahre 1961 ein wesentlicher Teil des Domschatzes von St. Veit untergebracht, namentlich seine künstlerisch wertvollen Bestandteile. Jene Teile des Domschatzes, die ausgesprochen religiösen Charakter ohne künstlerische Gestaltung aufweisen, wie zum Beispiel verschiedene Reliquien von Heiligen, verbleiben auch weiterhin im St.-Veits-Dom.

★★30

Der Domschatz auf der Prager Burg ist der reichste und künstlerisch wertvollste in Mitteleuropa. Trotz verschiedener Einbußen in der Vergangenheit umfaßt er noch immer eine großartige Sammlung liturgischer Gefäße sowie kirchlicher und profaner Kleinode, dazu auch eine Sammlung verschiedener Besonderheiten, so wie sie Kaiser Karl IV., ein leidenschaftlicher Sammler solcher Gegenstände, angelegt hat. Teilweise hier, teilweise im Veitsdom sind auch Reliquien großer böhmischer Nationalheiligen beigesetzt: der Schädel des hl. Wenzels und der des hl. Adalberts, der sogenannte Streithelm des hl. Wenzels, sein Panzerhemd aus dem 9.—12. Jahrhundert, das St.-Stephans-Schwert, die Mitra des hl. Adalbert. usw. Man sieht hier Nachbildungen der ursprünglichen böhmischen Krönungsinsignien auf dem Grabe König Rudolfs, das goldene Záviš-Kreuz mit byzantinischem Emailschmuck aus dem 13. Jahrhundert, eine elfenbeinerne Madonnenstatue französischen Ursprungs aus dem 14. Jahrhundert, eine gotische Kopie der römischen Madonna Aracoeli, eine gotische Silberbüste der hl. Ludmilla aus derselben Epoche, ein goldenes mit antiken Gemmen besetztes gotisches Krönungskreuz, ein barockes vergoldetes Silberkreuz

Die Gotik des Pulverturms, leicht von oben herab gesehen, so wie der Tourist sie normalerweise nicht zu Gesicht bekommt

V

Prager Barock aus dem Vrtbagarten und der Altstädter Ring vom Turm über der historische Aposteluhr aus gesehen gehören zu Erlebnissen, an die man gerne viele Jahre lang zurückdenkt

VI-VII

VII

VIII

„Prag — ein prachtvoller Edelstein in der steinernen Krone des Landes."
JOHANN WOLFGANG VON GOETHE

IX

IX—X

„Wie zauberhaft ist doch die rhythmisch fließende Reihe von Kirchen, Palästen, zinnengekröntem Mauerwerk, Glockentürmen, Turmspitzen, Laubengängen, geräumigen Innenhöfen und Spitzbögen! Wie wundervoll ist der Anblick, der sich vom Gipfel des von steinerner Schönheit gesäumten Hügels bietet!"

HECTOR BERLIOZ

XI

Die Národní třída, eine Prager Hauptstraße, die zum Nationaltheater führt

aus dem Jahre 1711 mit darin eingesetztem gotischem goldenem Patriarchenkreuz und Splittern von Christi Kreuz, ein romanisches Reliquiar aus dem 12. Jahrhundert, ein gotischer Bergkristallkrug mit angeblich aus der Zeit Christi stammenden Stoffstücken, ein Onyxbecher von der Mitte des 14. Jahrhunderts sowie zahlreiche prächtige Monstranzen, Kelche und Reliquiare verschiedener Formen.

Karl IV. war ein eifriger Sammler von Heiligenreliquien, die er sich, wo er sie nur antraf, oft auch rücksichtslos anzueignen wußte. Um seine Gunst zu gewinnen stellte eine ganze Schar von weltlichen und geistlichen Betrügern für ihn die verschiedensten Reliquien her. Von jeder seiner Reisen ins Ausland brachte der Kaiser neue Stücke für seine Sammlung mit, die er zur größten auf der Welt zu machen beabsichtigte. In dem heute noch erhaltenen Schreiben, das er im Jahre 1354 an den Erzbischof Arnošt von Pardubice richtete, heißt es: „Ich glaube, daß es in Europa — mit Ausnahme von Rom — keinen Ort gibt, wo der Pilger mehr Reliquien fände als in der Metropolitankirche zu Prag." Um den Primat seiner Sammlung zu wahren, scheute sich Karl IV. nicht einmal, den Vikar Gottes auf Erden hinters Licht zu führen. Auf seiner Romreise im Jahre 1369 soll er das Veraikon (heute in der Kreuzkapelle im Veitsdom) erblickt haben; es stellt das Antlitz des Erlösers dar, wie es nach dem Abdruck auf dem Tuche gemalt worden sein soll, das Veronika dem Heiland auf dem Wege zum Kalvarienberg reichte, um das Blut und den Schweiß abzutrocknen. Das Bild befand sich in der Peterskirche, und Karl IV. bat den Papst, es ihm als Geschenk zu überlassen. Der Papst weigerte sich hartnäckig, konnte jedoch dem Kaiser nicht die weitere Bitte abschlagen, ihm das Bild wenigstens für seinen römischen Wohnsitz zu leihen. Dort mußte sofort ein gewandter Maler eine genaue Kopie anfertigen. Die Arbeit gelang und war nicht von der Vorlage zu unterscheiden, worauf Kaiser Karl, ohne Gewissensbisse zu verspüren, das Bild aus dem Rahmen herausnahm und durch die Kopie ersetzte, die er dem Papste zurückgab. Das echte Veraikon soll er nach Prag mitgenommen haben. Es läßt sich freilich nicht mehr feststellen, was an dieser Erzählung Wahrheit oder Erfindung ist, aber Karls Reliquiensammlung bestätigt, daß der Kaiser ähnlicher Dinge fähig war: man findet hier zahlreiche Splitter vom hl. Kreuz und Teile von Christi Gewand, ein Tischtuch vom Letzten Abendmahl, oder eine Reliquie des hl. Petrus mit einem hinzugebundenen Zahn der hl. Margaretha, oder ein Reliquiar, in dem sich ein Teil des Schienbeines von St. Vitalis befindet, oder eine Rippe der hl. Sophia, zusammen mit dem Kinn des hl. Eoban und dem Oberteil des Spindelbeines des hl. Afra. Unter den Gebeinen der Heiligen befinden sich dank der Sammlerleidenschaft des Kaisers auch ein Stück Walfischrippe, Fragmente des Schulterbeines eines diluvialen Nashorns und des Stoßzahnes eines indischen Elefanten. Es gibt hier Dinge aus dem Alten Testament, wie zum Beispiel den Stab des Propheten Moses, — und aus dem Neuen Testament, wie das Gewand der Jungfrau Maria. Man findet hier sowohl große Kunst, wie etwa den Krummstab der ersten Äbtissin des St.-Georgs-Klosters, Mlada (die Reliquie ist jedoch viel jüngeren Datums und entstand erst im 16. Jahrhundert), neben Beispielen unglaublicher Verwegenheit, wie Reliquien der Stammväter Abraham und Jakob und des Erzvaters Isaak, kurz — jedermann kommt hier auf seine Rechnung.

Gegenüber dem Brunnen auf dem zweiten Burghofe eröffnen zwei Durchfahrten den Blick auf das Portal des St.-

Veits-Doms. Man kommt hier auf den dritten Burghof hinaus, den größten und ältesten Burgraum. Schon in der Durchfahrt erblickt man die Überreste romanischer Befestigungsbauten aus dem 11. bis 12. Jahrhundert. Beim Herauskommen steht man unmittelbar vor dem Eingang zum **St.-Veits-Dom** — chrám sv. Víta. Die vordere Hälfte des Domes um den Hauptaltar und der hohe Glockenturm auf der rechten Seite der Kirche sind ursprüngliche gotische Bauten aus dem 14. und 15. Jahrhundert. Der Rest, einschließlich der imposanten Front mit den Türmen, wurde im Stil des ursprünglichen Baues erst um die verflossene Jahrhundertwende hinzugefügt. Es wurde also an der Kathedrale volle sechshundert Jahre lang gebaut, und auch heute noch wird die plastische und sonstige künstlerische Ausschmückung (Gittertor, farbige Fenster usw.) ergänzt. Es wird damit gerechnet, daß die schlanken Pfeiler noch durch etwa 200 Statuen vervollständigt werden.

31 ★★★

In Wirklichkeit ist das Gotteshaus älter als sechshundert Jahre. Noch bevor hier die Burg stand, befand sich an dieser Stelle eine heidnische Kultstätte, wo der slawische Gott der Fülle, Fruchtbarkeit und Ernte — Svantovít — durch Opfer verehrt wurde. Zu Beginn des 10. Jahrhundert ließt hier Fürst Wenzel der Heilige eine christliche Rotunde errichten, die dem St. Veit (tschechisch Svatý Vít) geweiht war, vielleicht gerade wegen der Namensähnlichkeit zwischen dem heidnischen Gotte und dem Märtyrer. Überreste dieser Rundkirche sieht man heute unter dem Boden der Kathedrale, deren Bau in ihrem jetzigen Umfang Kaiser Karl IV. im Jahre 1344 zur Feier der Erhebung des Prager Bistums zum Erzbistum in Angriff nahm. Das Dombauprojekt hat nach Vorbildern aus seiner französischen Heimat Matthias von Arras ausgearbeitet. Er konnte allerdings den grandios angelegten Bau nicht zu Ende führen, und sein Werk wurde von Peter Parler aus Schwäbisch-Gmünd und nach dessen Tod von Parlers Söhnen fortgesetzt. Die Hussitenkriege unterbrachen die

Bauarbeiten, und die Versuche König Vladislav Jagellos und Leopolds I., den Dombau zu beenden, waren nicht von Erfolg gekrönt. Und so wurde die Kathedrale erst im Jahre 1929 baulich beendet und feierlich eingeweiht. In dem schon früher abgeschlossenen Teil wurden jedoch seit dem 14. Jahrhundert Gottesdienste abgehalten.

Die Hauptfront des Domes ist mit vierzehn Heiligenstatuen und mehreren Plastiken der letzten Dombaumeister von Stanislav Sucharda geschmückt. Die Bronzetüren der drei Portale wurden von O. Španiel nach Kartons von V. H. Brunner modelliert; auf dem mittleren Portal sind Szenen aus der Baugeschichte der Kathedrale vom Jahre 929 bis zum Jahre 1929 dargestellt, an den Seitenportalen sieht man Reliefdarstellungen aus der St.-Wenzels- und St.-Adalberts-Legende. Über den Portalen erblickt man eine riesige Fensterrosette mit dem Motiv der Erschaffung der Welt, ausgeführt von dem Glaskünstler Vlasák nach einem Karton von P. Kysela. Unter dem rechten Seitenturm bemerkt man ein Grundrißmodell der beiden Kirchenbauten, die an dieser Stelle ursprünglich standen, so wie sie bei der Beendigung des Dombaues aufgedeckt wurden: die Grundmauern der St.-Wenzels-Rotunde und der Spytihněv-Basilika.

Der Dom schließt 21 Kapellen ein, von denen jede einzelne mehr oder weniger ein Kunstwerk darstellt. Die erste Kapelle rechts — die Taufkapelle — ist der hl. Ludmilla geweiht. In ihrer Ausschmückung dominiert die Monumentalmosaik der Taufe Christi im Jordan, vom tschechoslowakischen Nationalkünstler Max Švabinský. Dieser Maler ist auch der Urheber des farbigen Fensters (Herabsendung des Hl. Geistes) in dieser Kapelle und weiterer Fenster über der Empore des Mittelschiffes. Auf der rechten Seite beachtet man das Bild der Heiligen Familie von einem Maler der norditalienischen Schule des 17. Jahrhunderts, darüber ein St.-Johannes-Nepomuk-Bildnis von Karel Kulík aus derselben Epoche. Die gegenüberliegende erste Kapelle links zeigt Mosaikschmuck mit dem Motiv der Werke der christlichen Barmherzigkeit aus den dreißiger Jahren unseres Jahrhunderts sowie einen gotischen geschnitzten und gemalten Altar aus dem 14. Jahrhundert von einem Künstler der norditalienischen Schule.

Die zweite Kapelle rechts ist dem Heiligen Grabe geweiht. Das gemalte Fenster hat die Werke der Barmherzigkeit zum Gegenstand. Sein Autor ist der moderne tschechische Maler Karel Svolinský, der auch das farbige Fenster in der gegenüberliegenden Schwarzenberg-Kapelle geschaffen hat. Von den Gemälden seien die Maria Magdalena von Aurelio Lomi und die Grablegung Christi von Michelangelo Carravaggio, beide aus dem 17. Jahrhundert, erwähnt.

Nach der böhmischen Adelsfamilie Thun ist die dritte ★ Kapelle rechts benannt. Sie wird durch ein bemaltes Fenster erhellt, dessen Thema keineswegs liturgisch ist. Es behandelt Gefährdung und Schutz des menschlichen Lebens und Besitzes, was man sofort begreift, wenn man erfährt, daß es von einer Versicherungsanstalt gestiftet wurde. Von der übrigen Ausführung der Kapelle sind besonders wertvoll ein Tafelgemälde des Gekreuzigten zwischen Engeln, vom Ende des 16. Jahrhunderts, und gegenüber auf der rechten Seite die kunstvoll geschnitzten Flügel einer gotischen Arche mit Bildsäulen der hl. Ursula und der hl. Margareta von der Wende des 15. Jahrhunderts. Von dieser Kapelle aus gelangt man ins Archiv und in die zahlreiche wertvolle Manuskripte bergende Kapitelbibliothek. Das älteste davon ist ein Fragment des Markus-Evangeliums vom 6. Jahrhundert und ein reich illuminiertes karolingisches Evangelienbuch vom 9. Jahrhundert, dessen Einband ein St.-Petrus-Relief aus Elfenbein einschließt, das aus dem 4. Jahrhundert stammt. In der Bibliothek befinden sich außerdem eine Reihe kostbarer Meßbücher, Evangelienbücher und Graduale aus dem 11., 13. und 14. Jahrhundert. Dieser Teil des Domes gehört bereits dem ursprünglichen gotischen Dombau an, der im 14. und zu Beginn des 15. Jahrhunderts durchgeführt wurde. In der gegenüberliegenden Kapelle (dritte auf der linken Seite des Domes) bemerkt man die Gruft der letzten Prager Erzbischöfe. Auch das Fenster dieser Kapelle wurde von einer Versicherungsanstalt gestiftet — sein Autor ist der bekannte Maler der Sezessionszeit Alfons Mucha. Das Renaissance-Wandgemälde am Altar, das Mariä Himmelfahrt darstellt, malte gegen Ende des 16. Jahrhunderts Bartholomäus Spranger. Neben dieser Kapelle führt eine neugotische steinerne Wendeltreppe zu der über der Sakristei befindlichen Schatzkammer von St. Veit. Über der Treppe sieht man ein beachtenswertes St.-Stephans-Fenster, das in den dreißiger Jahren Cyril Bouda, der bekannte Illustrator und Graphiker sowie Autor hervorragender Wandteppiche und mehrerer tschechoslowakischer Briefmarken, geschaffen hat. Auf der rechten Seite des Domes bemerkt man gegenüber der Sakristei die größte Domkapelle — die Hazmburk-Kapelle. Autor des Rundfensters, das die Grundsteinlegung zur zweiten Dombauetappe darstellt, ist Cyril Bouda. Am Eingang in diese Kapelle beginnt eine steinerne Wendeltreppe, die bis auf den Rundgang des Hauptturmes hinaufführt. Von hier genießt man einen einzigartigen Ausblick über die Burg, die gotischen Fialen, Wasserspeier und Strebebögen des Domes sowie auf die von der Moldau durchströmte Stadt. Der Turm ist scheinbar stilwidrig mit einem Kupferhelm abgeschlossen. Er trägt eine riesige Uhr aus dem 16. Jahrhundert, sowie den „Sigismund" — die von Tomáš Jaroš in Brno im Jahre 1549 gegossene größte Glocke Böhmens. Von demselben Glockengießer stammt noch ein anderes prunkvolles Werk, die sogenannte Singende Fontäne, die unweit von hier, vor dem Lustschloß der Königin Anna (S. 163), steht, und die wir im Rahmen eines anderen Spazierganges besichtigen werden. Obwohl den Hauptturm des St.-Veits-Domes ein barocker Helm abschließt, hat sich die Silhouette des Domes so innig jenem Umriß von Prag aufgeprägt, den die Menschen ins Herz geschlossen haben, daß man beschloß, die Gestalt des

Turmes nicht zu ändern. Hier, auf dem Turm, werden Sie sich möglicherweise beim Anblick der Stadt, des kunstvoll durchgeführten Dombaues und des Hradschin zu einer Verlängerung ihres Besuches in Prag entschließen. Denn allein zu einer wirklichen Besichtigung des Domes müßte Ihnen ein voller Tag zur Verfügung stehen — und betrachten Sie nun dazu all die Pracht in seiner Umgebung! Man braucht kein Dichter zu sein, um zu spüren, wie ergreifend diese Schönheit ist. Unter Ihnen liegen mehrere Epochen romanischen Bauwerks, Mittelalter, die schwellenden Büsten der Barockkuppeln, die liebliche Krümmung des Flusses, die schlanken Finger der gotischen Türme, die welligen Locken der Parkanlagen, die gewundenen Gäßchen, die von Liebespaaren aufgesucht werden, romantische Erker und die geschweiften Dächer der Kleinseite. Hier erkennen Sie bereits vertraute Bekannte: das Altstädter Rathaus, die Teynkirche mit den unsymmetrischen Türmen, die Karlsbrücke.

Verweilen Sie hier einige Tage länger, Sie werden sich gewiß nicht langweilen. Die neugotischen Türme an der Hauptfront des Domes, die bis zur Höhe ihres Auges heaufragen, messen 82 m. Der, auf dem Sie stehen, ist mehr als 96 m hoch. Unmittelbar unter ihm erstreckt sich die von dem Ljubljanaer Architekten Josip Plečnik ausgestaltete Fläche des dritten Burghofes. Sie sieht vornehm, kühl und abweisend aus, aber lassen Sie sich nicht beirren: es ist eigentlich eine hängende Pflasterfläche, unter der sich aufgedeckte Ausgrabungen aus dem zehnten bis zwölften Jahrhundert befinden: Überreste von Befestigungsbauten, Fürstengräber und Grundmauern alter Bauten. Wir stehen hier an einem Orte, der schon seit tausend Jahren vieles bedeutete. — Seitlich von der Domfront neben dem Kulturhaus der Angestellten der Präsidentenkanzlei erhebt sich ein schlanker 17 m hoher Granitblock. Etwa an dieser Stelle war während der heidnischen Zeit die Opferstätte Žiži, wo die Vorgänger der heutigen Tschechen ihrem Erntegott Svantovít Versöhnungsopfer darbrachten. Am zufriedensten soll er gewesen sein, wenn ihm schwarze Hähne geopfert wurden. Es spricht für die staatsmännische Klugheit des Fürsten Wenzel, daß er für die aufgehobene Opferstätte den murrenden Untertanen, wie wir bereits sagten, die dem Svatý Vít — St. Veit — geweihte, also ähnlich lautende Kirche erbauen ließ, wobei der christliche Märtyrer überdies mit einem Hahn zusammen dargestellt wurde. Aus den Heiden wurden ohne blutige Auseinandersetzungen gläubige Christen, und Fürst Wenzel hatte in den Augen des Himmels beachtliche Verdienste gewonnen, noch bevor ihn sein fürstlicher Bruder Boleslav meuchlings ermorden ließ. Der Hahn, das Symbol einer heidnischen Slawengottheit und eines christlichen Heiligen, krönt eines der gotischen Türmchen im Strebebogensystem links vom Turm über dem ältesten Teile der Kathedrale.

Ein Stück weiter ragen die beiden ungleichen weißen Türme der romanischen St.-Georgs-Basilika (S. 91) empor. Die Gebäude links von ihnen gehörten zum ersten Frauenkloster in Böhmen. Es wurde von der seligen Mlada, einer — allerdings energischeren, klügeren und entschlosseneren — Schwester des Fürsten Boleslav II. des Frommen, geleitet. Während der siebziger Jahre des zehnten Jahrhunderts pilgerte sie nach Rom zu Papst Johannes XIII. und erwirkte dort, daß Böhmen nicht mehr dem Bistum Regensburg unterstellt war, was politische Konsequenzen mit sich brachte. Mlada war ungemein schön, wie auch aus der Silbermaske hervorgeht, die ihren Schädel in der Gruft der Georgs-Basilika bedeckt. Von ihrer erfolgreichen Mission kehrte sie zurück mit der päpstlichen Gründungsurkunde des Prager Bistums. Das von ihr geleitete Benediktinerinnenkloster wirkte damals als Mittelpunkt der Bildung im Lande. Bei Ihrem Besuch in der Universitätsbibliothek des Clementinums haben Sie möglicherweise die Kantionale mit den Glossen am Rande bemerkt, beides hatte gerade hier seinen Ursprung. Die Äbtissin von St. Georg krönte jeweils die böhmische Königin, deshalb standen dem Kloster entweder Jungfrauen aus der Fürsten- und Königsdynastie der Přemysliden vor oder wenigstens Angehörige des hohen Adels. Auch die Nonnen, die hier lebten, gehörten den bedeutendsten Familien an. Tatsächlich war das Kloster mehr eine Bildungsanstalt als eine Stätte frommer Betrachtung: es wurde hier Lesen, Schreiben und Rechnen gelehrt sowie Handarbeiten, ferner feine Sitten, und viele Mädchen verließen das Kloster nach einigen Monaten oder Jahren, um von ihren Vätern vorteilhaft verheiratet zu werden. Diese Einzelheiten aus der Geschichte berichten wir Ihnen nur deshalb, um Sie zu veranlassen, hier auf dem Turm noch einige Augenblicke zu verweilen und all die Sie umgebende Schönheit mehr zu genießen.

Und nun rasch hinab, ohne auf der Wendeltreppe von Schwindel erfaßt zu werden. Hinter der Kapelle eröffnet sich der Blick in das vom Altar abgeschlossene Querschiff der Kathedrale. Wenn man sich hier in dem mittleren der fünf Längsschiffe der Kathedrale aufstellt, bemerkt man am besten die ganze Mächtigkeit des Dombaues: seine nahezu 125 m betragende Länge, seine nicht weniger als 60 m umspannende Breite und seine bis zu 38 m hinaufreichende Höhe. An die Mittelpfeiler lehnen sich acht überlebensgroße vergoldete Holzstatuen aus dem 17. Jahrhundert an, die wahrscheinlich von F. Preiss, einem Bildhauer von der Prager Kleinseite, geschaffen wurden. Die Statuen stellen die böhmischen Landespatrone St. Wenzel, St. Adalbert, St. Veit, St. Norbert, St. Ludmila, St. Sigismund, St. Prokop und St. Johannes Nepomuk dar. Von hier gewinnt man aufwärtsschauend Einblick in das Triforium, das der Dombaumeister Peter Parler gewiß unter anderem dazu erdacht hat, um in dieser Kathedrale neben Heiligen auch bereits damals noch lebende Erdenbürger ehren zu können. In den Emporenischen bemerkt man das kluge Antlitz Karls IV. sowie die beseelten Bildnisbüsten seiner vier aufeinanderfolgenden Gattinnen. Man findet dort auch Peter Parler selbst, der zu Recht auf sein Werk stolz erscheint, sowie seinen Vorgänger Matthias von Arras. Das Querschiff wird vom Süden, also vom dritten Burghof her, durch das größte Domfenster erhellt, das zwischen der zierlichen Steintreppe und dem Turm angeordnet ist, dessen architektonischen Reiz man allerdings nur von außen werten kann. Das von Max Švabinský geschaffene und kurz vor Ausbruch des zweiten Weltkrieges beendete Fenstergemälde ist das größte im ganzen Dom und hat das Jüngste Gericht zum Gegenstand. Unterhalb des Fensters ist ein plastisches Monumentalwappen der Stadt Prag und ein Vitragen-Ausgang zur Goldenen Pforte, die ursprünglich den Haupteingang zur Kathedrale bildete. An der östlichen Ecke der Nische sollte man nicht die bemerkenswerte spätgotische Madonnenbildsäule aus dem 15. Jahrhundert übersehen. Eine Arkade mit großem Mosaikwappen der Republik führt zum ältesten Teil des Dombaues, der bis zum Jahre 1925 durch eine Mauer abgeschlossen war, hinter der an der Kathedrale seit Jahrhunderten weitergebaut wurde. An dem linken Pfeiler hinter der Arkade erregt das Grabmal des Feldmarschalls Graf Leopold Schlick unsere Aufmerksamkeit: die Statuen, die Mars, Pallas Athene und die Fama darstellen, hat Matthias Braun geschaffen.

★★★ Das gotische Portal rechts gehört zur St.-Wenzels-Kapelle, dem denkwürdigsten Ort der Kathedrale. Hier stand seit dem 10. Jahrhundert das St.-Wenzels-Rundkirchlein, in dem auch sein Gründer, Fürst Wenzel, bestattet wurde. Und nach ihm hat die Kapelle — eines der schönsten Werke der böhmischen Gotik — ihren jetzigen Namen erhalten. Sie entstand in den Jahren 1362—1364, und ihr Baumeister ist Peter Parler, der die Kirche als 23jähriger erbauen ließ. Die Ausschmückung der Kapelle, die einen hinter einer schweren Panzertür liegenden abgeschlossenen Raum bildet, gehört der Hochgotik an, einige Einzelteile sind allerdings im 20. Jahrhundert hinzugekommen, wie z. B. das liturgische Altarzubehör, der Kronleuchter oder die Fenster. Dennoch herrscht die Gotik dominierend vor; ihr künstlerisches Niveau wird in der ganzen Welt geschätzt, und das Bauwerk bildet eines der kostbarsten Kleinode der Zeit Karls IV. Die Wände der Kapelle sind mit böhmischen Halbedelsteinen von der Fundstätte bei Turnov ausgekleidet. Man zählt hier 1345 polierte Amethyst-, Achat- und Jaspisplatten, die durch vergoldete Mörtelstreifen verbunden sind. Sie bilden gleichzeitig den Hintergrund für einen die Passion darstellenden Gemäldezyklus vom Jahr 1372 und 1373, dessen Urheber unbekannt geblieben ist. Auch die Reliefplastiken an der Altartumba in der Kapelle gehen auf das 14. Jahrhundert zurück. Außer dem gotischen Gemäldezyklus zeigt die Kapelle als weiteren Schmuck noch eine zweite, während der Renaissance entstandene Bilderfolge mit Darstellungen aus dem Leben des hl. Wenzel. Auf einer Fläche von 235 Quadratmetern sieht man hier 31 selbständige als Tafelgemälde komponierte Bilder des Meisters des Altares von Litoměřice. Über dem Altar wird der Zyklus durch Gestalten der böhmischen Patrone samt dem von Parlers Neffen geschaffenen Standbild des hl. Wenzel unterbrochen. In der Kapelle steht der steinerne Sarkophag dieses Heiligen aus dem 14. Jahrhundert, der ebenso wie die Wände der Kapelle mit Gold und böhmischen Halbedelsteinen geschmückt ist. Die gläserne Vorderseite des Sarkophags enthält die im 14. Jahrhundert angefertigte silberne Büste des böhmischen Heiligen samt seinen Reliquien. Die Gestalt des hl. Wenzel trägt auch der von dem Nürnberger Künstler Hans Vischer im 16. Jahrhundert gegossene Renaissanceleuchter beim Eingang. Der Bronzeleuchter wurde von der Prager Bierbrauerzunft gestiftet, wiewohl aus den Legenden bekannt ist, daß sich Fürst Wenzel viel eingehender mit dem Weinbau als mit dem Brauen von Bier befaßt hat. Ein im Jahre 1543 gemaltes Tafelbild schildert seine Ermordung. Die Wenzels-Kapelle spielte auch in der politischen Geschichte des Landes eine Rolle; so beschlossen hier zum Beispiel 1526 die böhmischen Stände, nach Ludwig Jagello den Habsburger Ferdinand I. auf den Thron zu berufen.

Von der Wenzels-Kapelle aus gelangt man zur Kronkammer, in der die böhmischen Krönungskleinodien aufbewahrt werden. Sie bestehen aus der Königskrone, dem Zepter mit dem Reichsapfel, dem Krönungsmantel und der Stola sowie dem Lederfutteral der Krone. An der Spitze des böhmischen Staates standen zu Beginn Fürsten bzw. Herzoge; als erster erhielt im Jahre 1085 Herzog Vratislav den Königstitel; erblich wurde das Königtum in Böhmen erst unter Otakar I. im Jahre 1198. Damals hatten alle Herrscher ihre eigenen, sozusagen nach Maß gearbeiteten Königskronen, und erst Karl IV. begründete den Kult der heiligen böhmischen Königskrone. Er ließ sie im Jahre 1346 aus den früheren Krönungskleinodien anfertigen, und er war auch der erste, dem sie auf das Haupt aufgesetzt wurde. Außerordentliche Bedeutung verlieh er ihr dadurch, daß er sie zu einem Reliquienschrein gestaltete, indem er in das abschließende Saphirkreuz einen angeblich aus Christi Dornenkrone stammenden Splitter einsetzen ließ, und sie dann sofort dem hl. Wenzel zur Krönung seines im St.-Veits-Dom beigesetzten Schädels widmete. Nach den von Karl IV. aufgestellten Bestimmungen durfte die Krone nur dann von hier behoben werden, wenn sie einem neuen König zur Krönung geliehen wurde. Die Gebühr war nicht gering: für den Krönungsakt hatte der böhmische König an das Domkapitel zweihundert Pfund Silber zu erstatten.

Die Krönungskleinodien wurden zuletzt in einer Nische beim Grabe des hl. Wenzel in dessen Gruftkapelle zu St. Veit aufbewahrt. Während der Hussitenkriege wurde sie auf die Burg Karlštejn überführt. Nicht jedermann war es vergönnt, sie zu erblicken; jahrhundertelang stand diese Ehre nur den Vornehmsten des Landes zu, und auch sie bedurften der Zustimmung der Stände zur protokollarisch festgehaltenen Öffnung der Kronkammertür, hinter der der kostbare Schatz verwahrt war. Als die Kleinodien zur Krönung nach Prag überführt wurden, bestand ihr Geleit aus unter den höchsten Würdenträgern des Landes ausgewählten Kommissaren samt zweihundert Berittenen. Während des rohen, blutigen Einfalles der Passauer zu Beginn des 17. Jahrhunderts wurden sie auf der Prager Burg verborgen, später — vor der Schlacht auf dem Weißen Berg — wurden sie ins Altstädter Rathaus übertragen, und während des Dreißigjährigen Krieges verbarg man die Kleinodien einige Zeit in der Stadtkirche von České Budějovice. Ferdinand III. übernahm sie nach seiner Krönung im Jahre 1646 auf Revers in eigene Hände und hinterlegte sie in der weltlichen Schatzkammer des Wiener Schlosses. Dort verblieben sie nahezu eineinhalb Jahrhunderte, und erst Leopold II. gab sie auf unablässiges Drängen der böhmischen Stände nach Prag zurück; hier wurden sie in der Kronkammer unter der Goldenen Pforte des St.-Veits-Domes deponiert, wo sie sich bis zum heutigen Tag befinden.

Die Königskrone hat den Charakter der alten romanischen Kronen, sie besteht zur Gänze aus Gold und ist mit einundneunzig Edelsteinen und zwanzig Perlen verziert. Ihr Gewicht beträgt zweieinhalb Kilogramm. Ihr künstlerischer Wert ist schwer schätzbar, es heißt jedoch, sie würde nahezu soviel kosten wie die Errichtung des ganzen Domes. Obwohl die Edelsteine nicht kantig geschliffen, sondern nur oval oder flach poliert sind, staunt man über ihre imposante Wirkung.

Die Smaragde stammen aus Ägypten; in dieser Farbe und Größe wurden jedoch niemals weitere gefunden, und auch ihre ägyptische Fundstätte ist bereits erschöpft. Die Saphire kamen entweder aus Burma oder aus Ceylon. Den Bügel schmückt ein Saphirkreuz mit einer die Kreuzigung darstellenden Gemme. Reichsapfel und Zepter sind unter Rudolf II. hinzugekommen. Der Apfel ist ein wundervolles Juwel und in künstlerischer Hinsicht das wertvollste unter den Krönungskleinodien. Ähnlich wie die Krone wurde auch dieses Stück von einem unbekannten Künstler geschaffen, doch läßt die Arbeit auf die niederländische oder italienische Schule schließen. Der 750 Gramm wiegende Apfel ist aus achtzehnkarätigem Gold getrieben und mit einem aus Spinellen, Perlen und feinem Email gebildeten Band verziert. Perlen und Email zieren auch das den Apfel krönende Kreuz. Die beiden Halbkugeln enthalten getriebene Reliefdarstellungen zu dem Gebet, das der Erzbischof beim Krönungsakt verrichtete. Der Oberteil zeigt die Salbung Davids zum König durch den Propheten Samuel sowie Davids Kampf mit Goliath; die untere, von einem anderen Goldschmied geschaffene Halbkugel zeigt drei Geschehnisse aus der Genesis: im ersten spricht der Herr Adam an, im zweiten führt er ihn ins Paradies ein, und im dritten verbietet er den Stammeltern, die Früchte des Baumes der Erkenntnis zu genießen. Daneben sieht man das 67 Zentimeter lange, 1 Kilo und 16 Gramm wiegende Zepter. Es ist gänzlich aus Gold, kunstvoll graviert, mit Email und Perlen geschmückt, und seinen Abschluß bildet ein großer, flacher, bereits kantig geschliffener Spinell. Zu diesen Krönungskleinodien wird mit Recht auch das geschnitzte, mit Rindsleder überzogene Futteral gerechnet, in dem die Königskrone aufbewahrt wird. Es entstand zur selben Zeit wie die Krone, und seinen Schmuck bilden farbige Wappen mit dem Reichsadler, dem böhmischen Löwen, dem Wappen des Prager Erzbistums und dem Wappen des Erzbischofs Arnošt von Pardubice. Die böhmischen Künstler waren im Mittelalter sichtlich spezialisierte Lieferer solcher Futterale, denn es gibt auf der Welt rund fünfundzwanzig ähnliche Stücke, von denen eine gute Hälfte gerade aus Böhmen stammt. Für den Schutz der Krönungskleinodien gilt bis auf den heutigen Tag das althergebrachte Zeremoniell: sie befinden sich in der mit sieben Schlössern gesicherten Kronkammer, wobei der Schlüssel zu den einzelnen Schlössern jeweils von einer anderen Institution verwahrt wird, — vom Präsidenten der Republik, vom Erzbischof, vom Primator der Hauptstadt Prag, von der Nationalversammlung usw. Während des zweiten Weltkrieges waren die Krönungskleinodien in dem aus dem 12. Jahrhundert stammenden Soběslav-Palast tief unter den heutigen Burggebäuden eingemauert, um sie vor Bombenangriffen zu bewahren. Die Sage behauptet, wer sich zu Unrecht die böhmische Königskrone aufsetze, sterbe eines jähen Todes. Der hitlerfaschistische sogenannte Reichsprotektor, der blutige Reinhardt Heydrich, den Adolf Hitler während des Krieges in die okkupierte Tschechoslowakei sandte, erdreistete sich, mit der böhmischen Königskrone das Schicksal herauszufordern. Von Hoffart geblendet, zeigte er sich mit der Krone angetan seinen Kindern. Wenige Wochen später erlag er dem von tschechischen Patrioten ausgeführten Attentat.

Neben der Wenzelskapelle befindet sich die gleich alte nach der Adelsfamilie Martinic benannte Kapelle, deren Ausschmückung allerdings jünger ist. Unter dem Fenster ist das Grabmal des Jaroslav von Martinice, eines der kaiserlichen Räte, die von den aufständischen Ständen im Jahre 1618 unweit dieser Stelle aus dem Fenster gestürzt wurden. Ähnlich wie alle weiteren Kapellen der Kathedrale ist auch diese vom Dom durch ein geschmiedetes Gitter aus der Mitte des 18. Jahrhunderts abgeteilt. An die Martinic-Kapelle schließt die Kreuzkapelle an, die Matthias von Arras errichtete. An den Wänden kann man noch Überreste ursprünglicher gotischer Malereien sehen: die Madonna mit dem knienden Kaiser, die Gemahlin des Kaisers und Heiligengestalten. Neben dem Altar bemerkt man das bekannte Veraikon, ein Tafelgemälde mit dem echten Antlitz des Erlösers, in einem mit Zeichnungen der böhmischen Schutzheiligen aus der Zeit um 1400 geschmückten Rahmen. Die Geschichte des Veraikons haben wir bereits im Zusammenhang mit dem Besuch des St.-Veits-Domschatzes (S. 65) besprochen. Die weiteren Bilder entstanden größtenteils während des 18. Jahrhunderts.

★★ Von dieser Kapelle aus gelangt man über eine Treppe zu den Domausgrabungen hinab. Man findet hier Grundmauern der zu Beginn des 11. Jahrhunderts errichteten Spytihněv-Basilika sowie Überreste des noch älteren St.-Wenzels-Rundkirchleins. Außerdem dient dieser Teil der Burg als Lapidarium der ursprünglichen Gotteshäuser und Grabsteine der Prager Burg. Durch das Gitter hindurch kann man auch in die Königsgruft einblicken, die sich genau unter dem königlichen Mausoleum im Hauptschiff der Kathedrale befindet. Der Veitsdom ist eigentlich eine riesige Königsgruft. Beigesetzt wurden hier Fürst Wenzel der Heilige (oben in der seinen Namen tragenden Kapelle), Karl IV., weiter eine Reihe von Přemysliden und Habsburgern. Die Gruft wurde im Jahre 1928 geöffnet, und bei dieser Gelegenheit erfuhr man zahlreiche Einzelheiten über die böhmischen Herrscher. Karl IV. — eine überragende Gestalt der böhmischen Geschichte — war nur 170 cm groß, also durchaus nicht stattlich. Seine Gesundheit war unverwüstlich, und von seinen vier Gattinnen überlebte ihn nur die letzte, die bärenstarke Elisabeth von Pommern, die mit bloßen Händen Schwerter krumm bog; bei der Öffnung wurde festgestellt, daß er über ein vollständiges Gebiß verfügte, in dem nur zwei Zähne fehlten. Der Hussitenkönig Georg von Poděbrady war von noch kleinerem Körperwuchs; an den Gebeinen erkannte man, daß er an Gicht litt. Die steinerne Gotik ist zwar eine Augenweide, doch ruft die Vorstellung, daß man in ihr wohnen sollte, in unseren geographischen Breiten einen leichten Schauer hervor. Die Überreste der böhmischen Könige wurden noch vor dem zweiten Weltkrieg in neuen Sarkophagen beigesetzt, und die Krypta wurde mit Mosaik ausgekleidet. Die kostbaren, aus dem 14. bis 16. Jahrhundert stammenden Stoffreste, in die die Körper gehüllt waren, wurden zu den Gegenständen des St.-Veits-Domschatzes hinzugefügt.

Wir kehren über die Treppe zurück und betrachten oben im Dom das weiße königliche Mausoleum auf der hohen Empore des Domes, rechts von der Kanzel. Das Grabmal ist ein Werk des niederländischen Künstlers Colijn aus der zweiten Hälfte des 16. Jahrhunderts. Die liegenden Gestalten stellen Ferdinand I., seine Gemahlin Anna Jagello und seinen Sohn Maximilian II. dar, die hier beigesetzt sind. Das geschmiedete Gitter stammt aus dem Jahre 1589. Ferdinand I., der von 1526 bis 1564 regierte, war der eigentliche Gründer der über viele Volksstämme herrschenden Habsburger-Monarchie, die nahezu vier Jahrhunderte hindurch die Geschichte Mitteleuropas bestimmte. Die Tatsache, daß er, obwohl er in Wien starb, in Prag beigesetzt ist, läßt erkennen, welche Bedeutung damals den Ländern der böhmischen Krone zukam. Prag war das Zentrum des Reiches bis zur Regierungszeit Rudolfs II., underst später begann es im Rahmen der Monarchie an Bedeutung zu verlieren.

Wenn wir die Besichtigung der Kathedrale auf der

rechten Seite weitergehend fortsetzen, erblicken wir die gotische Vorhalle mit einem geschnitzten gotischen Kreuz. An den herabhängenden Schlußsteinen des Gewölbes bemerkt man den Buchstaben W, das Monogramm König Vladislavs II. Vom Oratorium führt ein Gang zum Königspalast.

★ Die nächste Kapelle ist hier die mit einem der Maria Magdalena gewidmeten farbigen Fenster geschmückte Waldsteinkapelle. An den Wänden sieht man wiederum Reste gotischer Wandgemälde sowie einiger anderer Arbeiten. Hier ist die Grabstätte der beiden ältesten Dombaumeister, Matthias von Arras und Peter Parler; ihre Grabsteine sieht man auf beiden Seiten an den Wänden. Über den Chorbänken vor der Kapelle zeigt ein zweiteiliges geschnitztes Bildwerk von Jiří Bendl aus dem Jahre 1630 den Bildersturm durch die Kalvinisten, den der Künstler als Augenzeuge hier im St.-Veits-Dom während der Regierung des „Winterkönigs" Friedrich von der Pfalz im Jahre 1619 erlebte.

★★ Weiter gelangen wir zur Johannes-Nepomuk-Kapelle mit Resten von gotischen Wandgemälden: Christus mit dem Kreuz und Johannes der Täufer. An der rechten Wandseite steht ein Marmorgrabmal mit der liegenden Gestalt des zweiten Prager Erzbischofs, Jan Očko von Vlašim, der hier 1380 in der Marmortumba beigesetzt wurde, die er für sich noch zu Lebzeiten im Jahre 1369 von Parlers Hütte anfertigen ließ. Die Kapellenfenster wurden nach Entwürfen von J. Kranner, R. Müller und P. Meixner im 19. Jahrhundert in Innsbruck durchgeführt und enthalten Bilder aus dem Leben des hl. Johannes von Nepomuk, dessen Historie wir schon bei der Wanderung über die Prager Karlsbrücke (47) berührt haben. In dem Bleisarg auf dem Altar befinden sich nicht die Überreste dieses Heiligen, sondern Reliquien des hl. Adalbert und der hl. Fünf Brüder. Die im Jahre 1699 angefertigten vier Silberbüsten gehören dem hl. Veit, dem hl. Wenzel, dem hl. Adalbert und dem hl. Cyrill zu. Das silberne Barockgrabmal des hl. Johannes von Nepomuk finden wir im Chorumgang vor der Kapelle. Es stammt aus den Jahren 1733 bis 1736. Die eigentliche Tumba entwarf J. E. Fischer von Erlach, und nach dem von dem italienischen Bildhauer Antonio Corradini ausgearbeiteten Modell wurde es von dem Wiener Goldschmied Josef Würth ausgeführt. Dem Sarg, in dem man die Gestalt des Johannes von Nepomuk sieht, ist noch ein kleinerer Kristallschrein beigeschlossen, in dem die Reliquien des Heiligen beigesetzt sind. Der Sarg wird von Engeln getragen, die auf einem Marmorsockel stehen, den eine Reliefdarstellung der Legende von der Hinabstürzung des Heiligen in die Moldau schmückt. Die Silbervasen auf dem Marmorgeländer und die Figuren der Verschwiegenheit, Weisheit, Stärke und Gerechtigkeit schuf J. A. Quittainer, die Engel des Baldachins I. F. Platzer, und durchgeführt wurden sie von Prager Goldschmieden um die Mitte des 18. Jahrhunderts. Die silberne Ausschmückung des Grabmals, zu der auch geschmiedete Lampen gehörten, verlockte zu Unredlichkeit, und manche Gegenstände wurden im Laufe der Zeit entwendet. Da der Heilige jedoch als Muster der Verschwiegenheit gefeiert wird, hat er nie einen der Diebe verraten.

Betrachten wir nunmehr die weiteren Kapellen im Chorumgang hinter dem Hauptaltar. In der Reliquienkapelle der Marienkapelle (auch Kaiserkapelle genannt) und in der Kapelle Johannes des Täufers stehen von der Parlerschen Bauhütte geschaffene Grabtumben böhmischer Fürsten und Könige. In der Reliquienkapelle konnten auch Überreste gotischer Malereien festgestellt werden. Sie stellen die Anbetung der heiligen drei Könige von Meister Theodoricus dar, dessen bedeutendstes Werk auf Burg Karlštejn zusammengefaßt ist. An einem Pfeiler bemerkt man eine der Kanonenkugeln, die während der Belagerung Prags durch Friedrich II. von Preußen 1757 den Dom beschädigten. — Die am weitesten nach Norden hinausreichende Marienkapelle bildet allem Anschein nach den ältesten Teil des

Baues, der vermutlich von hier aus begonnen wurde. Auf dem Querbalken bemerkt man eine vergoldete Schnitzerei aus dem 17. Jahrhundert, eine Szene vom Kalvarienberg darstellend. Vor ihm befindet sich der kleine St.-Veits-Altar mit Reliquien dieses Märtyrers; unter dem Pflaster sind die Grablegen von vierzehn Prager Bischöfen, beginnend mit dem im Jahre 1067 verstorbenen ersten Prager Bischof Šebíř. Weitergehend gelangen wir zur Kapelle Johannes des Täufers, einem alten Kunstwerk; der romanische wahrscheinlich zu Beginn des 12. Jahrhunderts geschaffene bronzene Jerusalemsleuchter ist eine Gußarbeit aus dem Rheinland. Angeblich brachte ihn Vladislav I. im Jahre 1162 von seinem siegreichen Heereszug nach Mailand als Beute nach Prag. Links vom Hauptaltar kommt man zur Erzbischöflichen Kapelle, in der die Prager Kirchenfürsten seit dem Jahre 1793 bis zum Beginn unseres Jahrhunderts zu Grabe gelegt wurden. Im Chorumgang gegenüber der Kapelle zeigt ein geschnitztes Monumentalbild die Flucht Friedrichs von der Pfalz aus Prag nach der verlorenen Schlacht am Weißen Berg. Es stammt von demselben Jiří Bendl, der das geschnitzte Bildnis der Verwüstung des Domes durch die Bilderstürmer (auf der gegenüberliegenden Seite) geschaffen hat. In der Nähe dieser Monumentalschnitzerei steht das imposante Bronzedenkmal des Kardinals Friedrich Schwarzenberg, ein hervorragendes Werk des tschechischen Bildhauers J. V. Myslbek vom Ende des vorigen Jahrhunderts. Auf dem Altar der anschließenden St.-Anna-Kapelle befindet sich eine silberne Reliquienplatte, eine sehr bemerkenswerte mit Filigran, Edelsteinen, antiken Gemmen und Emailbildern geschmückte Goldschmiedearbeit aus dem Jahre 1266. Dieses Kleinod wurde zur Zeit der französischen Revolution im Dom von Trier geraubt. Das Tafelbild der Madonna im Rosenbusch ist die Kopie einer spätgotischen böhmischen Arbeit vom Anfang des 16. Jahrhunderts. Am Eingang in die benachbarte Sakristei steht eine kolorierte hölzerne St.-Michaels-Bildsäule aus dem 17.

Jahrhundert, das Werk eines unbekannten süddeutschen Künstlers. Bemerkenswerte Arbeiten sind auch die barocken Beichtstühle, zwei mit Intarsien geschmückte Renaissance-Barockkredenzen und die Renaissance-Kirchenbänke; dagegen ist das Gemälde mit dem triumphierenden Christus nur eine auf das 16. Jahrhundert zurückgehende Tizian-Kopie. Urheber der die Taufe Christi darstellenden Gemälde ist Peter Brandl, die Titanengestalt des böhmischen Barocks. Die Sigismund-Kapelle schließt auf dieser Seite den ursprünglichen Dombau ab. Leider ist von den damaligen Wandmalereien nichts erhalten geblieben, obwohl Karl IV. gerade für diese Kapelle besondere Sorgfalt aufgewandt hat.

Betrachten Sie noch, wenn Sie der Rundgang durch diese Wunderwelt der Gotik nicht zu sehr ermüdet hat, den Hauptaltar, der im vorigen Jahrhundert von J. Kranner als neugotisches Kunstwerk gestaltet wurde. In der Mitte des Kirchenschiffes werden Sie die neuen Domfenster von Max Švabinský (Dreifaltigkeit, Madonna mit Herzog Spytihněv und St. Wenzel mit Karl IV.) bemerken. Auch bei einer Besichtigung der Kathedrale von außen wird man die Genialität der ersten Dombaumeister bewundern. Das aus Stein gehauene zierliche Strebewerk wirkt leicht und luftig wie Spitzen, und ebenso zierlich wirken all die Bündelpfeiler, Fialen und Wimperge, Fensterrosen, Krabben und Kreuzblumen und die fein gearbeiteten Wendeltreppen. Über dem ursprünglichen Haupteingang an der Mauer der Kronkammer, der sogenannten Goldenen Pforte, sieht man ein Original-Mosaikbild aus der zweiten Hälfte des 14. Jahrhunderts, ein kostbares venezianisches Kunstwerk. Es zeigt außer biblischen Szenen der Auferstehung von den Toten und der Verdammnis begreiflicherweise auch die Gestalt Karls IV., der sehr auf Anbringung seiner Bildnisse in dieser Kathedrale bedacht war, sowie die seiner Gemahlin Elisabeth von Pommern mit knienden Schutzheiligen Böhmens. Die Farbenpracht der Mosaik ist bereits einigermaßen verblaßt.

Und nun etwas, was mit Gotik wahrhaftig nichts mehr gemeinsam hat: In dem Burggäßchen Vikářská, an der Nordseite der Kathedrale, drängen sich kleine Barockhäuser aneinander, und hier führen einige Stufen zu einem Haus hinauf, an dessen Tür ein Schild mit der Aufschrift „Vikárka" hängt. Es ist ein altes tschechisches Wirtshaus und ein Treffpunkt der Künstler, die nach Prag kommen; hier zechten Picasso und Eluard, hier bezogen ihre Inspirationen Ehrenburg und Pablo Casals, hier saßen beim Wein Oistrach und Arragon, Josefine Baker, F. C. Weiskopf, G. Apollinaire, Louis Fürnberg und viele andere. Der Leiter der behaglichen Stätte achtete damals leider mehr auf das gute Aussehen des Lokals als auf die Unterschriften der Künstler an den verschmauchten Wänden, und so ließ er sie eben übertünchen. Wer es vor allem auf Pilsner Urquell und Schweinebraten mit Knödeln abgesehen hat, läßt sich nicht so leicht von der zarten Anmut der Musen ergreifen. Aber trotz allem gehören zu dem Gasthaus sehr alte gute Kellerräume, was wichtig ist für alle Durstigen oder Trinklustigen, und die Fässer samt ihrem köstlichen Inhalt sind so vorzüglich gepflegt, daß man nur schwer widerstehen könnte. Deshalb bildet dieses Gasthaus auch den Ausgangspunkt zu den Abenteuern des ehrsamen Prager Bürgers Matěj Brouček, der in nicht ganz nüchternem Zustande ganz ungewöhnliche Begebenheiten auf der Erde und auf dem Mond erlebt, wie sie ihm in seiner Satire der Dichter Svatopluk Čech zuschreibt und wie sie sodann in seiner unsterblichen Oper Leoš Janáček vertont hat.

Unsere Besichtigung geht weiter vom dritten Burgplatz aus, den wir bereits von oben herab bei der Besteigung des Hauptturmes der St.-Veits-Kathedrale gesehen haben. Bei der niedrigen Überdachung der Ausgrabungen vor dem Dom stand eine gotische St.-Georgs-Statue von Martin und Georg von Cluj (Klausenburg) aus dem 14. Jahrhundert. Die Statuengruppe wurde von dem Glockengießer Jaroš umgegossen und wird zur Zeit renoviert. Den Abschluß des Südendes dieses Burghofes bildet der Burgflügel mit den Kanzleien und Repräsentationsräumen des Präsidenten der Republik. Über dem säulengeschmückten Eingang befindet sich ein Balkon, auf dem der neugewählte Präsident die Huldigung der Bevölkerung entgegennimmt. Am Ende dieses Platzes, in der linken Ecke, führt eine mit einem Bronzedach von J. Plečnik gedeckte Treppe zu den Burggärten hinab.

Links von hier, unmittelbar in dem nahezu den ganzen Osttrakt des Burghofes abschließenden Frontgebäude, beginnt der **mittelalterliche Palast,** den Karl IV. anstelle einer älteren von Otakar II. errichteten Residenz erbauen ließ. Hier ist auch der ursprüngliche Kern der gesamten Prager Burg. Sieben Meter unter der Stelle, die man heute vom Burghof aus sieht, wurde der gut erhaltene Palast des Fürsten Soběslav vom Beginn des 12. Jahrhunderts aufgedeckt. Das für die damalige Zeit imposante Bauwerk hatte zehneinhalb Meter Breite und nahezu fünfzig Meter Länge. Freilich ist es zwischen den grobgemauerten Wänden einigermaßen kühl, und man ist erstaunt, wie es überhaupt möglich gewesen sein konnte, die romanische Periode ohne Gesundheitsschäden zu durchleben. Dafür sind allerdings die Bauten um so gründlicher und solider. Acht Jahrhunderte haben daran nichts zu ändern vermocht. Und als nach Kriegsausbruch der Stadt Prag Fliegerangriffe drohten, wurden die kostbaren Krönungskleinodien zum Schutz gegen die Bomben im Soběslav-Palast eingemauert.

32★★

Auf den Grundmauern des Soběslav-Palastes errichtete der böhmische König Otakar II. seine Residenz, und an ihrer Stelle setzte Karl IV. seinen gotischem Umbau fort. Weil es ihm leid tat, das alte Mauerwerk abzutragen, erbaute er die neue Residenz auf den romanischen Grundmauern, die im Laufe der Zeit mit Lehm und Schutt bedeckt wurden. Dort, wo Soběslav sein Schlafgemach, seinen Speiseraum und den Gerichtsaal gehabt hatte, waren nunmehr Keller, und

Karl IV., ein weiser Herrscher, der gleichzeitig auch ausgezeichneter Kenner eines guten Tropfens war, wußte ihre Kühle zu nutzen: er ließ hier Wein einlagern. An Karls Palast bauten sodann seine Nachfolger neue Gebäude an. Der bekannte Vladislav-Saalbau gehört bereits der Spätgotik an, die darüber aufgeführten Gebäude der Renaissance. Im Vladislav-Saal wurden Ritterturniere ausgetragen, und deshalb führt zu ihm eine Stiege mit breiten Stufen, über die die Ritter zu Pferd hinaufgelangen konnten. Heute tagt hier bei feierlichen Gelegenheiten die tschechoslowakische Nationalversammlung; unter den Spitzbögen des gotischen Gewölbes wird traditionsgemäß der Präsident der Republik gewählt. Im selben Stockwerk des anliegenden Ludwigspalastes spielte sich zu Beginn des 17. Jahrhunderts der weltbekannte Prager Fenstersturz ab, der den entsetzlichen Dreißigjährigen Krieg auslöste.

Hier überall wird Sie ein Fremdenführer begleiten: Sie werden die aus dem 14. Jahrhundert erhalten gebliebene Grüne Stube besuchen, wo Karl IV. kleinere Gerichtssachen erledigte und wo später das Hofgericht tagte. Die Stubendecke ist mit einem Freskogemälde — Salomons Urteilsspruch — vom Beginn des 18. Jahrhunderts geschmückt. Die Freske wurde aus der ehemaligen Burggrafenresidenz hierher übertragent. In den Gemächern über diesem Raume wohnte König Vladislav, von seinen Wohnräumen führte der Freigang zum Oratorium der St.-Veits-Kathedrale hinüber. Die Räume dienten später als Kanzlei des Hofkammergerichtes; sie sind mit den Wappen der Länder der böhmischen Krone und den Wappen der Mitglieder des Gerichtes verziert. Über eine kleinere Treppe neben der Reitstiege kommt man zu drei

Sälen hinauf, wo vom Jahr 1541 an die sogenannten Landtafeln aufbewahrt wurden. Die Saaldecken sind mit den Wappen der Landtafelbeamten geschmückt, man sieht hier Maquetten der Landtafeln u. ä. Den bedeutendsten Raum dieses Burgteiles nimmt der Vladislav-Saal ein, der größte Profanraum des mittelalterlichen Prags, der gleichzeitig als der prachtvollste Saalbau der mitteleuropäischen Spätgotik betrachtet wird. Er ist 62 Meter lang, 16 Meter breit und erreicht eine Höhe von 13 Metern. Der Saal nimmt im alten Palast die ganze Bodenfläche des zweiten Stockwerkes ein und würde nach Plänen von Benedikt Rejt gegen Ende des 15. Jahrhunderts gebaut. Wie aus der Datierung eines der Fenster hervorgeht, das mit der Jahreszahl 1493 bezeichnet ist, sieht man hier die ältesten diesseits der Alpen entstandenen Renaissancefenster. Aus den Fenstern auf der rechten Seite des Vladislavsaales genießt man einen überwältigenden Ausblick auf Prag. Größte Bewunderung erweckt die kühne Deckenwölbung mit den hier aufgehängten Renaissance-Bronzekronleuchtern, einem Geschenk der Stadt Nürnberg um die Mitte des 16 Jahrhunderts für Ferdinand I. In diesem Saale wählt die Nationalversammlung jeweils den Präsidenten der Republik.

⁂

Links am Ende des Saales ist der Eingang zur Alten Landrechtsstube, die bereits gegen Ende des 14. Jahrhunderts errichtet worden war. Ihre heutige Gestalt verlieh ihr der kaiserliche Baumeister Bonifazius Wohlmut um die Mitte des 16. Jahrhunderts. In diesem Raume trat einerseits das Oberste Landgericht zusammen, anderseits fanden hier bis zur Mitte des vorigen Jahrhunderts die Versammlungen der böhmischen Ständelandtage statt. Hier in der Gerichtsstube ließ Ferdinand I. im Jahre 1547 sechshundert bedeutenden Pragern das Urteil für ihre Teilnahme an dem Aufstand verkündigen. Er hob die alten Freiheitsrechte der Stadt auf, beraubte Prag um riesiges Besitztum und ließ eine Hälfte der Bürger als Geiseln ins Gefängnis setzen. In dem Saal befindet sich noch die abgesonderte Tribüne des Obersten Landesschreibers des Königreiches Böhmen von Bonifaz Wohlmut. Vom Vladislavsaal aus kann man auch die Reitertreppe betreten und auf der gegenüberliegenden Seite in den Ludwigschen Renaissancepalast kommen, oder man kann in die intarsiengeschmückte Böhmische Hofkanzlei gehen, aus deren Fenstern die aufständischen böhmischen Herren am 23. Mai 1618 die kaiserlichen Statthalter sowie den Schreiber in den Burggraben hinabstürzten. Obwohl sich die Fenster ziemlich hoch über dem Boden befinden, erlitten die Defenestrierten außer einigen Prellungen und dem Schrecken keinen anderen Schaden, denn sie fielen auf einen Kehrichthaufen, der sich aus den Abfällen angesammelt hatte, die damals einfach zu den Burgfenstern hinausgeworfen wurden. An der Wand des Frontfensters sieht man eine Aufschrift, die sichtlich nichts mit dieser Begebenheit gemeinsam hat und die nur beweist, daß Verliebte schon vor Jahrhunderten das Bedürfnis verspürten, ihre Gefühle durch Inschriften kundzutun — diese hier lautet: Ich erfreue mich ihrer Gunst — Těším se její přízni.

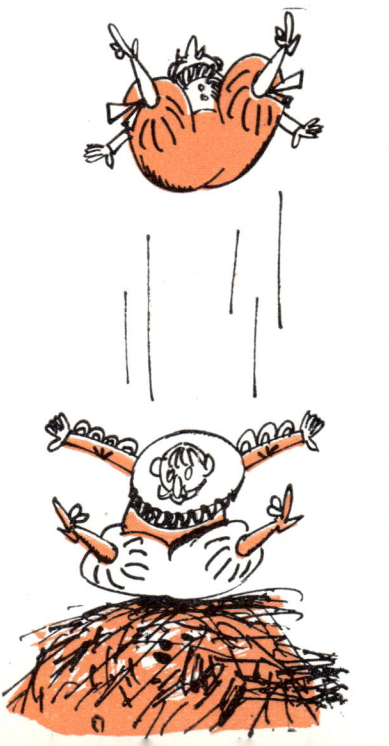

Über der Böhmischen Kanzlei liegt der Reichshofratsaal, in dem unter Rudolf II. das gesamte Römische Reich verwaltet wurde. In diesem von einer Balkendecke überspannten Raum wurde am 19. Juni 1621 den siebenundzwanzig böhmischen Adelsherren und Bürgern, die führend an dem Aufstand teilgenommen hatten, das Todesurteil verlesen.

Unter dem Vladislav-Saalbau, neben dem Saal der ehemaligen böhmischen Kammer, in der sogenannten Alten Registratur, ist heute eine Ausstellung von Funden untergebracht, die anläßlich der Burgausgrabungen gemacht wurden. An der Nordseite des Vladislavsaales ist der Platz U sv. Jiří, der sich hinter der St.-Veits-Kathedrale ausdehnt. Hier schmiegt sich an den Vladislavsaal die Allerheiligenkirche an, ein ursprünglich von Peter Parler im gotischen Baustil aufgeführtes Gotteshaus, das mehrmals niederbrannte und heute als Renaissancegebäude dasteht. In der Kirche sieht man das von Peter Prachner um die Mitte des 18. Jahrhunderts geschnitzte Altarwerk mit einem älteren Allerheiligenbild von V. V. Reiner. Unweit der Tür steht eine Barocktumba. In ihr sind die Überreste des tschechischen Nationalheiligen St. Prokop beigesetzt, der im Kloster Sázava wirkte. Prokops Lebensgeschichte stellen in dieser Kirche zwölf Gemälde Christian Dittmanns vom Jahre 1669 dar. Die Kirche diente vorübergehend als Kapelle des Adeligen Damenstiftes, mit dem sie baulich zusammenhängt. Die gegenüberliegende Ecke des Platzes gehört zur Georgskirche und zum ehemaligen Georgskloster. Seine Gebäude und seine Türme haben wir bereits vom Hauptturm des St.-Veits-Domes aus betrachtet. Es war das erste Kloster auf tschechischem Gebiet, und zwar war es, wie bereits erwähnt wurde, für Frauen bestimmt und wirkte als Stätte der Bildung und der Künste. Aus seinen Schreibstuben sind kostbare Handschriften erhalten, die im Clementinum aufbewahrt werden. Zur Zeit wird das Objekt als Museum der Geschichte des tschechoslowakischen Volkes umgestaltet.

Die **St.-Georgs-Kirche** — kostel sv. Jiří —, die bereits früher, unmittelbar zu Beginn des 10. Jahrhunderts, gegründet wurde, ist als ältestes Baudenkmal der romanischen Epoche in der Tschechoslowakei anzusehen. Die dreischiffige

33★★★

ALLERHEILIGENKIRCHE — IM HINTERGRUND ST.-GEORGS-KIRCHE

Basilika erhielt ihre heutige Gestalt mit den beiden Türmen nach dem großen Burgbrand vom Jahre 1142. In dem Bau bemerkt man den Baukern einer gleich ausgedehnten vorromanischen Basilika. Die Basilika bildet die Grabstätte der ältesten böhmischen christlichen Herrscher, Herzog Boleslavs II., Herzog Vratislavs I. und König Vratislavs I. Auf der Empore sind Reste von das Himmlische Jerusalem verherrlichenden Wandmalereien vom Beginn des 13. Jahrhunderts sowie Darstellungen Christi mit Maria aus derselben Zeit. An der Frontwand der Marienkapelle ist ein dreiteiliges Relief der Krönung Mariä durch die Engel, mit den knienden Gestalten der drei ersten Äbtissinnen und mit König Otakar I., aus der Zeit um 1200. Das Relief ist das wertvollste Denkmal der böhmischen romanischen Bildhauerkunst. Außerdem findet man hier ein Reliefbild des Drachentöters St. Georg (vom 16. Jahrhundert), und in der St.-Anna-Kapelle sind die Überreste der Gründerin des Klosters, der Äbtissin Mlada, beigesetzt — nach der Silbermaske kann geschlossen werden, daß sie tatsächlich anmutig war — und hier ist auch das gravierte Grabmal der Äbtissin Kunhuta.

In der an das Presbyterium anschließenden Kapelle der hl. Ludmilla ist die Tumba dieser tugendhaften Frau, der Großmutter des hl. Wenzel. Sie wurde von Mördern erdrosselt, die Wenzels Mutter Drahomíra ausgesandt hatte, was nicht gerade das beste Beispiel für das ist, was man so gerne als sanfte tschechische „Taubennatur" bezeichnet. Die arme Heilige fand auch nach dem Tode noch lange keine Ruhe. Als während der Belagerung Prags durch Konrad von Znojmo die Georgskirche mit Pechkränzen in Brand geschossen worden war, wurde der deutsche Baumeister Wernher mit der Wiederherstellung der Kirche beauftragt. Obwohl er guten Lohn eingestrichen hatte, nahm er heimlich noch dazu einen Teil von Ludmillas Gebeinen nach Deutschland mit, um sie dort stückweise zu verkaufen. Sein baldiger Tod und das unter seltsamen Umständen eintretende jähe Ende der übrigen Erwerber der Ludmilla-Reliquien bewog die Besitzer, sie schleunigst nach Prag zurückzugeben. Die gegen Ende des 14. Jahrhunderts aus Stein gehauene Grabtumba der hl. Ludmilla ist jedoch so fest, daß sie niemand mehr zu Diebstählen zu verleiten scheint.

Längs der Basilika zieht sich nach Osten hinab das schmale Burggäßchen Jiřská ulička, das zum Haus der Tschechoslowakischen Kinder (S. 189) im ehemaligen Burggrafenamt sowie zum Schwarzen Turm und dem aus Smetanas Oper Dalibor bekannten gleichnamigen Turm, zur Alten Schloßstiege und hauptsächlich in das berühmte Alchimistengäßchen führt. Alle diese Stellen werden wir besuchen, sobald uns etwas mehr Zeit für eine Besichtigung der ganzen Prager Burg (S. 185—190) zur Verfügung stehen wird.

Wir kehren einige Meter weit auf den dritten Burgplatz

★★34 zurück, und steigen gleich hinter dem Eingang zum Vladislavsaal über die Stufen zum **Paradiesgarten** — Rajská zahrada — hinab. Sein Areal bildet einen Bestandteil der südlichen Burggärten, die im Jahre 1959 der Öffentlichkeit zugänglich gemacht wurden. In den Gärten stehen mehrere Obeliske (auch an jener Stelle, an der die defenestrierten Statthalter herabstürzten). Es gibt dort mehrere Altane und Brunnen, und es eröffnen sich in diesem wundervoll gestalteten Milieu an vielen Stellen interessante Ausblicke auf die Stadt Prag. Es ist überraschend, daß — obwohl man das Stadtbild von derselben Seite aus erblickt wie vom Turm des Veitdomes — Prag hier wieder ganz anders aussieht. Von oben erscheinen die für das „hunderttürmige" Prag so typischen Türme der 113 Kirchen doch irgendwie in dem steinernen Meer der Paläste und Häuser versunken. Hingegen bietet die Stadt von den südlichen Burggärten aus gesehen gewissermaßen ein Bild gegliederter Kulissen, über die die typischen Dächer bedeutender Bauwerke mit ihren patinagrünen Kuppeln und Helmen emporragen. Aus dem Nebelhauch treten die Glockentürme der Kirchen hervor, am Horizont stechen in den Raum hinauf die beiden spitzen Türme des Vyšehrad, und gegen Süden und Norden spannen sich über den Fluß die Brücken, deren Bögen von der Höhe der Kathedrale aus eben doch verflacht erscheinen.

Vorläufig sind die Burggärten an Sonnabenden nachmittags und am Sonntag vormittags und nachmittags geöffnet, und zwar vom Frühjahr bis zum Herbst, zusammen mit den zauberhaften Kleinseitner Palastgärten. Auf anmutigen Pfaden schreitet man zwischen Glorietten von Terrasse zu Terrasse hinab, und man kann wählen zwischen dem Ledebour-Garten mit seiner Salla Terrena, wo im Sommer die wild bewegten Dramen Shakespeares aufgeführt werden, oder dem Pálffy-Garten mit Loggien, Brunnen und alter Sonnenuhr — gehen Sie talwärts, wie es Ihnen gerade einfällt, denn ohnedies kommen Sie jedenfalls auf die am Waldsteinpalais entlang verlaufende Straße Valdštejnská ulice hinaus. Von den Burggärten aus kann man freilich auch hinaufsteigen zu dem kleinen Plateau über der neuen Schloßstiege, und von dort auf den Platz Hradčanské náměstí (Seite 181), oder östlich dicht an der Palastmauer entlang zur Alten Schloßstiege. In diesem Falle dürfen Sie jedoch nicht zu den Kleinseitner Gärten hinabsteigen. Ein anderer Weg von der Burg hinab führt über den Aussichtspunkt **Goldenes Brünnel** — Zlatá studně — ein wie ein Schwalbennest am Burghang angeklammertes Weinrestaurant, und von hier über ein Gewirr von Treppenhäusern, Gäßchen und Innenhöfen wiederum zum Platz Valdštejnské náměstí und zur Valdštejnská ulice. Die ganze Front des Platzes und die gesamte Länge der Straße nimmt der riesige Komplex des Waldstein-Palastes ein, in dessen Garten auch Konzerte des Prager Frühlings, Theatervorstellungen und Modeschauen abgehalten werden. Durch die Straße Valdštejnská ulice gehen wir weiter längs der ehemaligen **Waldsteinschen Reitschule** — Valdštejnská jízdárna — mit der Galerie böhmischer Malkunst des 19. Jahrhunderts bis zum Klárov-Platz, von wo aus man mit der Straßenbahn 20 oder 22 wieder zur Stadtmitte gelangt. Es ist jedoch zum Nationaltheater nur zwei Haltestellen weit, so daß Sie, falls Sie nicht zu müde sind, ganz gut den Weg auch zu Fuß zurücklegen können.

Er führt uns über die Mánes-Brücke, an deren anderem Brückenkopf in der Parkanlage linksseits das von Bohumil Kafka im Jahre 1947 geschaffene Denkmal des Malers Josef Mánes steht. Die Brücke mündet am Platz náměstí Krasnoarmejců, der links von dem Neurenaissancebau des Hauses der Künstler überragt wird. Es ist mit Statuen bedeutender gestaltender Künstler und Komponisten geschmückt. An den Plastiken haben eine Reihe böhmischer und ausländischer Bildhauer mitgewirkt. In der Zeitspanne zwischen der Gründung der Tschechoslowakischen Republik bis zum zweiten Weltkriege tagte hier das Abgeordnetenhaus der tschechoslowakischen Nationalversammlung. Heute dient das Gebäude als bedeutendster Konzertsaal von Prag, und es ist durch die Musikfestwochen des Prager Frühlings international bekannt geworden. Die der Brücke gegenüberliegende Front des Platzes wird durch das modernere Gebäude der Philosophischen Fakultät der Karls-Universität abgeschlossen, und das dem Hause der Künstler gegenüberstehende Gebäude gehört der Kunstgewerbehochschule.

Der Weg führt uns weiter durch die Křižovnická ulice; den größten Abschnitt der linken Straßenseite nimmt die Front des Clementinums (37) ein. Durch den Laubengang gelangt man auf die Uferstraße Smetanovo nábřeží hinaus, wo sich uns vom Aussichtspunkt am Moldauwehr einer der schönsten Ausblicke auf die Karlsbrücke mit den Kleinseitner Türmen und der Prager Burg im Hintergrund eröffnet. Ins Flußbett der Moldau hinaus zieht sich eine Häuserreihe mit einem breiten Steg bis zu dem von drei Seiten her von den Wellen der Moldau umspülten Gebäude des Smetana-Museums (64). In dem Winkel bei den Eisböcken halten sich gerne Gehecke von Wildenten auf, die sich zusammen mit den Möwen der besonderen Zuneigung der Prager erfreuen. (Eine der schönsten Aussichten auf die Prager Burg und die Karlsbrücke.)

Der Weg am Ufer entlang führt uns stromaufwärts an einem kleinen Park (an der linken Straßenseite) vorüber mit einem neugotischen Denkmal, das für Kaiser Franz Joseph I. erbaut wurde. Es ist von ihm nur die zierliche Architektur mit den allegorischen Figuren von J. Max verblieben, während das Reiterstandbild des Kaisers nach Ausrufung der Republik im Jahre 1918 ins Lapidarium des Nationalmuseums wanderte.

★★37 Wenn man an der Kreuzung der Uferstraße und der Brücke most 1. máje aussteigt, steht man vor dem **Nationaltheater** — Národní divadlo — dem prachtvollsten Werk der böhmischen Architektur des 19. Jahrhunderts. Das Gebäude hat bewegte Geschicke durchgemacht: Es entstand aus dem Ertrag von Sammlungen, zu denen das ganze Volk beisteuerte, doch kurz nach der Beendigung brannte es am 12. August 1881 nieder. Eine neuerliche Sammlung ermöglichte es, daß der Neubau bereits im Jahre 1883 in Betrieb genommen werden konnte. Es fanden also zwei feierliche Eröffnungen statt, jedesmal mit Smetanas Festoper Libuše.

Am Bau und an der Ausschmückung beteiligten sich führende Künstler dieser Zeit — Architekt Josef Zítek, der auch das Gebäude des Hauses der Künstler entwarf, der Bildhauer J. V. Myslbek, der Maler Mikoláš Aleš und zahlreiche weitere. Aleš' Lünettenzyklus „Heimat" im Foyer des Bühnenhauses verdient bereits an sich Aufmerksamkeit; bemerkenswert ist auch das von V. Hynais geschaffene Vorhanggemälde, das die Opferbereitschaft der Nation beim Aufbau des Theaters feiert, oder die allegorischen Deckengemälde von F. Ženíšek, Allegorien der Bühnengenres in Lünettenbildern von Adolf Liebscher, die imposante Triga-Figurengruppe und das Portal in der Uferstraße Gottwaldovo nábřeží mit den Statuen des Singspieles und des Schauspieles von J. V. Myslbek. In den tiefsten Kellergewölben des Gebäudes sieht man die von den denkwürdigsten Orten des Landes herbeigeschafften Grundsteine — im Jahre 1963 wurde auch die von Josef Mánes gemalte Gründungsurkunde aufgefunden — sie ist prachtvoll ausgeführt, jedoch so stark angegriffen, daß sie langwierige geduldige Wiederherstellung erfordert. Das Nationaltheater ist bis auf den heutigen Tag die führende erste tschechoslowakische Bühne — obwohl sie heute nur eines von über zwei Dutzend Prager Theatern ist.

Unser Weg führt uns weiter durch die belebte Národní třída, die besonders in der Nähe der Stadtmitte zu einer der lebhaftesten Geschäftsstraßen Prags wird. Sie entstand ähnlich wie ihre Fortsetzung — die Grabenstraße Na příkopě — an der Stelle eines aufgeschütteten Stadtgrabens. Schräg gegenüber dem Nationaltheater erhebt sich das aus Quadern gemauerte Gebäude der Tschechoslowakischen Akademie der Wissenschaften mit plastischer Innenausschmückung von J. V. Myslbek. An der Ecke der Voršilská ulice kommen wir an der barocken Ursula-Kirche vom Jahre 1704 vorüber. Vor dem Eingang bemerkt man eine St.-Johannes-Nepomuk-Statuengruppe von Ignaz Platzer. Bis zur Mündung der Národní třída in ihre Fortsetzung, die ulice 28. října, an deren Ecke das Kaufhaus Perla emporragt, gibt es hier keine architektonischen Sehenswürdigkeiten. Immerhin empfiehlt es sich, nachzusehen, ob im Verlagshause Československý spisovatel (Nr. 9) nicht gerade eine interessante Ausstellung geöffnet ist. Ein weiterer Ausstellungssaal befindet sich im Palais Dunaj (Nr. 10) auf der rechten Straßenseite und ein dritter unweit vom Dům uměleckého průmyslu (Haus der Kunstindustrie, Nr. 34) auf derselben Straßenseite; in der Verkaufsstelle Krásná jizba werden Sie sich wohl gerne von Volkskünstlern hergestellte hübsche Souvenirs oder moderne tschechische angewandte Kunst aussuchen wollen. Auf der anderen Straßenseite ist eine Kunstglas- und Kunstkeramik-Verkaufsstelle (Nr. 43). Unmittelbar nebenan, Ecke Perlová ulice, befindet sich eine Tuzex-Verkaufsstelle für Kunstgegenstände und Antiquitäten.

Über den kleinen, zu Ehren des tschechischen nationalen Vorkämpfers Josef Jungmann benannten und mit seinem Denkmal geschmückten Platz gelangt man durch die Toreinfahrt des Franziskaner-Pfarrhauses auf einen Vorhof, an dem

★★38 sich der höchste Kirchenbau Prags, die **Maria-Schnee-Kirche,** erhebt. Sie birgt gleichzeitig den größten Prager Altar, dessen von V. V. Reiner geschaffenes Gemälde Maria Verkündigung darstellt, sowie ein interessantes zinnernes Taufbecken aus dem Jahr 1459. Die Kirche wurde bereits im 14. Jahrhundert gegründet, der Bau wurde (zum Teil infolge der Hussitenkriege) niemals ganz zu Ende geführt, so daß heute nur das die umliegenden Gebäude imposant überragende Presbyterium dasteht.

Obwohl die Hussitenkriege die Beendung des großzügig begonnenen Baues verhinderten, ist dennoch die höchste Ruhmeszeit des Gotteshauses eben mit der Hussitenbewegung verbunden. Hier versammelte nämlich der Priester Jan Želivský die Scharen der besitzlosen Bevölkerung um seine Kanzel und führte sie mit Waffen in der Hand zum Neustädter Rathaus, von deren Fenstern das erbitterte Volk die reichen Ratsherren hinabstürzte, deren Spott die Demonstranten aufgebracht hatte. Diese Tat wurde zum Funken, der im Jahre 1419 die eigentliche revolutionäre Hussitenbewegung zum Auflodern brachte. Die Kirche Maria-Schnee mußte mehrmals bewaffnete Angriffe erleiden, blieb jedoch sogar dann der Kernpunkt der Revolution, als es den Altstädtern gelungen war, sich des Jan Želivský zu bemächtigen und ihn im Rathaus umzubringen.

Vom Jungmannovo náměstí führt ein schmales Gäßchen zu dem Schuhhaus Dům obuvi. Rechts in der Ecke steht hier das gotische Portal des ehemaligen Klosterfriedhofes, leider stark angegriffen, mit beschädigten Gestalten der Krönung Mariä, Karls IV. und seiner Gemahlin Blanka. Durch die Passage des Schuhhauses kommen wir auf den unteren Teil des Václavské náměstí — Wenzelsplatzes — hinaus, der heute das Zentrum der Stadt bildet.

Der Wenzelsplatz beweist auch heute noch überzeugend, wie großzügig die Stadtplanungsideen Karls IV. waren, der diesen Raum als Marktplatz bereits im Jahre 1348 mit den heutigen Abmessungen anlegte. Es entstand daraus der größte Prager Boulevard, dreiviertel Kilometer lang, 60 m breit. Das obere Ende des Platzes bildet heute das **Nationalmuseum** — Národní museum —, das bald nach der Errichtung des Nationaltheaters im selben Neorenaissancestil und größenteils sogar von denselben Künstlern gebaut und ausgeschmückt wurde. Die allegorischen Figuren auf der Museumsrampe — versuchen Sie, von hier aus am Abend eine Aufnahme des Platzes zu machen! — sind ein

★★39

Werk Antonín Wagners. Die ganze Innenausschmückung des Museumsgebäudes hängt auf das engste mit der böhmischen Geschichte zusammen. Das gewaltige Säulenvestibül schmücken Standbilder der Fürstin Libuše und zweier weiterer Herrscher aus der Přemyslidendynastie (von dem Münchner Bildhauer Ludwig Schwanthaler). Auf der Prunktreppe sind Statuen weiterer bedeutender Gestalten der böhmischen Geschichte aufgestellt, an der Spitze die des Hussitenkönigs Georg von Poděbrady. Die Couloirs sind mit 16 Bildern böhmischer Burgen von Julius Mařák und Bohumil Dvořák geschmückt. Der prächtigste Raum ist das der Veranstaltung von Feiern und Nationalbegräbnissen dienende Pantheon. Auch an den Wänden dieser Säle bemerken wir Gemälde aus der böhmischen Geschichte. Libušes Botschaft und das Bild des Glaubenskünders Methodios, der gerade die Glagolitikaübertragung der Heiligen Schrift beendet, stammen von František Ženíšek. Die Gründung der Karls-Universität und den Lehrer der Nationen, J. A. Komenský (Comenius), in Amsterdam zeigen Gemälde des Malers historischer Monumentalszenen Václav Brožík. Außer ihm haben der Maler Vojtěch Hynais, der Bildhauer Bohuslav Schnirch und andere an der Ausschmückung des Nationalmuseums mitgewirkt.

Vor dem Museum steht die Reiterstatue des Herzogs St. Wenzel von J. V. Myslbek, die zu Beginn dieses Jahrhunderts errichtet wurde, umgeben von den Gestalten der böhmischen Landespatrone St. Prokop, St. Agnes, St. Ludmilla und St. Adalbert. Von den künstlerisch bemerkenswerteren Gebäuden am Wenzelsplatz verdient Aufmerksamkeit wenigstens das schmucke Haus an der Ecke Vodičkova ulice — Wenzelsplatz mit Laubengang und mit Genregemälden nach Kartons von Mikoláš Aleš.

Am Wenzelsplatz bemerkt man eine Reihe von Hotels, Kinos, Varietés, Spezialgeschäften und Kaufhäusern (Mode- und Schuhwaren, Lebensmittel), das ungarische und das polnische Kulturzentrum und auch zwei Lichtzeitungen. Am unteren Teil des Wenzelsplatzes wird die Ehrentribüne errichtet, auf der am 1. Mai die Vertreter der KPČ und der Regierung die Großkundgebung begrüßen, die schon seit Jahren hier alljährlich ihren Abschluß findet.

An dieser Stelle beenden wir unsere Stadtwanderung.

Der älteste Stadtkern Prags

5 km — etwa vierstündige Wanderung durch die Altstadt

DIE INTERESSANTESTEN OBJEKTE

★★	41 —	J.-K.-Tyl-Theater, die Stätte der Uraufführung von Mozarts Don Giovanni
★★	42 —	Karls-Universität, die älteste Universität in Mitteleuropa
★★★	8 —	Altstädter Rathaus, Aposteluhr, Turm mit Rundblick über die Stadt
★★	9 —	Gotische Teynkirche
★★★	45 —	Jakobskirche, Kirchenmusik, Ausschmückung von Brokoff, Reiner und Brandl
★★	47 —	Gotisches Agneskloster, Reste von Wandmalereien aus dem 14. Jahrhundert
★★★	49 —	Synagogaltextilien-Sammlung im Depositär des Staatlichen Jüdischen Museums, reichhaltigste Sammlung der Welt
★	51 —	Kleiner Ring und Laubengang, Kastenbrunnen
★★	54 —	Náprstek-Museum, orientalische Ethnographie
★	55 —	Romanische Hl.-Kreuz-Rotunde
★★	56 —	Bethlehemskapelle, renovierte Gotik; hier wirkte Jan Hus
★	57 —	Ägidiuskirche mit Reinerschen Fresken
★	59 —	In die Befestigungsmauer einbezogene Martinskirche, Grabstein der Bildhauer Brokoff
★	62 —	Gotisch-barocke St.-Gallus-Kirche, Grab des Malers Škréta

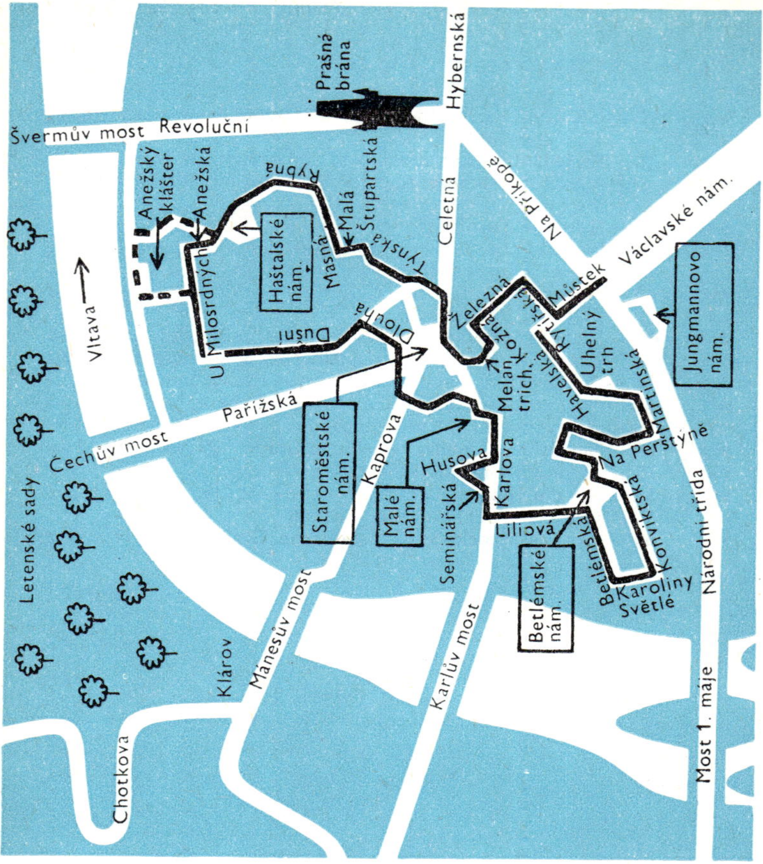

Prašná brána
Hybernská
Švermův most
Revoluční
Anežský klášter
Anežská
Rybná
Malá Štupartská
Haštalské nám.
Masná
Týnská
Celetná
Na příkopě
Václavské nám.
Můstek
Jungmannovo nám.
Vltava
U Milosrdných
Dušní
Dlouhá
Železná
Kožná
Rytířská
Melantrich.
Uhelný trh
Havelská
Martinská
Staroměstské nám.
Pařížská
Čechův most
Kaprova
Husova
Malé nám.
Karlova
Na Perštýně
Seminářská
Liliová
Betlémské nám.
Betlémská
Konviktská
Karoliny Světlé
Národní třída
Letenské sady
Mánesův most
Klárov
Karlův most
Chotkova
Most 1. máje

Tatsächlich weniger als hundert Meter von der lebhaftesten Prager Verkehrsader — dem Wenzelsplatz — entfernt, findet man stille schmale Gäßchen. Aus dem Raketenzeitalter des 20. Jahrhunderts kann man in wenigen Minuten bis in die romanische Epoche zurückgelangen und dazu einen Wein trinken, der im Weinberg des Prager Primators gereift ist. Daß man beim Überqueren einer Straße gleichzeitig siebenhundert Jahre zurückschreitet, ist in Prag nichts Ungewöhnliches.

Für viele Besucher aus dem Auslande bildet dieser Teil der Stadt gewissermaßen ein Depot von Melancholie und Altertümlichkeit, einen Gegenstand verträumter Betrachtung, wie man sie auf Friedhöfen oder vor Denkmälern entschwundener Kulturen erlebt. Die Tschechen sahen, besonders während der Zeit ihrer nationalen Unterwerfung, in den Denkmälern Prags vor allem Zeugnisse ihrer großen und ruhmreichen Vergangenheit. Ein romanisches Kellergewölbe und ein gotischer Turm, eine tschechische Glosse auf vergibtem Pergament oder eine grobgehauene Bildsäule in einer alten Basilika waren diesen Menschen Symbole für Standhaftigkeit, aber auch für Hoffnungen, und galten ihnen immer wieder zugleich als Gewähr für eine bessere Zukunft. Dies läßt sich sehr wohl aus der tschechischen Kunst herausfühlen: die einleitende elegische Stimmung von Suks „Praga" endet mit dem enthusiastischen Hussitenchoral, die melancholische Verträumtheit von Smetanas Tondichtung „Mein

Vaterland", mit der der Vyšehrad anhebt, gipfelt in jubelnder Siegesgewißheit. Tatsächlich bedeutete die Vergangenheit für jedes tschechische Herz Trost und Ermutigung, und zwar nicht nur während der dreihundertjährigen Unterdrückung unter den Habsburgern, sondern auch während des letzten Krieges, als sich in dem besetzten Lande Partisanenabteilungen und Widerstandsgruppen mit den Namen „Jan Žižka", „Prokop der Kahle", „Hradčany" u. ä. bildeten. Dies ist auch der Grund, warum man hier so eindringlich die inbrünstige, manchmal fast überschwengliche Beziehung zu den Andenken an die Vergangenheit spürt, und warum sie mit solcher Sorgfalt und oft auch so gewaltigem Aufwand gepflegt werden wie in keinem anderen Lande. Deshalb findet man in Prag nicht jene augenfälligen Kontraste, die in anderen Städten oft störend empfunden werden, wo neben einer stilreinen mittelalterlichen Kathedrale ein zwar gleichfalls stilreines, aber dennoch durch seine unmittelbare Nachbarschaft fremdartig wirkendes modernes Kaufhaus aus Glas und Aluminium steht. In Prag wird diese Rücksicht auf Harmonie mit dem Historischen gelegentlich bis ins Gegenteilige übertrieben: jahrelang wird diskutiert und gestritten, wie ein freigelegtes Areal neben dem Nationaltheater verbaut werden darf, damit die Würde dieser Stätte gewahrt bleibt; es werden öffentliche und anonyme Wettbewerbe ausgeschrieben und sowohl öffentliche als auch anonyme Polemiken durchgeführt, und viele Jahre später steht dann an einer solchen Stelle — überhaupt nichts. Wir wollen uns aber lieber an Stellen begeben, wo bereits etwas steht, und zwar größtenteils schon jahrhundertelang — in den ältesten Prager Stadtkern.

Wir beginnen am unteren Wenzelsplatz. Seine unmittelbare Fortsetzung bildet ein kurzes Gäßchen — Na můstku, d. h. Am Brückl — dessen Name auf eine vor Jahrhunderten hier über den Befestigungsgraben führende Brücke zurückgeht; wir betreten jene Stellen, wo die Fundamente einer

Stadtgemeinde errichtet wurden, die später zum caput regni — also Haupt und Hauptstadt des Königreiches — und nach tausendjährigem Bestehen zur Hauptstadt der Tschechoslowakischen Sozialistischen Republik wurde. Schon von dem kleinen Gäßchen Na můstku aus sehen wir die herausragende Ecke des **Klement-Gottwald-Museums** mit Skulpturen, die noch zur Zeit, als das Gebäude der Städtischen Sparkasse gehörte, ausgeführt wurden. Die Gebäudefront ist nur mit den Initialen KG und dem Wahrzeichen Hammer und Sichel bezeichnet, und die nach Kartons von Mikoláš Aleš gemalte Eintrittshalle ist im ursprünglichen Zustand bewahrt. Das Museum erteilt an Hand von Dokumenten Aufschluß über die revolutionären Traditionen des tschechoslowakischen Volkes von der Hussitenzeit bis zur Gegenwart. 40

Rechts, nahezu an der Frontseite der breiten Straße Rytířská ulice, die dort plötzlich eingeschnürt wird, steht der klassizistische Bau des **J.-K.-Tyl-Theaters** — Tylovo divadlo — mit Freitreppe und goldener Aufschrift „Patriae et Musis". Die erste Vorstellung fand am 21. April 1783 statt, und zwar mit Lessings Emilia Galotti; und da das Theater vor allem der äußerlich germanisierte Adel besuchte, wurde zunächst nur deutsch oder italienisch gespielt. Hier fand auch am 29. Oktober 1787 die Uraufführung von Mozarts in Prag beendetem „Don Giovanni" statt. Operndirektor des Theaters war später Carl Maria von Weber. Auch tschechische Stücke wurden, allerdings nur ganz ausnahmsweise, vom Jahre 1785 an gespielt. Im Dezember 1834 erlebte hier J. K. Tyls Lustspiel „Fidlovačka" seine Erstaufführung. Das Lied „Kde domov můj (Wo ist mein Heim — mein Vaterland?) von František J. Škroup, das in dem Stück zum erstenmal erklang, wurde später zur tschechoslowakischen Staatshymne. Heute bringt das J.-K.-Tyl-Theater als Zweigbühnenhaus des Nationaltheaters vor allem Schauspiele zur Aufführung, jedoch auch Opern, namentlich Mozarts Singspiele. 41★★

Nur ein enges Gäßchen trennt das Theatergebäude von

★★42 der ältesten Universität Mitteleuropas, der am 7. April 1348 gegründeten **Prager Karls-Universität.** Den ältesten Außenteil des Gebäudekomplexes, der von keinen späteren Umbauten beeinträchtigt wurde, bildet der gotische Erkerkern der Kosmas- und Damian-Kapelle, die den Schutzheiligen der medizinischen Fakultät geweiht war. Gerade dieser Erker ragt in das am Tyl-Theater entlangführende Gäßchen hinein, er ist noch etwas älter als das eigentliche Carolinum, und es schmücken ihn groteske gotische Skulpturen und Wappenzeichen sowie begreiflicherweise auch Weintrauben. Trauben kommen in den Häusern in diesem Teile der Altstadt häufig vor: bevor sich die Prager dem Bier ergaben, hatten sie sichtlich nicht wenige Fässer Wein vertilgt. Im übrigen ist die Außenfront der Karls-Universität vorwiegend im Barockstil umgestaltet, im Inneren des Gebäudekomplexes ist jedoch vieles von der ursprünglichen Gotik erhalten geblieben. Das Carolinum wird seit dreißig Jahren einer systematischen archäologischen Erforschung unterzogen, die neueren Auflagerungen werden beseitigt, und die einzelnen Gebäudeteile werden Schritt für Schritt in den ursprünglichen Zustand zurückversetzt. Zur Instandsetzung des Mauerwerkes wurden auch spezielle gotische Ziegelsteine hergestellt, jedoch absichtlich mit einigermaßen abweichender Färbung, damit auf den ersten Anblick klar erkenntlich bleibt, was ursprünglich ist und was im 20. Jahrhundert neu ersetzt wurde. Auf diese Weise wird fortschreitend der ganze Komplex der Universitätsgebäude renoviert werden. Bei diesen

CAROLINUM

Erneuerungsarbeiten wurde auch ein Sauerbrunnen wieder erschlossen, von dem alte Quellen berichten und aus dem im 14. Jahrhundert die Bevölkerung aus der ganzen Umgebung erfrischendes Heilwasser holte; wie man sieht, stillte die Universität nicht nur Wissensdurst. Im Empfangssaal wurde eine Balkendecke erneuert, die Achtung erregt: sie war aus Deckenbalken gezimmert, die im Durchmesser einen halben Meter maßen (welch prächtige Wälder umgaben damals Prag!) und die mehr als 600 Jahre lang heil ihren Dienst versahen. Was jedoch sichtlich nicht mehr aufgefunden werden kann, ist die Gründungsbulle Karls IV. sowie die aus der gleichen Zeit stammende Bulle des Papstes Clemens und die kostbaren Universitätsinsignien. Die hitlerfaschistischen Okkupanten verschleppten sie während des Krieges, denn gerade sie beweisen schwarz auf weiß, daß es sich um eine tschechische und nicht um die erste deutsche Universität handelte, wie oft behauptet wird. Alle Urkunden sind begreiflicherweise in zahlreichen Reproduktionen vorhanden, aber dennoch bedeutet der Verlust der Originale einen schmerzlichen, in Zahlen kaum auszudrückenden kulturellen Schaden. Die Gegenstände wurden entweder bei einem der Bombenangriffe vernichtet, oder sie sind irgendwo an unbekannter Stelle verborgen, weil diejenigen, denen sie anvertraut waren, umkamen; oder das Versteck ist bekannt, wurde aber bis auf den heutigen Tag nicht verraten. Die Gründungsurkunde der Universität ist lateinisch abgefaßt, und Karl spricht darin mit bewegten, inbrünstigen Worten vom „Böhmischen Königreich, zu dem wir mehr als zu allen übrigen unseren Ländereien und Würden Zuneigung und Liebe hegen" und sagt, er sei um seine Hebung und Förderung „mit allem tunlichen Eifer" bestrebt, er wolle sie „durch eine große Zahl gelehrter Männer so verschönern, damit die getreuen Untertanen des Königsreiches, die unablässig nach den Früchten des Wissens gieren, nicht in der Fremde Hilfe erbitten müßten, sondern im Königreiche einen zur

Labung gedeckten Tisch fänden". Und Prag kam bei diesem Bekenntnis nicht zu kurz. Karl IV. bezeichnet es nicht nur als Hauptstadt, sondern nennt es auch — „die besonders liebliche Stadt".

Dies ist eine mehr als klare Sprache. Eine weitere Bestätigung hierfür bietet die von Papst Clemens ausgestellte Bulle, — und auch sie haben die Hitlerfaschisten zur Sicherheit entfremdet — in der die Gründung der Universität deshalb gutgeheißen wird, damit in dem böhmischen Königreiche, von dem bekannt sei, daß es durch seinen Reichtum an Gold- und Silbergruben Ruhm gewonnen habe, auch eine Fundgrube vorzüglicher Wissenschaften und Künste erschlossen würde. Und für ganz Hartnäckige bildet einen dritten Beweis der Umstand, daß Karl IV. die neugegründete Universität unter den Schutz des böhmischen Landespatrones St. Wenzel stellte, und nicht in die Hände eines deutschen Heiligen, obwohl er hier reichliche freie Auswahl hatte.

Begreiflicherweise sind die Tschechen auf ihre Universität stolz. War doch einer ihrer Rektoren der wegen seiner Kritik an den kirchlichen Mißständen in Konstanz auf dem Scheiterhaufen hingerichtete Jan Hus gewesen: hier lehrte auch ein weiterer unerschrockener Kritiker dieser Mängel, Magister Hieronymus, der gleichfalls sein Leben auf dem Scheiterhaufen hingab. In der Aula befindet sich bis auf den heutigen Tag eine Marmorplatte, die dem humanistischen Professor dieser Universität Colijn der gleichfalls in die Reihe der zum Tod auf dem Scheiterhaufen Verurteilten gehörende Grieche Jacobus Paläologus gewidmet hatte. Die Universität war während der ganzen Zeit ihrer Blüte ein Zentrum, von dem aus sich gelehrte sogenannte Ketzerei als offener Widerstand gegen den verknöcherten kirchlichen Dogmatismus ausbreitete. Hier hielt seine Vorlesungen auch der berühmte Arzt Jessenius ab, der als erster in Böhmen den menschlichen Körper sezierte. Er trug die Rektorskette gerade in den dem Dreißigjährigen Kriege vorangehenden Jahren und stellte sich zusammen mit der Universität entschlossen und voll auf die Seite der aufrührerischen Stände. Er bezahlte seinen Mut mit dem Haupte und auch mit der Zunge, die ihm überdies herausgeschnitten wurde, und die Universität wurde den Jesuiten als Beutestück überantwortet. In der historischen Aula der Universität finden bis auf den heutigen Tag Promotionen statt. Und auf die jungen und älteren Studenten blickt aus dem Hofe der Universität die von Bildhauer Lidický geschaffene 3 m hohe Statue des Jan Hus herab. Nicht ein Märtyrer, dessen Asche in die Wellen des Rheins gestreut wurde, sondern ein tatenfroher Mann, dessen Ideen die Tschechen zu solcher Begeisterung hinrissen, daß sie viele Jahre hindurch siegreich den verbündeten Kreuzheeren aus der damaligen Welt standhielten.

Nun schreiten wir durch das Gäßchen Železná ulice. Wenn Sie dafür Interesse haben, werfen Sie einen Blick in den Innenhof des Hauses Nr. 16, denn es gehört zu den typischen Patrizierhäusern dieses Stadtteiles aus den Jahren, als noch niemand von uns auf der Welt war: Passage, unregelmäßiger Hof, Anbauten, Loggien und mannigfaltige Stiegenhäuser. Zwischen den Häusern Nr. 6 und 8 mündet von links her das Gäßchen Kožná ulička, das so schmal ist, daß man es kaum bemerkt. Lassen Sie sich jedoch nicht beirren, und gehen Sie auf dem Kopfpflaster weiter durch das gewundene Labyrinth bis zum **Eckhaus Zu den Zwei Bären** an der Melantrichova ulice. Hier bemerken Sie rechts ein interessantes Portal mit den aus Stein gehauenen goldenen Bären und mit Hopfenranken, die das massive Haustor verzieren. Es stammt aus der Zeit um das Jahr 1570. Dieses ursprünglich gotische Haus wurde während der Renaissance umgebaut, und wenn man auf den kleinen Hof mit der bescheidenen Loggia und den toskanischen und ionischen Säulen hinaustritt, begreift und erfühlt man viel besser so manches von dem, was Egon Erwin Kisch, „der rasende Reporter", in seinem Marktplatz der Sensationen, dem Prager Pitaval, berichtet hat, der in der ganzen Welt so lebhaften Anklang fand. Hier kam nämlich im April 1885 Kisch zur Welt, und er lebte jahrelang in diesem Hause (sein Vater besaß im Erdgeschoß eine Tuchhandlung), an dem heute seine Gedenktafel angebracht ist. Das Milieu ging hier allerdings von der Welt in die Halbwelt über und aus dem Licht ins Halbdunkel; es war deshalb unvermeidlich, daß Kisch als Helden seiner Arbeit über Prag Menschenkinder wählte wie die Galgentoni, kleine Taschendiebe, den blinden Scherenschleifer Metoděj, der auf dem Hofe seine alten Lieder sang, Menschlein aus den umliegenden Gäßchen, Passagen und Winkeln...

Vom Geburtshause des rasenden Reporters zieht sich nach beiden Seiten hin die Melantrichova ulice, die nach dem bekannten Buchdrucker benannt ist, der hier zusammen mit Daniel Adam von Veleslavín im 16. Jahrhundert fünf Ausgaben der tschechischen Bibelübertragung druckte, ferner die tschechische Ausgabe von Matthielis Herbarium, Erasmus von Rotterdam und viele andere Schriften. Etwas weiter links von der Mündung der Kožná ulička erhebt sich das pompöse Tayflsche Haus. An der damals bereits verwitweten Frau Tayfl fand während seiner kurzen Regierungszeit in Prag der „Winterkönig" Friedrich von der Pfalz Gefallen. Die Passage eines „Durchhauses" führt auf einen interessanten Hof mit Renaissancearkaden. Nebenan, gewissermaßen als Abschluß der Straße nach links, ragt das imposante Haus Zu den Fünf Kronen empor, dessen Frontgiebel dieses Hauszeichen trägt. Es stammt zwar aus der Zeit vor 1400, wurde jedoch im Renaissancestil umgebaut; das schön geschnitzte Haustor, das Sie sofort bemerkt haben, entstand im Jahre 1615. Gegenüber dem Kischschen Haus steht das Gebäude des ehemaligen Servitenklosters mit der Michaelskirche. Auf dem Hofe vor der Kirche predigte oftmals Jan Hus, und in der Kirche fanden gelehrte Disputationen statt. Von Joseph II. wurden das Kloster und die Kirche aufgehoben, und beide Gebäude dienen seither dem Handel. Die Melantrichova ulice setzt sich nach rechts zum Altstädter Ring fort; sie verjüngt und knickt sich und wird von Mauerbögen überwölbt. Hoch darüber, über einem Gewirr von Dächern, strebt der Rathausturm empor.

Das Gäßchen mündet auf den Platz hinaus, unmittelbar gegenüber dem **Rathaus.** Gerade vor uns befindet sich ein prunkvolles Renaissancefenster mit der Inschrift Praga caput regni, ferner achtzehn Ratsherrenwappen, die als prächtige Steinmetzarbeit die Fassade schmücken, sowie der Eingang zum Trauungssaal. Das links herausragende Haus trägt die Bezeichnung U minuty; sein figuraler Schmuck bezieht sich jedoch nicht auf solche Bruchteile von Zeitangaben. An der Ecke erhebt sich ein steinerner Löwe aus der Zeit, als hier noch die Apotheke Zum Weißen Löwen stand, und auf der Fassade kann man den sich vom schwarzen Grund abhebenden reichen Figural-Sgraffito-Schmuck sehen. Die Gemälde stammen aus dem 17. Jahrhundert, das Haus hat einen gotischen Baukern, mit seinem renovierten Äußeren gehört es jedoch bereits der Renaissance an. Es ist geradezu von Sgraffitos überfüllt und stellt gewissermaßen ein bildnerisches Potpourri dar. Man findet hier antike und biblische Begebenheiten, allegorische Figuren der Tugenden und schlichten Figuralrealismus. Das Gebäude bildet einen Bestandteil des Rathauses (siehe auch Seite 20—24).

★★★8

Noch bevor die astronomische Uhr den Stundenschlag vorführt und den ungeduldig wartenden Bewunderern von den Fenstern herab die vorüberziehenden Apostel freundlich zunicken, kehren wir im gotischen Laubengang neben der Melantrichova ulice in der **Weinstube u Bindrů** ein. Im Hauptlokal ist noch eine romantische Wölbung mit verputzter Säule erhalten (es wird erzählt, hier habe der Scharfrichter gesessen, der vor dem Rathause die Hinrichtungen vollzog, doch entspricht dies kaum der Wahrheit, denn die Ratsherren die hier ihren Wein tranken, hätten keinen solchen als unehrlich geltenden Tischgenossen geduldet). Es wird Ihnen nicht

★44

schwer fallen, den Kellner zu bewegen, daß er Sie zum Kellergelaß hinabführt. Nutzen Sie die Gelegenheit, es handelt sich um einen Ausflug in vergangene Zeiten, — und wenn er gründlich sein soll, muß er auf dem Altstädter Ring tief hinabführen. Beachten Sie schon auf der Treppe das Mauerwerk: die weißen Steine sind in geraden Reihen säuberlich unverputzt gelegt, ein Merkmal des reinen romanischen Stiles. Von jeher bis auf den heutigen Tag war und ist hier das Zentrum der Stadt. Die ersten gemauerten Häuser führten hier wahrscheinlich Kaufleute auf, die zu Handelszwecken hergekommen waren und sich hier niedergelassen hatten. Zunächst waren es überwiegend Kaufleute aus dem Osten, so wie es den ältesten religiösen und politischen Beziehungen entsprach. Die Verbindung mit dem Osten unterbrachen nur Einfälle der Madjaren und Tataren, später wurde der Handel mit dem Westen vorherrschend. In Prag setzten sich immer mehr Deutsche, dazu Niederländer, Welsche und Franzosen fest, die hier auch ihre Kirchen errichteten. Aus der Zeit zwischen 1100 und 1230, in der das letzte im romanischen Stil gebaute Haus entstand, wurden in Prag bereits rund 60 Häuser festgestellt; außer Händlern bauten noch reiche Bürger. Die Häuser wurden größtenteils ohne Keller und nur einstöckig gebaut. Und so seltsam es klingt, trifft es doch zu: gerade um zu diesem Erdgeschoß oder ersten Stockwerk zu gelangen, müssen wir heute in den Keller hinabsteigen. Je größer nämlich die Stadt wurde, umso beträchtlichere Mengen verschiedener Waren benötigte sie: Mehl, Holz und anderes. Und weil schon damals Mechanisierung eingesetzt wurde, wuchsen an den Moldauufern Mühlen und Sägewerke empor. Um ihre Räderwerke mit Wasser zu versorgen, baute man quer über die Moldau Wehre, durch die man den Wasserspiegel hob. Dies war kein allzu schwieriges Problem. Schlimmer war, daß bei stärkerem Hochwasser die gestauten Gewässer oftmals den tiefergelegenen Teil der Stadt überschwemmten. Um diese Gefahr zu bannen, begannen die Altstädter ihre Straßen und den Platz aufzuschütten. Und es ging einige Jahrhunderte lang so weiter, bis im 13. und 14. Jahrhundert unter der Aufschüttung das ursprüngliche Erdgeschoß zum Keller und das frühere erste Stockwerk zum Erdgeschoß geworden war. Inzwischen änderte sich die Zeit, eine neue Mode nahm überhand: die Gotik. Und die Menschen, die einen Ersatz für das suchten, was sie durch die Aufschüttung verloren hatten, erbauten auf den romanischen Grundgeschossen weitere Stockwerke im gotischen Baustil. Und so hat zum Beispiel die Teynschule am Altstädter Ring romanische Kellerräume, darüber ein gotisches Erdgeschoß und über ihm Renaissancegiebel.

Der heutige Keller der Weinstube U Bindrů stellt ein kompliziertes romanisches Labyrinth dar. Man geht zwischen tausenden Flaschen Egri Bikavér — Stierblut, Cinzano, Rot- und Weißwein weiter, an der Wand leuchten Glühlampen, und in Wirklichkeit befindet man sich im ehemaligen Erdgeschoß, in der ursprünglichen uralten Schenke. Hier prahlten Zecher mit Erlebnissen und Streichen vom ersten Kreuzzug und von der Eroberung Jerusalems, hier durchhechelten die Bürger das Verhalten ihres Fürsten Soběslav II., der bei seinen Streitigkeiten mit den Magnaten des Landes sogar Hilfe bei den Bauern suchte, hier erörterte man die ersten Spannungen zwischen den ansässigen Tschechen und den herbeigezogenen Deutschen. Seit der Gründung des Hauses oder wenig später, kurz seit dem Augenblick, wo an dieser Stelle der Weinausschank eröffnet wurde, ist hier zweifellos ein ganzer Teich von diesem edlen Getränk konsumiert worden: vergessen wir nicht, daß König Johann von

Luxemburg den Pragern die Bewilligung zum Bau des Rathauses aus dem Ertrag der Weinsteuer erteilt hat!

Oben mißt das Lokal nur ein paar Quadratmeter, während hier unten der Umfang der gewölbten Räume mit Fässern, Schenkstuben, Eiskammern und Kellerräumen bei weitem den Grundriß des Hauses überschreitet. Sie ziehen sich bis unter die Melantrichova ulice hin (unweit von hier um die Ecke befindet sich der altertümliche romantische Weinkeller U zlaté konvice — Zur Goldenen Kanne) und reichen weit unter den Ringplatz hinaus. Durch senkrechte Streifen ist unten an dem Gemäuer angedeutet, wo oben ein Haus endet und ein weiteres beginnt. Fünf Meter unter dem heutigen Niveau des Platzes verläuft sogar eine regelrechte, nicht allzu breite Straße mit einem stämmigen romanischen Laubengang — ein Stück einer versunkenen Stadt, so wie in Pompeji wohl die Lava des Vesuv es konserviert haben konnte. Von der Weinschenke aus führte auch ein unterirdischer Gang zum Rathaus hinüber, doch er ist schon seit vielen Jahren zugemauert. Deshalb müssen wir, um in die romanische Welt unter dem alten Rathaus zu gelangen, denselben Weg wählen, der zum Trauungssaal und in die Sitzungssäle führt — durch die Eintrittshalle. Jedoch dicht neben der Pförtnerloge befindet sich der Zugang zum 12. Jahrhundert. In der ersten Räumlichkeit unter der Stiege sind die „Schätze" aufbewahrt, die in der Unterwelt vorgefunden wurden: Kisten mit Knochen und Schädeln, Fragmente von steinernem Maßwerk, eine Unmenge von Tonscherben, numerierte Ziegelsteine in Regalen. Und dann führt über Stufen und Stiegen von Raum zu Raum unter romanischen und gotischen Gewölben zwischen den Steinmauern ein interessanter Weg durch die Räume, in denen unsere Vorfahren lebten. Es gibt da auch ein Hungerverlies sowie mehrere Brunnen, die bis auf den heutigen Tag Wasser führen; es ist wahrscheinlich durch Sandbänke gefiltertes Moldauwasser, denn bei Hochwasser steigt in den Brunnen der Pegel. Ein Brunnen befindet sich auch in jenem Raum, in dem zu Beginn des Prager Aufstandes im Mai 1945 das Hauptquartier der Widerstandsbewegung untergebracht war.

Nicht einen einzigen Bleistiftstrich auf den Quaderflächen des Mauerwerkes, nicht die geringste Spur irgendwelcher Andenken an diese bewegten Tage findet man mehr vor. Nur ein schlichter Tisch und zwei abgenützte Stühle sind möglicherweise Bestandteile der Ausstattung jenes Raumes, in dem einige Zeit lang die Fäden des Aufstandes zusammenliefen. Obwohl die Naziokkupanten das Rathaus wütend bombardierten, obwohl es ihnen gelungen war, in mehrere Räume einzudringen, blieb ihnen der Zugang zu dieser Unterwelt verwehrt. Durch unterirdische Gänge vom Neuen Rathaus, vom Clementinum und von der Stadtbibliothek kamen Verstärkungen und Nachschub, und das Kreuz aus brandgeschwärzten Balken besagt, daß der Kampf um das Rathaus keineswegs nur eine Sache der Prager war. Auf der Tafel mit den Namen der vierzehn Gefallenen finden wir Kämpfer aus verschiedenen Teilen Böhmens, ja sogar aus der Slowakei. Ein Beweis dafür, daß das Altstädter Rathaus nicht nur den Pragern gehört.

Vom Rathaus aus setzen wir unsere Wanderung durch das romantische Prag fort. Es war keine einheitliche Gemeinde, sondern eine Agglomeration von Siedlungen mit verschiedenartiger Einwohnerschaft, für die zum Teil verschiedenes Recht galt. Die Stadt hatte noch keine Befestigungen, bestand jedoch bereits lange vor ihrer offiziellen Gründung. Als juristisches Gebilde erscheint sie erst um das Jahr 1232. — Wir gehen über den Platz zur Teyn-Kirche hinüber. An der linken Ecke der Železná ulice residierte der bereits erwähnte Bischof Augustinus Lucianus von Mirandola, der sich durch Erteilung der Priesterweihe an kalixtinische Priester bereicherte. Das Haus stammt aus dem 15. Jahrhundert, die gotischen Stilelemente sind vorwiegend im Inneren feststellbar, und später wurde das Gebäude barock umgestaltet, die Kellergeschosse blieben begreiflicherweise romanisch.

Hier gründete im Jahre 1848, wie die an der Ecke angebrachte Gedenktafel berichtet, der Komponist Bedřich Smetana eine Musikschule.

Auf dem Weg über den Platz bemerken wir das Pflaster, dessen einheitliche Struktur aus kleinen Würfeln an einer Stelle unterbrochen ist, so daß man einen zum Hus-Denkmal verlaufenden Streifen bemerkt. Er bezeichnet den Prager Meridian, den bis zum Ende des ersten Weltkrieges der Mittagsschatten der damals am Ringplatz stehenden Mariensäule andeutete. Während der ersten Monate der wiedererlangten Freiheit kam es allerdings zu einer heftigen Auseinandersetzung zwischen der Tschechoslowakei und dem Vatikan, und die seit den Zeiten des Jan Hus gegenüber der päpstlichen Kurie etwas allergisch gewordenen Tschechen rissen bei einer Demonstration die Säule nieder. Mit der Säule verschwand auch der Schatten; da man jedoch die Markierung des Mittagskreises nicht vermissen wollte, verleibte man sie dem Pflaster ein.

★★9 Falls Sie bereits die Prager Burg und den Veitsdom besucht haben, oder soweit sie ihn wenigstens vom Rathausturm aus betrachtet haben, sollten Sie für einen Augenblick Ihre Aufmerksamkeit der **Teyn-Kirche** zuwenden. Die Kathedrale auf der Burg und die Kirche auf dem Teyn entstanden zur selben Zeit und im selben Baustil. Es erübrigt sich freilich zu erläutern, was dem Volke und was dem König diente. Die Teyn-Kirche war breit ausladend, wuchtig und mit Bedacht unmittelbar aus der gotischen Stadt emporgewachsen. Man sieht ihr an, daß sie aus massivem Mauerwerk besteht, wiewohl ihre maßvoll wuchtigen Formen von edlem Schwung getragen werden. Die Steine der Kathedrale sprechen eine andere Sprache. Man spürt hier strengen, herrscherisch gestaltenden Willen, aufwärtsdrängende Eleganz, — der Stein in der Architektur des St.-Veits-Domes hat sich in pathetischem Emporstreben des Geistes in spitzenzarte Feinheit verwandelt. Ein Symbol von zwei Gestalten, zwei Geisteshaltungen: die von allem Anfang an bestehende unablässige Auseinandersetzung zwischen Volk und Herrscher (siehe S. 24—27).

Zwischen dem Laubengang an der Teyn-Kirche und dem Hause Zur Glocke schreiten wir durch das schmale Gäßchen am Seiteneingang zum Geburtshause des Malers Škréta weiter. Das Gäßchen wird stellenweise geradezu unwirklich: gegenüber dem Kirchenportal befindet sich ein kleiner Laden, in dem alte Hufeisen, Beschläge, die zu nichts mehr dienen, zierliche Schlüssel, zu denen kein Schloß vorhanden ist, altes Werkzeug, Geräte, Lampen und andere wunderliche Dinge feilgehalten werden. Und all dies gehört einem gewissen Eduard Čapek, zu einer Zeit, wo in der Tschechoslowakei praktisch bereits der ganze Handel in Nationaleigentum überführt worden ist. Neben dem Geburtshause des Malers Karel Škréta mit der himmelblauen Keramiktafel steht ein Haus, das dem Václav Budovec von Budov, einem der 27 Hingerichteten der Prager Exekution vor dem Rathause, gehörte, die die mißlungene Auflehnung der Stände mit dem Leben bezahlten. Am Eckvorsprung im ersten Stock steht seine Statue, die einigermaßen verzerrt wirkt. Die Gedenktafel gibt einen knappen Bericht über die historischen Zusammenhänge. Genau besehen bewegt man sich hier eigentlich an Henkersschwertern, Scharfrichterbeilen, Galgen und ähnlichen Errungenschaften vorbei, und man begreift es recht wohl, daß Chateaubriand, ein von Begeisterung erfüllter Besucher Prags, in den Wehruf ausbrach: „Wirrnisse, Blut und Katastrophen, — das ist die Geschichte Böhmens!" Dies ist umso erstaunlicher, als gerade der tschechischen Natur — im Leben und in der Kunst — tragische und dämonische Sucht nach Absurdem oder zügellose Leidenschaftlichkeit von Grund auf fremd sind. Und dabei floß eben hier so unzähligemale Blut. Beachten Sie bei Ihren Spaziergängen, wie oft an Straßenecken und in den Parkanlagen winzige Denkmäler, Gedenktafeln oder nur der Abguß einer Schwurhand daran erinnert, daß hier überall während des Prager Aufstandes im Jahre 1945 Menschen ihr Leben hingaben. Das Gäßchen, durch das wir kommen, Týnská ulička, mündet in eine Toreinfahrt, durch die wir einen geschlossenen Platz — den **Ungelt-Hof** — betreten. Er gewährte schon seit dem 11. Jahrhundert fremden Kaufleuten Schutz. Sie durften hier ihre Waren stapeln, sie konnten nächtigen, und hatten dafür Zoll, damals Umgeld genannt, zu entrichten. Die den Hof umgebenden Häuser waren zwar im 13. oder 14. Jahrhundert gebaut worden, wurden jedoch später umgestaltet. Am typischsten ist das Granovský-Haus mit dem Wappen dieses Geschlechtes über dem Hofportal. Einer seiner Flügel entstand baulich in einer böhmischen Abwandlung der norditalienischen Renaissance, und die in der Loggia sichtbaren Gemälde sind mindestens 400 Jahre alt. Bedauerlicherweise sind sie nicht sehr deutlich. Sie stellen Gestalten und Szenen aus der Bibel und aus der griechischen Mythologie dar, das Bild neben der Loggia zeigt den Schiedsspruch des Hirten Paris. Wenden Sie sich, bevor Sie den Hof durch die zweite Toreinfahrt verlassen, zur Teyn-Kirche um; vielleicht nehmen Sie von hier eine interessante Aufnahme mit.

In der Štupartská, in der wir uns nunmehr befinden, fesselt das auf der linken Straßenseite vorspringende Haus unsere Aufmerksamkeit. Auf der Fassade bemerken wir die Bilder der böhmischen Herrscher St. Wenzel, Karl IV. und Georg von Poděbrady. Das Haus heißt Zu den drei Bildern oder auch Zum Auge Gottes, obwohl es eigentlich Zu den Augen heißen müßte, denn das in ein Dreieck eingesetzte Auge erscheint auf dem Gebäude an mehreren Stellen.

Auf der gegenüberliegenden Straßenseite steht die zum Minoritenkloster gehörige **Jakobs-Kirche** — kostel sv. Jakuba. Ihr Gründungsjahr ist 1232. Sie wurde jedoch unter den Luxemburgern umgebaut (König Johann von Luxemburg war den Minoriten, die zur Krönung seiner Gattin Beatrix ein Festmahl veranstaltet hatten, sehr gewogen). Im 17. Jahrhundert erfuhr die Jakobs-Kirche eine barocke Umgestaltung. Sie hat von allen Prager Kirchen die prunkvollste Frontausschmückung. In weißem Stuck schuf der italienische Bildhauer Ottavio Mosta plastische Reliefs des hl. Jakob, Franziskus und Antonius. Dieses Gotteshaus hat nach dem St.-Veits-Dom das längste Kirchenschiff von Prag. Da es in drei Langhäuser gegliedert ist, wird der Innenraum sehr verengt, und seine Höhe beeindruckt uns stark. Von den 21 Altären sind viele mit hervorragenden Bildwerken geschückt. Am Hauptaltar sieht man ein großes Gemälde — das Martyrium des hl. Jakobus von V. V. Reiner aus dem Jahre 1739. An diesem Altar steht auch eine spätgotische Pietastatue aus der Zeit um 1500, die ein Bestandteil der Ausschmückung des ursprünglichen Gotteshauses war und bei der Feuersbrunst, die die Kirche im 17. Jahrhundert heimsuchte, gerettet wurde. Auf vier Altären — Allerheiligen, dem hl. Wenzel, Mariä Himmelfahrt und dem hl. Joseph geweiht — sind Werke des großen böhmischen Bildnismalers Peter Brandl, ungefähr aus der Zeit um 1710. Einige der Bilder sind anonym. Auf dem das linke Seitenschiff abschließenden Hl.-Kreuz-Altar stehen Statuen von Ignaz Platzer und gleich daneben an der Wand das hochragende Grabmal des Obersten Kanzlers von Böhmen Graf J. V. Vratislav von Mitrovice. Es wurde nach Plänen des Wiener Architekten J. Fischer von Erlach aus rotem Marmor gestaltet und mit allegorischen Statuen von Ferdinand Maximilian Brokoff geschmückt. Dieses prunkvollste Barockgrabmal Prags stammt aus den Jahren 1714—16. Die Deckengemälde haben Motive aus dem Marienleben zum Gegenstand und verherrlichen die Allerheiligste Dreifaltigkeit. Trotz ihrer Länge und architektonisch unterstrichenen Höhe ruft die Kirche durch die Lebhaftigkeit ihrer Ausschmückung eher den Eindruck einer Unterhaltungsstätte hervor als den eines Ortes der Verinnerlichung. Es kommt darin etwas von der Urwüchsigkeit der Bürger, vor allem der Fleischer, zum Ausdruck, die hier ihre Zunftkirche hatten und mit ihren Äxten und Beilen zweimal, im Jahre 1420 und 1611, das Gotteshaus bei feindlichen Überfällen vor Plünderung und Verwüstung retteten. Die Kirche hat eine schön geschnitzte Orgel aus dem Jahre 1705 und eine vorzügliche Akustik, so daß die Gottesdienste — besonders zu Weihnachten — auch von Nichtkatholiken besucht werden, und außerdem finden hier bemerkenswerte Kirchenmusikkonzerte statt. In dem Schaukasten am Kirchentor ist deshalb nicht nur eine Übersicht der Gottesdienste, sondern auch das Programm dieser Konzerte angeführt. Lassen Sie sich es nicht entgehen, eines davon mitzuerleben, falls Sie musikalische Interessen haben.

Im Vorderteile weist der Grundriß der Jakobskirche eine gewisse Unregelmäßigkeit auf, denn in das Areal ragt das ehemalige Konventgebäude der Minoriten mit einem ursprünglichen, teilweise noch gotischen Ambit und Rippengewölben aus dem 14. Jahrhundert herein. Zum Ambit gelangt man entweder von der Kirche aus, oder von der Straße her durch ein sehr schön geschnitztes Tor mit dreihundert Jahre alten Bildsäulen des hl. Franziskus und des hl. Antonius.

Unser Weg geht weiter in der Richtung zu dem kleinen Platz mit dem Schulhof, von hier nach rechts durch die Masná ulice (wo früher die Fleischbänke waren) und dann nach links durch die Rybná ulice (eine ehemalige Fischhändlergasse), bis zur **St.-Kastulus-Kirche** — kostel sv. Haštala. Sie erhebt sich in der Mitte eines kleinen Platzes an der Stelle des ursprünglichen bereits im Jahre 1234 erwähnten romanischen Kirchleins. Von außen ist der neue Kirchenbau im Barockstil renoviert; die gotischen Seitenschiffe, deren Einzelteile zu den bedeutendsten Werken der Prager Gotik gehören, sind jedoch in ihrer ursprünglichen Gestalt erhalten geblieben. In der Sakristei findet man noch gotische Wandmalereien — Apostelköpfe, Kreuzigung, Letztes Abendmahl. Die übrige Ausschmückung der Kirche ist — mit Ausnahme der aus F. M. Brokoffs Schule stammenden Kalvarienskulptur — nicht besonders bemerkenswert. Unweit der Kirche stehen die ehemalige Totenkammer mit Barockfreske vom Jahre 1717 an der Vorderfront und das Renaissancepfarrhaus mit Überresten von Sgraffitos. Rechts von der Totenkammer beginnt das mehrmals gekrümmte romantische Gäßchen Řásnovka, nach links das zum Agnes-Kloster führende Gäßchen Anežská ulice. Falls als größter Gebäudekomplex in Prag die Burg gilt, so steht Prags kleinstes Häuschen gerade hier in der Anežská ulice Nr. 4. Es entstand im 19. Jahrhundert, und seine einzige Sehenswürdigkeit besteht darin, daß es nicht einmal ganze zwei Meter breit ist. Nahezu die gesamte „Breite" des Gebäudes füllt das Haustor aus.

Den Abschluß der Anežská ulice bildet der Eingang zum ehemaligen **Agnes-Kloster** — kláster sv. Anežky. Es gehört zu den kostbarsten Baudenkmälern Prags, denn seine Gebäude sind die ersten gotischen Bauwerke in Böhmen. Das Kloster wurde von der Přemyslidenprinzessin Anežka (Agnes), einer Schwester König Wenzels I., im Jahre 1234 als Konvent der Klarissinnen, des weiblichen Zweigordens des hl. Franziskus von Assisi, gegründet. In unmittelbarer Nachbarschaft wurde gleichzeitig auch ein kleineres Franziskanerkloster gegründet, und beide Konvente hatten auch ihre selbständigen Klosterkirchen: St. Franziskus für die Franziskanermönche und St. Barbara für die Klarissinnen. Das Frauenkloster erfüllte in der Geschichte des Landes eine wichtige kulturelle und politische Aufgabe, ähnlich wie das Georgskloster auf der Prager Burg, das von einer anderen Prinzessin der Přemyslidendynastie, Mlada, gegründet worden war. Dies läßt erkennen, daß — noch von der heidnischen Zeit der Fürstin Libuše her — die Frauen in Böhmen eine bedeutende Stellung einnahmen. Dem Kloster, in dem die Gründerin beigesetzt ist — ihr Grab wurde bisher noch nicht aufgedeckt

47★★

— war ein bewegtes Schicksal beschieden, und es wurde schließlich im 18. Jahrhundert durch Joseph II. aufgehoben. Auf seinem Areal verlaufen bereits seit siebzig Jahren historische und archäologische Forschungen, die bisher zahlreiche wertvolle Einzelheiten ergab. Bis zum Jahre 1945 waren die Forschungsarbeiten vom Ertrag freiwilliger Sammlungen und Spenden abhängig; ein rascherer Fortschritt trat erst in den letzten Jahren ein. Restauriert wurden der aus dem 14. Jahrhundert erhaltene Turmbau, das aus dem 13. Jahrhundert stammende Presbyterium der Franziskuskirche, die Barbarakirche, deren Triumphbogen Bildsäulen mit gekrönten Häuptern — vermutlich Přemysliden — schmükken; es wurden Reste von Gemälden aus dem 14. Jahrhundert aufgedeckt, das wundervolle Presbyterium einer Frauenkirche mit ungemein edler gotischer Ausschmückung. Gegenwärtig wird auch das ehemalige Nonnenklostergebäude mit seinem überraschend prunkvollen, zum Teil auf das 13. Jahrhundert zurückgehenden Ambit erneuert. Renoviert wurden eine Renaissanceloggia und Überreste frühgotischer Räume, wie Kapitelsaal, Refektorium und Dormitorium. Diese archäologischen Forschungen werden fortgesetzt. Sollte der Zugang vom Klosterareal von der Anežská ulice aus geschlossen sein, so kann man durch die gewundene Řásnovka und die Klášterská ulice zur Moldau gehen. Hier führt von der Parkanlage aus in den Klosterkomplex eine aus dem 17. Jahrhundert stammende zweite Klosterpforte, die mit einer Statue der seligen Agnes geschmückt ist.

Die Restaurierungsarbeiten in dem sehr ausgedehnten Kloster werden noch einige Jahre andauern. Es wird nicht im ganzen ursprünglichen Umfang erneuert werden, denn manche Teile waren in der Vergangenheit unwiederbringlich zerstört worden. In den Zeiten seiner höchsten Blüte gehörten zu dem Kloster nicht nur der Klarissinnenkonvent und der Konvent der Franziskaner-Bettelmönche, sondern sieben Kirchen (von denen heute drei vorhanden sind), außerdem sieben

Höfe und ein großer Paradiesgarten, der später aufgeteilt und verbaut wurde. Nach endgültiger Erneuerung aller Einzelteile werden die Klosterbauten der Nationalgalerie zufallen, die hier die Sammlungen mittelalterlicher Mal- und Bildhauerkunst sowie Kunstgewerbesammlungen zu installieren beabsichtigt. In einem der Säle werden Dokumente über die Geschichte des Agnesklosters untergebracht werden.

Je nachdem, auf welcher Seite wir das Kloster verlassen, gehen wir entweder über das Moldauufer weiter durch die Straße U milosrdných, oder wir begeben uns zu dieser Straße durch die Kozí ulice, eine ehemalige Ziegengasse. Wir gelangen zu einem größeren, durch eine Kirche abgeschlossenen Gebäudekomplex, der unter dem Niveau der Straße liegt und von ihr durch ein Geländer abgeteilt ist. Die Gebäude gehörten zum Konvent und zum **Krankenhaus der Barmherzigen Brüder** — nemocnice U milosrdných. Das Spital stand hier schon im 14. Jahrhundert, und die daran anschließende Kirche wurde von der Böhmischen Brüdergemeine zu Beginn des 17. Jahrhunderts gegründet. Sie hat eine typische Barockfassade, den Hauptaltar schmückt ein Freskogemälde und ein Bild des hl. Simon und Judas von V. V. Reiner aus dem Jahre 1731. In der Kirche, die in der Neuzeit nicht mehr als Gotteshaus dient, befindet sich eine spätgotische Madonnenstatue. Das Kloster mit dem alten Spital erhielt anfangs des 17. Jahrhunderts durch einen Umbau seine heutige Gestalt. Das Krankenhaus war bald in Europa berühmt, denn schon im Jahre 1761 wurde hier ein Hörsaal für Anatomie (der erste auf dem Gebiete der heutigen Tschechoslowakei) eingerichtet, und bald darauf auch eine Klinik. Das heutige Krankenhaus trägt noch den Namen „Na Františku" (Am Franziskus), befindet sich aber nunmehr in einem modernen Gebäudeblock am Moldauufer.

★48

Vom Krankenhaus führt unser Weg weiter durch die Dušní ulice, zu der im vorigen Jahrhundert im maurischen Stil umgebauten (ehemaligen) Synagoge. Hier bestand die älteste Siedelung der Juden des östlichen Ritus; sie lebten getrennt von ihren westlich orientierten Glaubensgenossen, die sich in der Umgebung der Alt-Neu-Synagoge ansiedelten. Beide Teile der Judengemeinde trennte das zur gegenüberstehenden Heiliggeistkirche gehörige Areal. Vor diesem gotisch angelegten und nach einer Feuersbrunst als Barockbau erneuerten Gotteshaus steht eine Brokoffsche Statue des Almosen spendenden St. Johannes Nepomuk. An der Kirchentür sieht man die Gedenktafel für einen während des Prager Aufstandes im Mai 1945 gefallenen Revolutionskämpfer.

Wir umgehen die Kirche und gelangen zum Eingang eines weiteren mit der besagten Synagoge verbundenen Gebäudes, das als Depositär des Staatlichen Jüdischen Museums dient und in dem die größte und kostbarste **Synagogaltextilien-Sammlung** der Welt untergebracht ist. Wenn wir durch die Dušní ulice weitergehen, kommen wir an der streng nüchtern ausgestatteten Salvatorkirche vorüber, die der evangelischen Kirche der Böhmischen Brüder gehört. Hier treten wir auf die breite Dlouhá třída hinaus, durch die sich ein imposanter Ausblick auf das Hus-Denkmal mit dem Altstädter Rathaus eröffnet. An der Ecke des Altstädter Ringes bemerkt man zur rechten Seit das gewaltige Barockgebäude des ehemaligen Paulanerklosters, in dem später die Münzanstalt untergebracht war. Am Giebel bemerkt man Statuen von M. V. Jäckel vom Ende des 17. Jahrhunderts. Wir gehen diese Häuserfront entlang auf die andere Seite des Platzes und kommen nach Überquerung der Pařížská třída zur Altstädter Nikolauskirche. (In Prag gibt es drei Nikolauskirchen; zwei davon wurden von Dientzenhofer bzw. beiden Dientzenhofer geschaffen. Die bedeutendste steht am Kleinseitner Ring, und wir haben sie bei unserer ersten Wanderung besucht.) **St. Nikolaus in der Altstadt** wurde von deutschen Kaufleuten im 13. Jahrhundert gegründet und nahm nach mehreren Umbauten die heutige Barockgestalt an. Die Kirche diente abwechselnd als Kirche, Lagerhaus,

Militärkonzertsaal, im Jahre 1871 diente sie als Gotteshaus der russisch-orthodoxen Kirche, im Jahre 1918 wurde sie als Hauptgotteshaus der tschechoslowakischen Kirche bestimmt. Daher befindet sich die ursprüngliche Einrichtung der Kirche in anderen, sogar auswärtigen Gebäuden. Die prunkvolle Skulpturen, die das Äußere der Kirche schmücken, sind erhalten geblieben — sie stammen von Anton Braun, einem Neffen des berühmten Matthias Braun. Ihr Innenraum beeindruckt den Besucher durch die Mannigfaltigkeit und komplizierte Gliederung der Kapellen und Chöre. Die Stukkaturen schuf B. Spinetti, die Heiligenstatuen der Kuppel werden der Braunschen Schule zugeschrieben; die Gemälde mit Darstellungen aus dem Leben des hl. Nikolaus und des hl. Benedikt sind Werke des berühmten bayrischen Malers Peter Assam. Der prachtvolle Kronleuchter im Kirchenschiff mit seinem glitzernden Kristallbehang wurde im vorigen Jahrhundert von böhmischen Glashütten in Harrachov angefertigt.

In dem Eckhaus am Ende der Maiselova ulice, das mit der Kirche baulich zusammenhängt, kam im Jahre 1883 Franz Kafka zur Welt, der Dichter der Entfremdung, der Angst, der Ungewißheit, zugleich aber auch des Glaubens an den Menschen und an den Sinn des Lebens, der eigentlich in den letzten Jahren von den von der Drohung des Atomwaffenkrieges und der sozialen Unsicherheit geängstigten Menschen des 20. Jahrhunderts wiederentdeckt wurde. Nur wenige Häuserblöcke trennen Kafkas Geburtshaus von der Stelle, wo E. E. Kisch geboren wurde. Beide erblickten nahezu gleichzeitig das Licht der Welt; sie entstammten derselben Gesellschaftsschicht, und dennoch zeigt ihr literarisches Schaffen ein gänzlich verschiedenes Bild. Die Ursachen sind begreiflicherweise sehr mannigfaltig. Eine davon bildet aber unzweifelhaft das vielgestaltige Fluidum der Stadt Prag, das ebenso tragisch wie heroisch, stürmisch wie melancholisch, schlicht wie imposant und stets voll zwiespältiger Stimmung und spannungserfüllter Gegensätzlichkeit auf das Gemüt der beiden jungen Menschen einwirkte. Zu ihnen gehörten aber auch Franz Werfel und Rainer Maria Rilke. Es spielten sich leidenschaftliche Diskussionen ab, und bekannt ist die von dem Wiener Karl Kraus (Fackel) als Parodie nach Schillers Ballade vom Taucher geprägte Sentenz, die auch Max Brod in seinem „Streitbaren Leben" zitiert: Und es werfelt und brodelt, es kafkat und kischt.

Das moderne, auf den kleinen Platz vor der Nikolauskirche herausragende Gebäude, das sogenannte Neue Rathaus, beherbergt die Büros des Nationalausschusses der Hauptstadt Prag. Beim zufälligen Betrachten würde niemand vermuten, daß in seinen Kellergeschossen zwei schöne romanische Räume erhalten geblieben sind; das Gewölbe des größeren ruht auf einer Zentralsäule. Wenn Sie sich dafür interessieren, wie die Prager in der romanischen Zeit wohnten, genügt eine Anfrage beim Pförtner des Gebäudes.

Durch den gekrümmten Laubengang an der rückwärtigen Front des Altstädter Rathauses, in der Straße U radnice, gelangen wir zum Malé náměstí — dem Kleinen Ring — einem idyllischen Winkel des Altstädter Ringplatzes. Alle laubengesäumten Häuser sind ursprünglich romanische oder gotische Bauten. Sie sehen heute leicht lädiert aus, doch erinnern ihre Namen an eine glänzendere Vergangenheit: Zum Grünen Frosch, Zum Goldenen Hügel, Zum Goldenen Glöcklein, Zum Goldfasan, Zu den Drei Schornsteinfegern, Zu den Drei Linden, Zur Goldenen Zwei usw. Nun begreift man besser, weshalb die Stadt Goldenes Prag genannt wurde, wenn allein in einem solchen Gäßchen aus diesem Edelmetall so vieles vom Zweier bis zu einem ganzen Hügel bestand.

★51 In der Mitte des Malé náměstí steht ein **Kastenbrunnen** mit schönem Renaissancegitter vom Jahre 1560, der von allen Fahrern verwünscht wird, denn sie müssen ihm in scharfem Bogen ausweichen. Im übrigen gehört dieser Platz zu den ältesten Teilen Prags, und er muß von allen erdenklichen Düften erfüllt gewesen sein. Im Hause Nr. 1 mit guterhaltener Innengotik vom Jahre 1374 befand sich die berühmte Apotheke des Angelo von Florenz. Auch nebenan, in dem mit zwei goldenen Sternen bezeichneten sogenannten Richterschen Hause (es führt von hier eine Passage über Innenhöfe in die Michalská und Melantrichova ulice) bestand in früheren Zeiten eine welsche Apotheke. Und um die Tradition einzuhalten, befindet sich eine dritte Apotheke unmittelbar nebenan in der Nummer 13, und zwar mit ganz altertümlicher Einrichtung. Das nach dem Schild mit dem weißen Löwen im gotischen Portal benannte Haus Nr. 2 (an exotischen Raubtieren besteht unter den Hauszeichen kein Mangel) trägt an der Fassade im ersten Stock ein Rokoko-Relief der Auferstehung Christi. Das Haus ist dadurch denkwürdig, daß hier im Jahre 1488 die Prager Bibel in tschechischer Sprache gedruckt wurde. Auf den ersten Anblick erweckt das Nebenhaus mit seinem bunten Sgraffitoschmuck die Aufmerksamkeit des Besuchers. Die reichen Ornamente, Werkzeuge und Geräte sowie Allegorien der Handwerke und der Landwirtschaft wurden nach Entwürfen von Mikoláš Aleš ausgeführt. Im unterirdischen Teil ist als weiteres Erdgeschoß eines der prunkvollsten Häuser des romanischen Prag erhalten geblieben, ein großer Saalbau mit sechs auf zwei Zentralpfeiler gestützten Kreuzgewölben. Auch unter dem Hofe des Gebäudes sind Reste eines romanischen Hausbaues.

Nach rechts abbiegend kommen wir vom Kleinen Ring durch die in scharfem Bogen nach links abzweigende Karlova ulice. Sie bildete eine weitere Teilstrecke des sogenannten Krönungsweges zur Husova třída, in die wir nach rechts einbiegen. Gegenüber der weiteren Fortsetzung der Karlova ulice ragt das riesige Gebäude des Archivs der Hauptstadt Prag empor, das ehemalige **Clam-Gallas-Palais.** Dieser bedeutende Barockbau wurde nach Plänen J. E. Fischers von Erlach aufgeführt. Das Palais gehörte dem Vizekönig von

Neapel J. V. Gallas. Durch das imposante, von zwei Giganten getragene Portal (ihr Urheber ist Matthias Braun, der bedeutendste Prager Barockbildhauer), hat man Einsicht in den ersten Palasthof, den ein Brunnen mit Tritonengestalt von demselben Bildhauer ziert. (Ein kleiner Ratschlag für Fotofreunde: Die Giganten samt dem Brunnen bekommt man am besten im Frühjahr oder im Frühsommer gegen zwei Uhr nachmittags auf den Film, wenn die Sonne beides beleuchtet.) Auch die Haupttreppe ist mit Reliefs und Vasen aus der Braunschen Werkstatt verziert, während die Malereien und der Stuckdekor italienischen Künstlern zu verdanken sind. Das monumentale Fresko Apollos Triumph geht auf Carlo Carlone zurück, ebenso wie die Göttergestalten auf den Podestgewölben und in zwei Sälen des zweiten Stockwerkes. Die Innenräume zeigen heute vorwiegend Rokoko-Ausschmückung. Hierher wurde das Archiv aus dem Altstädter Rathaus übertragen, das durch die bombardierenden Hitlerfaschisten im Mai 1945 stark beschädigt wurde, wobei ein großer Teil der Archivsammlungen der Vernichtung anheimfiel. Dennoch birgt das Archiv wertvolle Prager Schriftdokumente aus dem 14. Jahrhundert und aus späterer Zeit, eine Sammlung alter Stiche, Landkarten, Prager Zeitungen und verschiedenster mit der Stadt Prag zusammenhängender Dokumente. Das Clam-Gallassche Palais wird durch eine Gartenmauer abgeschlossen die an den Platz náměstí primátora Václava Vacka angrenzt. In einer Nische sieht man hier eine Kopie der Prachnerschen Moldaustatue (S. 35). Ohne uns dem Platz, in dem sich das Gebäude des Neuen Rathauses sowie die Städtische Bücherei und der Eingang ins Clementinum (S. 37) befinden, besonders zu befassen, betreten wir nach links weitergehend die schmale Gasse Seminářská ulice. Das Haus mit Sgraffitoschmuck ist ein Renaissancebau aus der Wende des 16. Jahrhunderts, die St.-Johannes-Nepomuk-Statue stammt von Matthias Braun.

Einen Blick verdient das **Eckhaus** zwischen der Seminářská und Karlova ulice, ein Renaissancehaus mit Erker und auf Konsolen gestütztem Balkon sowie reichem Reliefschmuck von J. Mayer aus dem Jahre 1701. Außer den böhmischen Schutzpatronen St. Wenzel und Johannes von Nepomuk sind hier noch der Schutzheilige gegen die Pest — St. Rochus —, der hl. Sebastian sowie die aus dem Jesuitenorden hervorgegangenen Heiligen Ignaz von Loyola und Franziskus Xaverius samt der heiligen Rosalia versammelt.

An der gegenüberliegenden Straßenecke befindet sich das Haus Zur Goldenen Schlange, Nr. 18, das nur dadurch denkwürdig ist, daß sich hier das erste Prager Café befand. Den Kaffee kochte unter großem Zustrom neugieriger Prager der Armenier Georges Hatalah el Damaschki — den exotischen Namen hatte er vermutlich aus Reklamegründen gewählt — seit dem Jahre 1714. Das Café wird in den ursprünglichen Zustand versetzt. Durch die nach links abzweigende Liliová ulice gehen wir zum Betlémské náměstí, dessen rechte Front das **Náprstek-Museum** ausfüllt. Es wurde von Vojta 54★★ Náprstek im Jahre 1862 gegründet, und durch Geschenke böhmischer Weltreisender wurde es zu einem orientalischen ethnographischen Museum erweitert. Es ist bei weitem kein Louvre und kein Britisches Museum, dennoch enthält es viele interessante Sehenswürdigkeiten aus dem Fernen Osten, aus Afrika, Amerika und Ozeanien sowie zahlreiche Dokumente über das Leben jener Tschechen und Slowaken, die früher auf der Suche nach einer Beschäftigung ausgewandert waren. (Im Ausland, besonders in den USA, in Kanada, Argentinien, Frankreich und in Österreich, leben mehr als zwei Millionen Tschechoslowaken, die bis zur Zeit vor dem zweiten Weltkriege emigriert waren, weil sie zu Hause keine Arbeit fanden. Nach dem Jahre 1945 sind viele von ihnen zurückgekehrt.)

Vom Museumsgebäude begeben wir uns durch die Betlémská ulice in die ulice Karoliny Světlé (eine Gedenktafel bezeichnet das Geburtshaus der bedeutenden tschechischen

Schriftstellerin des vorigen Jahrhunderts, nach der die Straße benannt ist. Nach einer von ihr verfaßten Erzählung schrieb Eliška Krásnohorská das Libretto zu Smetanas Oper „Der Kuß"). Am Ende des Häuserblockes steht die älteste erhaltene romanische Rotunde Prags, die **Hl.-Kreuz-Kapelle** — kaple sv. Kříže. Sie ist eines der Prager Rundkirchlein von der Wende des 11. Jahrhunderts. Die an den Wänden sichtbaren Überreste gotischer Wandgemälde stellen Mariä Krönung dar, während das Erlöserbild in der Apsis auf das vorige Jahrhundert zurückgeht.

★55

Von dieser Rotunde kehren wir, den Häuserblock nach links umgehend, durch die Konviktská ulice zum Betlémské náměstí zurück. Hier bestand im Mittelalter ein verrufenes Dirnenviertel, das der Prediger Milič von Kroměříž dadurch zu beseitigen versuchte, daß er an dieser Stelle ein Heim für bußfertige Magdalenen, das sogenannte Jerusalem, errichtete. Später bauten hier die Jesuiten einen Knabenkonvikt. In seinem Refektorium, das in einen Konzertsaal verwandelt worden war, sodann später mit großem Erfolg Ludwig van Beethoven, der über seinen Aufenthalt in Prag seinem Bruder berichtete: „Meine Kunst gewinnt mir Freunde und Achtung, was könnte ich mehr wollen?" Später war hier ein Tanzsaal, dann ein Lichtspieltheater und heute ist hier ein Filmstudio, in dem Jiří Trnka, der vielbewunderte Puppenfilmschöpfer, seinen Figuren Leben verleiht. Die Konviktská ulice führt uns vor die **Bethlehemskapelle** — Betlémská kaple —, eines der bedeutendsten kirchlichen Heiligtümer des tschechischen Volkes. Der geräumige Bau wurde im Jahre 1391 von Prager Patriziern gegen den Willen des Bischofs und der benachbarten Pfarrherren gegründet. Vom Jahre 1402 bis fast zu seinem Tode auf dem Scheiterhaufen in Konstanz wirkte hier Jan Hus. Es folgten weitere hussitische Prediger, und hundert Jahre später auch Thomas Münzer, der bestrebt war, die Verbindung zwischen den Traditionen der hussitischen Revolutionsbewegung und den zunehmenden revolutionären Strömungen in Deutschland herzustellen. Nach dem Siege der Gegenreformation wurde die riesige Kapelle den Jesuiten zugesprochen, die sämtliche Andenken an ihre revolutionäre Vergangenheit austilgten; und im Jahre 1786 wurde das Gotteshaus abgetragen. In dem von ihm eingenommenen Raum wurde ein Komplex von Mietshäusern aufgeführt. Mit unermeßlicher Sorgfalt wurde auf den Überresten, die den Hausbauten einverleibt worden waren, sowie anhand alter Abbildungen die Bethlehemskapelle samt den ursprünglichen revolutionären Aufschriften an den Kapellenwänden im Jahre 1954 von Architekt J. Fragner wiedererrichtet.

56★★

Die Geschichte der Bethlehemskapelle ist ein romantisches und zugleich heroisches Epos der Erfüllung eines Traumes. Bereits zum Tode verurteilt, an Händen und Füßen gefesselt, geschwächt und krank, und überdies von wütenden Zahnschmerzen gepeinigt, schrieb Jan Hus wenige Wochen vor der Hinrichtung seinem Freund Jan von Chlum einen Brief, in dem es heißt: „So deutet doch das Traumbild dieser Nacht. Mir träumte, im Bethlehem wollten die Prälaten sämtliche Bilder Christi vernichten und vernichteten sie in der Tat. Ich stand anderen Morgens auf und berief viele Maler, die schönere und zahlreichere Bilder anfertigten. Freudeerfüllt besah ich sie, und die Maler samt großen Scharen von Menschen sprachen: ‚Es mögen nur kommen die Bischöfe und Pfaffen und sie uns vernichten'. Als solches geschehen war, freute sich vieles Volk in Bethlehem und ich mit ihnen. Und erwachend bemerkte ich, daß ich lächelte..."

Die Bethlehemskapelle — dies war Hus' Leben und Kampf; die Bethlehemskapelle war die Wiege des Aufstandes gegen die Kirche. Das wußten auch seine Feinde sehr wohl, und damals galt ihr Wüten ganz besonders diesem Orte. Daß in Bethlehem kein Hochamt abgehalten werden durfte, daß das Gotteshaus nach den kirchlichen Bestimmungen für alle Zeiten nur eine Kapelle bleiben mußte, obwohl es rund dreitausend Menschen zu fassen vermochte — also jeden zehnten Einwohner des damaligen Prag, — das konnte denjenigen, der hier als Prediger bestellt worden war, nicht abschrecken. Magister Jan Hus wünschte nichts inniger, als frei so zu sprechen, damit er vom Volke verstanden würde. Der Professor der Prager Universität, ein berühmter Gelehrter, mit dem ausländische Wissenschaftler in Briefwechsel standen, fand hier Freunde unter den Schneidern, Schuhmachern, Schreibern und Handwerksgesellen. Ebenso wie er ersehnten sie ein gerechtes Leben. Mit feurigen Worten verlieh Hus ihrer Sehnsucht den genauen Ausdruck, er führte sie und wies ihnen den Weg. Um von ihnen einwandfrei verstanden zu werden, erläuterte er für sie seine Lehre durch Aufschriften an den Wänden der Kapelle, für die er Schaubilder malen ließ, für sie wurden hier Musiknoten und Liedertexte angebracht, um es ihnen zu ermöglichen, mit tschechischem Gesang selbst am Gottesdienste mitzuwirken.

Die Schneider, Schuhmacher, Schreiber und Handwerksgesellen — das einfache Volk von ganz Prag — verstanden ihren Magister, und sie alle begriffen, daß sich nicht nur jener schuldig macht, der sündhaft herrscht, sondern auch jener, der duldend eine solche schlechte Regierung hinnimmt. Es leuchtete ihnen ein, wenn er erläuterte, daß es im Vaterunser nicht heißt „mein tägliches Brot", sondern „unser tägliches Brot", und daß es somit nicht gerecht ist, wenn die einen prassen und die anderen darben. Sie stimmten ihm zu, wenn er dagegen auftrat, daß mit allem — von der Priesterwürde bis zur Gewähr für das ewige Heil — Schacher getrieben wurde.

Seine Gedanken wirkten als Kraft, die Tausende von Menschen vorwärtsriß. Die Bethlehemskapelle wurde zu einem Brennpunkt, den viele scheuten, der aber wie ein Magnet alle jene anzog, die in der Welt Wandlung und Besserung anstrebten. Deshalb war es auch kein Irrtum, wenn der Bethlehemsprediger auf der Schwelle des Todes um seine Kapelle besorgt war. Sie war ein lebendiges Symbol, das an den Ruhm und die Kraft des Hussitentums mahnte, und deshalb sollte sie aus der Welt geschafft werden. Und als die Jesuiten erkannten, daß ihre Versuche, den Tschechen statt des Jan (Johannes) Hus den Jan (Johannes) Nepomuk zu unterschieben, fruchtlos geblieben waren, wurde 1786 — am Jahrestage der Verbrennung des Predigers — das die Abtragung der Kapelle gutheißende Dekret unterzeichnet.

Es schien bereits. daß alles nur noch in vagen Erinnerungen weiterleben würde, dann aber entdeckte der Prager Architekt Alois Kubíček das alte Protokoll der Magistratsbaukommission, in dem ihm die Bestimmung auffiel, daß für den Neubau eines Hauses am Bethlehemsplatz altes Mauerwerk bis zur Höhe des zweiten Geschosses verwendet werden solle. Diese Entdeckung fiel in die Zeit zwischen den beiden letzten Weltkriegen. Architekt Kubíček wußte sich einen namhaften Fleisch- und Räucherwarenerzeuger geneigt zu machen, der in dem Hause die berühmten Prager Delikateßwürstchen herstellte und verkaufte und der die Zustimmung zu Nachforschungen in der Räucherkammer erteilte. Bald wurde ein gotisches Portal, der ursprüngliche Eingang in die Kapelle, aufgefunden, später auch drei Fenster, ein Brunnen und Pfeilersockel. Die erste revolutionäre Volkstribüne war also dennoch keineswegs gänzlich zerstört worden. Im ersten Stockwerk eines Hauses, das damals an die Deutsche Technische Hochschule vermietet war, wurden auch Reste einer von den Jesuiten vernichteten hussitischen Inschrift gefunden.

Nach dem zweiten Weltkriege wurde die Erneuerung der Bethlehemskapelle beschlossen. Es war keine einfache Arbeit. Tausende Seiten alter Dokumente wurden durchstudiert, dazu Kaufverträge und Gerichtsprotokolle, die sich auf die Bethlehemskapelle bezogen, unzählige Bilder und Pläne wurden geprüft, in denen die Kapelle angeführt war — und zwar nicht nur in der Tschechoslowakei, sondern auch an anderen Stellen Europas. Es wurden Mörtelmuster analysiert, dann wurde der Torso einer Inschrift bezüglich der Kinderkommunion unter beiderlei Gestalten aufgefunden, und zum Schluß wurde sogar ein Teil des von Hus verfaßten Textes über die sechs Irrlehren aufgefunden, der an den Kapellenwänden aufgezeichnet war. Es waren Worte, die schon damals durch die ganze Welt gezogen waren, Worte scharfer Verurteilung der von den Großen und dem hohen Klerus verschuldeten Mißstände, — Worte, für die er im Jahre 1415 als rebellischer Ketzer auf dem Scheiterhaufen sterben mußte.

Durch Errechnung der Größe und Aufteilung der einzelnen Lettern dieser Inschriften und durch Vergleich mit den in Buchform erhaltengebliebenen vollständigen Texten gelang es, die Anordnung der Inschriften an den Wänden unter Freilassung der Fenster zu rekonstruieren. Auch die Inschriftsfragmente bestätigten die Annahmen bezüglich der Architektur des ursprünglichen Gebäudes. Und auf diesen Grundlagen — mit einem beträchtlichen Anteil künstlerischen Schöpfergeistes — arbeitete Architekt Jaroslav Fragner den Entwurf für den Wiederaufbau der Kapelle aus. Die wertvollste Bestätigung seiner Bestrebungen ergab sich, als die Kapelle bereits rekonstruiert war. Ein junger Architekt fand in Mnichovo Hradiště einen in einem Buch eingeklebten von Ing. Herget im Jahre 1786 signierten Plan der Bethlehemskapelle, der somit gerade aus der Zeit stammte, da die Abtragung der Kapelle betrieben wurde. Es stellte sich heraus, daß selbst an jenen Stellen, für die keine präzisen Angaben vorlagen, Architekt Fragner dennoch die richtige Gestalt bestimmt hatte, und daß sich zum Beispiel die Fassung des in der Kapelle befindlichen Brunnens vom Plan nur in bezug auf die Höhe des Randes unterschied, wobei auch hier die Differenz nur wenige Zentimeter ausmachte. Und den Professoren und Schülern der Akademie der bildenden Künste, die an der Ausschmückung der Kapelle mitgewirkt haben, war es gelungen, deren ursprüngliche Atmosphäre wiederherzustellen. Sie kamen in der Kapelle nach Einbruch der Dämmerung zusammen und projizierten an die Wand Diaaufnahmen von Bildern aus dem Jenaer Kodex (den der Präsident der Deutschen Demokratischen Republik Wilhelm Pieck der Tschechoslowakei als Geschenk überlassen hat) sowie aus anderen Chroniken. Die Umrisse wurden auf dem frischen Verputz festgehalten, und die Kollegen der jungen Gestalter, die zu Hus' Zeiten die Gemälde unmittelbar an den Wänden anbrachten, hatten es zweifellos bei weitem nicht so leicht gehabt. Auch die Türflügel des Kapellentores wurden sorgfältig nachgebildet. Mit Sandstrahl wurden die Eichenbohlen bearbeitet, damit sich nicht die Frischheit des Holzes störend auswirke, das zur Zeit der Gründung der ursprünglichen Kapelle noch nicht einmal zu wachsen begonnen hatte. Und so kommt es, daß obwohl an der Bethlehemskapelle vieles Neue vorhanden ist, hier dennoch vor uns ein bedeutendes und ausgezeichnet rekonstruiertes Bauwerk steht, und daß Menschen in großen Scharen es auch heute noch aufsuchen, wie zur Zeit, als Magister Jan Hus von seiner Kanzel aus mit feurigen Worten eiferte.

Unmittelbar an die Kapelle schloß das Haus des Krämers Kříž an, in dem Hus wohnte. Im Hofraum ist heute das Hus-Museum untergebracht. Den Platz verlassen wir in Richtung zur Husova ulice, durch die wir nach links weitergehen.

Fast gegenüber dem Kirchenbau mit zwei ungleich abgeschlossenen Türmen steht das Haus der Prager technischen Hochschule. Das Gebäude hat eine Hausfront aus der Zeit um 1730 und beherbergte ehemals das Jesuitenkolleg, später die philosophische Fakultät, die Ständische Ingenieurschule und seit dem Jahre 1855 die Prager technische Hochschule. Ihr Gründungsjahr ist allerdings 1707, und sie stellt daher die älteste technische Hochschule auf dem Gebiet der Tschechoslowakei und in Mitteleuropa vor.

★ 57 Die **Ägidius-Kirche** — kostel sv. Jiljí — wurde um die Mitte des 14. Jahrhunderts von Bischof Johannes IV. von Dražice und Erzbischof Arnošt von Pardubice errichtet; man sieht an der Kirchenfront die Wappen dieser beiden Kirchenfürsten. Noch vor Beendung des Gebäudes predigte hier ein weiterer tschechischer Reformator — Jan Milič von Kroměříž. Im 18. Jahrhundert wurde das Innere der Kirche im Barockstil umgestaltet. Der Innenraum wird durch zwei barocke Pfeilerpaare gegliedert; die Gewölbe tragen Freskogemälde von V. V. Reiner aus den dreißiger Jahren des 18. Jahrhunderts. Das Fresko über dem Hauptaltar zeigt den vor seiner Grotte in der Wüste sitzenden St. Ägidius. Die Öffnung im Gewölbe, die den Grotteneingang darstellt, ist mit Tropfsteinen versehen. Auf denselben V. V. Reiner, der hier vor dem St.-Vinzenz-Altar beigesetzt ist, geht auch das schöne St.-Wenzels-Altarbild in der Schlußkapelle des linken Seitenschiffes zurück. Am Hl.-Kreuz-Altar bemerkt man ein gotisches Kruzifix vom Beginn des 15. Jahrhunderts. Als wertvoller Ausstattungsteil verdienen Aufmerksamkeit die hölzernen Beichtstühle, von denen vier mit von Richard Prachner in den Jahren 1760—65 geschnitzten Plastiken „Die vier letzten Dinge des Menschen" geschmückt sind. An sämtlichen Altären sind Tafeln mit Erläuterungen in tschechischer und französischer Sprache angebracht; die Kirche war früher den französischen Kaufleuten und in Prag ansässig gewordenen Siedlern zugeteilt. Im Turm ist Jiljí (Ägid) — die aus dem Jahre

1437 stammende älteste erhalten gebliebene Prager Glocke — aufgehängt. Durch ihr Langhaus füllt die Kirche den gesamten Raum zwischen der Husova ulice und der Jilská aus; wir gehen durch die Jilská ulice an der Seitenmauer der Kirche entlang weiter und biegen an ihrem Ende nach rechts ab.

Das Eckhaus in der malerischen Vejvodova ulice heißt **Ballhaus** — Míčovna — nach dem Hauszeichen — Schläger mit Bällen. Auch hier sind die Kellerräume noch romanisch. Das Haus erwarb 1675 der italienische Tanzmeister V. Ringolini, der hier Bälle veranstaltete. In Italien und Frankreich wurden bei solchen Anlässen auch Ballspiele veranstaltet, doch war dies hier in Anbetracht des geringen Ausmaßes der Räume nicht durchführbar. 58

Das gegenüberstehende malerische Renaissancehaus trägt seinen Namen nach dem im 16. Jahrhundert wirkenden Prager Primator Vejvoda. Das im vorigen Jahrhundert als Neurenaissancegebäude aufgeführte Nebenhaus ist mit Sgraffitomalereien nach Kartons von Mikoláš Aleš geschmückt.

Wir überqueren die Straßenkreuzung — rechts von ihr beginnt die Bartolomějská ulice, in der sich der Sitz der Öffentlichen Sicherheit und ihrer Fremdenabteilung befindet —, um nach wenigen Schritten durch die Straße Perštýn hinauf nach links in die Martinská ulice abzubiegen. Hier gelangen wir zu der interessanten **Kirche „Martin in der Mauer"** — kostel sv. Martina ve zdi —, einer ursprünglich romanischen, bereits im Jahre 1178 von der Fürstin Adlata gegründeten Kirche. Das Bauwerk stand hier noch vor Errichtung der Altstädter Stadtmauern, und der Baumeister gliederte den Kirchenbau einfach in die Befestigungen ein; daher ist ein Teil der Stadtmauern hier heute noch mit der Kirche verbunden. Später wurde das Gebäude erweitert und umgebaut, und im 16. Jahrhundert erhielt es einen Turm. Während des 18. Jahrhunderts wurde die Kirche aufgehoben, und das Gebäude diente weiterhin als Lager und Ladenräu- ★59 me. Zu Beginn unseres Jahrhunderts wurde das Gebäude erneuert, und gelegentlich finden in der Kirche stark besuchte Orgelkonzerte statt. Hier sind mehrere Mitglieder der berühmten Bildhauerfamilie Brokoff, die zu den bedeutendsten Gestaltern des barocken Prags gehören, Johannes, Michael, Joseph sowie der berühmteste von ihnen, Ferdinand Maxmilian Brokoff, bestattet. Im Jahre 1414 wurde hier zum erstenmale das Abendmahl unter beiderlei Gestalt, d. h. nicht nur Brot als Hostie, sondern auch der Kelch mit Wein, gereicht. Auch wenn üble Witzbolde behaupten, die Hussitenkriege seien hauptsächlich deshalb ausgebrochen, weil die Tschechen, ohne zwischen Priestern und gewöhnlichen Gläubigen zu unterscheiden, beim Abendmahl außer Brot auch noch Wein verlangten, bildete die genannte Forderung einen grundlegenden Bestandteil dieser revolutionären Strömung. Dadurch, daß die Hussiten allen Gläubigen ausnahmslos erlaubten, auch am Wein teilzuhaben, erschien die Vorrangstellung des Klerus gefährdet. Diese Art der Kommunion breitete sich in Böhmen rasch aus, und der Kelch, aus dem die Gläubigen tranken, wurde bald zum Symbol der Hussitenbewegung. Die utraquistischen Geistlichen trugen ihn an der Brust aufgenäht, die kalixtinischen Krieger führten den Kelch auf den Streitbannern; er war auch auf den Schilden der hussitischen Kämpfer geschnitzt und ebenso an der Flankenwehr der gefürchteten Kampfwagen Žižkas.

Der weitere Weg führt uns durch die Fortsetzung der Martinská ulice am **Platýz** vorüber, einem ursprünglichen Adelspalast, der später als ältestes Prager Miethaus umgebaut wurde, das angeblich seinem Besitzer allstündlich einen Dukaten eintrug. Im zweiten Geschoß des Gebäudes ist bisher eine Balkendecke erhalten, die mit ursprünglichen grotesken Renaissancemalereien verziert ist. Auch manche weitere Räume haben noch Wandmalereien aus dem 17. Jahrhundert. Durch ein schön geschnitztes Tor betreten wir den großen Lichthof, der in einen „Platz der Kunst" mit Verkauf von Kunstgegenständen verwandelt worden ist, während das obere Haustor auf den Boulevard Národní třída hinausführt. In den Kellergeschossen sind Überreste der Altstädter gotischen Stadtmauern erhalten. An der Ecke rechts, vom unteren Tor gesehen, ist eine Marmorbüste des Komponisten Franz von Liszt angebracht.

Gegenüber dem unteren Platýz-Tor erhebt sich das imposante Eckhaus Zu den Drei Goldenen Löwen. Es bot gleichfalls einem bedeutenden Musiker Obdach: wie aus der Gedenktafel hervorgeht, wohnte hier vorübergehend W. A. Mozart zur Zeit der Premiere seines Don Giovanni im Jahre 1787. Den größten Teil seines Prager Aufenthaltes verbrachte er im Landhaus Bertramka (S. 155), das dem Musikerehepaar Dušek gehörte.

Wir befinden uns nun auf einem alten Marktplatz, dem Uhelný trh. Hier bestand bis um die Mitte des vorigen Jahrhunderts eine Schmiede und ein Depot, wo Holzkohle verkauft wurde. Ungefähr an derselben Stelle steht hier heute der steinerne, mit Plastiken von F. X. Lederer geschmückte **Empirebrunnen** vom Jahre 1797, der nach dem Kriege aus dem Stadtpark Vrchlického sady hierher übertragen wurde. Dieser ganze Teil der Altstadt ist ein altes Marktviertel: in der längs der ganzen linken Straßenfront mit einem Laubengang geschmückten Havelská ulice wurde vor Jahrhunderten schon eine Art internationaler Messe abgehalten. Der Straßenzug als solcher geht auf die dreißiger Jahre des 13. Jahrhunderts zurück. Einige der Häuser tragen interessante Hauszeichen, wie etwa das Haus Zur Goldenen Waage oder Zum Blauen Löwen. Durch den ganzen Laubengang hindurchschreitend gelangen wir zu einem kleinen Platz mit Parkstelle, an dem sich die **St.-Gallus-Kirche** — kostel sv. Havla — befindet. Dieses zu Beginn des 13. Jahrhunderts erbaute Gotteshaus war damals eine der vier Hauptkirchen von Prag. Im 14. Jahrhundert wurde sie erneuert — der gotische Umbau bestimmt im Prinzip das heutige Aussehen des Kircheninneren. Anfangs des 18. Jahrhunderts fügte Giovanni Santini die durch Wellenlinien charakterisierte Giebelfront im Stil des Illusiv-Barocks hinzu, womit die äußere Gestalt des barocken Kirchenbaus abgeschlossen war. Im Inneren der Kirche bemerken wir für die Hochgotik typische gerippte Gewölbe, dafür barocke Emporen und Barockkapellen sowie barocke Altäre. Die aus dem Jahre 1765 herrührenden Deckengemälde in der Sakristei gehören dem Rokoko an. Von der gotischen Vergangenheit der Kirche sind nur ein zinnernes Taufbecken erhalten geblieben sowie eine Pietastatue vom Anfang des 16. Jahrhunderts. Das Bild der Madonna mit Karmelitern, denen die Kirche im 17. Jahrhundert gehörte, auf dem Hauptaltar sowie die Bildnisse Kaiser Leopolds I. und seiner Gattin hat J. J. Heintsch gemalt. Ihm wird auch der Zyklus von Bildern aus dem Marienleben über den Arkaden der Seitenschiffe zugeschrieben. An den Seitenaltären sieht man das Bild der hl. Thekla von Josef Novák vom Jahre 1760 und der Büßerin Maria Magdalena von Ignaz Raab aus derselben Zeit. In der Kirche befindet sich kein Bild von dem berühmten böhmischen Maler Karel Škréta, obwohl dieser am Ende des rechten Kirchenschiffes zu Grabe gelegt wurde. Er ist neben einem niederländischen Adeligen bestattet, den er im Zweikampf getötet hat. Die aus Holz geschnitzte Kalvarienskulptur wird F. M. Brokoff zugeschrieben.

Karl IV. brachte für diese Kirche von einer seiner Reisen den Schädel des hl. Gallus mit, den er im St.-Gallus-Kloster in der Schweiz erworben hatte. In der zweiten Hälfte des 14. Jahrhunderts kam der Kirche nicht geringe Bedeutung als Zentrum der hussitischen revolutionären Bewegung zu: es predigten hier Konrad Waldhauser, Milič von Kroměříž und Johannes Hus.

Wir kehren zurück in die Melantrichova ulice, um in die Richtung zum Můstek — dem Brückl — hinauf weiterzugehen. Gegenüber der Seitenfront des Klement-Gottwald-Museums (Seite 107) zieht sich ein ganz schmales winziges Gäßchen — Kotce —, wo Partie- und Altwaren feilgehalten werden, eine Art Miniatur-Flohmarkt. Hier stand das Gebäude, in dem 1347 Karl IV. zum König von Böhmen gekrönt wurde, die angrenzenden Bauten zählten damals zu den prunkvollsten der Stadt.

Und hier wollen wir unseren heutigen Rundgang beenden; durch die Fortsetzung der Melantrichova, die Straße Na můstku kommen Sie zum Wenzelsplatz, und dort bietet sich Ihnen eine Fülle von Gelegenheiten zur weiteren Gestaltung Ihres Programmes nach eigener Wahl.

Wohin bei Regenwetter?

Leider ist das Wetter nicht jeden Tag schön — und so können Sie etwa an einem regnerischen Vormittag Prag und dazu die Tschechoslowakei überhaupt aus den Sammlungen kennenlernen, die in der Hauptstadt Prag zusammengefaßt sind. Im weiteren finden Sie ein Verzeichnis der Museen, Sammlungen und Sehenswürdigkeiten, die man ohne Rücksicht auf die Launen und Unbilden der Witterung besichtigen kann.

An Montagen sind in der Tschechoslowakei die Museen und Sammlungen fast ausnahmslos geschlossen. Bei größeren Gruppenbesuchen läßt sich jedoch auch dieses Hindernis nach vorangehendem telefonischem Anruf zumeist überwinden. Die normalen Besuchszeiten sind — je nach der Jahreszeit — von 8 bzw. 10 Uhr bis 16 bzw. 18 Uhr. Soweit wir keinen anderen Ausgangspunkt empfehlen, ist das erste Verkehrsmittel (Straßenbahn bzw. Obus) jeweils vom Wenzelsplatz ausgehend gedacht.

Nationalmuseum — Národní museum, Nové Město, Václavské náměstí 68, Telefon 229310

39★

Abteilungen: Naturwissenschaften, Urzeit, Numismatik, historisch-archäologische Abteilung, Mineralogie, geologisch-paläontologische Abteilung und Theaterabteilung.

Abgesehen von der nationalen Bedeutung als größtes tschechoslowakisches Museum sind einige Teile der Sammlungen besonders bemerkenswert. Beachtung verdienen zum Beispiel die prähistorischen Exponate, die das Gebiet unserer Republik betreffen und Gegenstände aus der Zeit vor 250 000 Jahren vor unserer Zeitrechnung bis in das 12. Jahrhundert umfassen, weiter die numismatischen Sammlungen mit einem Überblick über das tschechoslowakische Münzwesen seit dem 10. Jahrhundert, ferner die einzigartige Medaillensammlung mit kostbaren Renaissancestücken, und das im Julius-Fučík-Kultur- und Erholungspark untergebrachte Lapidarium mit Bruchstücken romanischer, gotischer und Renaissancearchitekturen (siehe S. 99.)

Interessante Exponate zeigt auch die Theaterabteilung (große Dokumentensammlung über die Entwicklung des tschechoslowakischen Bühnenwesens, darunter Andenken an bedeutende Schauspieler) und die Bibliothek mit rund einer Million Bänden und achttausend Handschriften. Zu den wertvollsten gehört das illuminierte Kantional von Jistebnice mit dem hussitischen Gottesstreiterlied „Ktož sú boží bojovníci" und der Jenaer Kodex, das prachtvollste tschechisch gotische Buch „Liber viaticus", Manuskripte des Lehrers der Nationen "Jan Amos Komenský usw.

Im Musikarchiv werden bedeutende Beethoven-Materialien, zeitgenössische Handschriften der Werke J. Haydns, W. A. Mozarts u. a. aufbewahrt (S. 99).

★★40 **K.-Gottwald-Museum, Staré Město, Rytířská 20, Telefon 248451**
vom unteren Ende des Wenzelsplatzes geradeaus weiter durch die Straße Na můstku (Brückel), dann nach rechts in die Rytířská.

Die Sammlungen veranschaulichen die Revolutionstraditionen des tschechoslowakischen Volkes von der Hussitenzeit bis auf den heutigen Tag; Belege über die Organisation der hussitischen Gesellschaft, über die sozialen Bedingungen der Bevölkerung unter dem Feudalismus und Kapitalismus, Dokumente über Streiks und andere revolutionäre Aktionen, über die Arbeiterbewegung in der Tschechoslowakei und Beispiele des sozialistischen Aufbaues seit der Befreiung.

★★14, 15, 17, 49 **Staatliches Jüdisches Museum — Státní židovské muzeum, Staré Město, U starého hřbitova (Haupteingang), Telefon 63374**

NATIONALMUSEUM

mit der Straßenbahnlinie 22 zum Platz náměstí Krasnoarmejců durch die ulice 17. listopadu nach rechts in die Břehová ulice und nochmals nach rechts in die Straße U starého hřbitova abbiegen.

In mehreren in der Nähe des Alten Jüdischen Friedhofes befindlichen Objekten, ehemaligen Synagogen und Häusern des alten Gettos, sind die verschiedensten Denkmäler über die Geschichte der Juden in Böhmen und in Mähren zusammengetragen einschließlich der einzigartigen Sammlung „Silber aus böhmischen Synagogen". Zahlreiche Belege veranschaulichen die Verfolgung der Juden aus Böhmen und aus Mähren während der Naziokkupation; die hier befindlichen Sammlungen jüdischer Kunstgegenstände, besonders Tempelvorhänge, sind bei weitem die größten auf der Welt. Die Pinkas-Synagoge wurde in eine Gedenkstätte der in den Gaskammern und Konzentrationslagern ermordeten Juden mit den Namen von 77 297 Opfern umgewandelt.

★★54 Náprstek-Museum, Staré Město, Betlémské náměstí 1, Telefon 227691
mit der Straßenbahnlinie 20 oder 22 zur Haltestelle Perštýn, durch die Straße Perštýn zum links unten abzweigenden Platz Betlémské náměstí

Orientalisches völkerkundliches Museum mit Schaustücken über das Leben und künstlerische Schaffen der Völkerschaften und Menschen des Fernen Ostens, Afrikas und Ozeaniens und das der Ureinwohner Amerikas.

★★63 Museum der Hauptstadt Prag — Muzeum hlavního města Prahy Nové Město, Švermovy sady, Telefon 220406
mit der Straßenbahn 19 bis zum Park Švermovy sady

Die Sammlungen vermitteln ein geschlossenes Bild der historischen und kulturellen Entwicklung der Stadt Prag von der Urzeit bis zur Gegenwart. Besonders sehenswert sind manche denkwürdigen Gemälde (astronomische Rathausuhr von Mánes usw.) und zur Stadt Prag in Beziehung stehende Skulpturen von de Vries, F. M. Brokoff und anderen sowie Beispiele alter Prager Kunsthandwerksarbeiten.

★★64 Smetana-Museum, Staré Město, Novotného lávka, Telefon 235670
mit der Straßenbahnlinie 22, 20 oder 7 bis zum Nationaltheater und nach rechts abbiegend ein kleines Stück längs der Uferstraße Smetanovo nábřeží

Andenken an das Leben und Schaffen des Komponisten Bedřich Smetana seine Manuskripte, Buchausgaben, Plakate, Photographien.

★★65 Dvořák-Museum, Nové Město, Ke Karlovu 20, Telefon 228214
mit Obus 138 oder 148 bis zur Haltestelle Lípová, links aufwärts durch die Kateřinská, erste Straße nach rechts Ke Karlovu

Zahlreiche Andenken an das Leben und Schaffen des Komponisten Antonín Dvořák.

Lenin-Museum, Nové Město, Hybernská ulice 7, Telefon 245614   66★
mit der Straßenbahnlinie 1, 14, 15 bis zur Haltestelle Bahnhof Praha-střed

Verschiedene Andenken an das Leben und Wirken Wladimir Iljitsch Lenins, an die Oktoberrevolution 1917, an die Entwicklung des Sowjetstaates, Lenins Schriften, Widerhall der Oktoberrevolution in der Welt, photographisches und Dokumentationsmaterial, Andenken an Lenins Aufenthalt in Prag (die Prager Konferenz der russischen Bolschewiken im Jahre 1912 fand in diesem Gebäude statt) — Leninsaal, in dem die Pioniere ihr Gelöbnis ablegen.

Museum der Tschechoslowakischen Armee — Muzeum československé armády, Žižkov, U památníku 2, Telefon 272965   67
mit der Straßenbahnlinie 21 bis zur Haltestelle U památníku — beim Ehrenmal

Museumsstücke bezüglich des tschechoslowakischen Widerstandes während des ersten Weltkrieges, über den Befreiungskampf der Tschechoslowakei im zweiten Weltkrieg. Partisanenbewegung, tschechoslowakische Auslandseinheiten, Beispiele von Waffen.

★68 **Jirásek-Museum, Liboc, Lustschloß Hvězda (Stern), Telefon 352614**
mit den Straßenbahnlinien 22 bis zur Haltestelle Hvězda
Interessantes Renaissanceschloß mit Grundriß in Form eines sechseckigen Sternes, heute Gedenkstätte des Romanschriftstellers Alois Jirásek, namentlich mit Bezug auf seine historischen Romane aus der Hussitenzeit, gleichzeitig Museum des Malers Mikoláš Aleš. Unweit von dem Schloß wurde die verhängnisvolle Schlacht am Weißen Berge ausgetragen, in deren Folge das habsburgische Joch über den böhmischen Ländern noch drückender wurde. Deshalb werden hier auch Andenken an die Schlacht und an das Leben der böhmischen Gesellschaft vor dem Dreißigjährigen Krieg ausgestellt.

★★69 **Hrdlička-Museum des Menschen, Nové Město, Viničná 7, Telefon 234008**
mit Obus 138 oder 148 bis zur Haltestelle Lípová
Dieses Museum wurde von dem bedeutenden tschechischen Anthropologen Prof. Hrdlička gegründet, der vor allem Vergleiche zwischen sibirischen Menschentypen und den amerikanischen Indianern durchführte. Man findet hier geschrumpfte Schädel afrikanischer Zwergstämme, Schädel australischer Ureinwohner, zu Vergleichszwecken Schädelabgüsse und Sterbemasken von Napoleon, Liszt, Zar Nikolaus sowie von einem Sioux-Häuptling und anderen Persönlichkeiten, Material über die Völkerwanderung und über die Ausbreitung und Vermischung der menschlichen Rassen.

★★70 **Technisches Nationalmuseum — Národní technické muzeum, Holešovice, Kostelní 42, Telefon 374552**
mit der Straßenbahnlinie 11 zum Platz Letenské nám., dann durch die Straßen Nad štolou sowie Letohradská und Musejní
Reiche Sammlungen technischer Einrichtungen, besonders vollständige Exponate aus dem Gebiet der Kinematographie (die ständige Weltausstellung der Unesco - Interkamera hat hier 17 280 Exponate aus 52

Ländern) von den frühesten Anfängen bis zur Gegenwart, Sammlung historischer Automobile und Flugzeuge sowie Kohlengrubenmodell in Naturgröße mit Streckenlänge 1 km

Museum der Tschechischen Literatur — Památník národního písemnictví, Hradčany, Strahovské nádvoří 132, Telefon 531451 71★★
mit der Straßenbahnlinie 22 bis zur Haltestelle Pohořelec
In den Räumlichkeiten des ehemaligen Klosterstiftes Strahov und in seiner weltberühmten Bibliothek werden Literaturdenkmäler aufbewahrt, die die Entwicklung des tschechischen Schrifttums von der Ankunft der Slawenapostel Cyrillus und Methodios und der Einführung der glagolitischen Schrift bis auf die jüngste Gegenwart veranschaulichen.

Pharmazeutisches Museum, Malá Strana, Nerudova ulice 32 72
mit den Straßenbahnlinien 7 oder 20 bis zum Kleinseitner Ring, dann durch die steile Nerudagasse hinauf
Die ehemalige Apotheke wurde in ein historisches pharmazeutisches Museum umgewandelt, und man findet hier alte Behälter und Instrumente, sowie Beispiele der Herstellung von Arzneien. (Das Museum ist vorläufig nur mehrmals in der Woche nachmittags geöffnet.)

Postmuseum — Poštovní muzeum, Smíchov, Holečkova ulice, (ehemaliges Gabrielskloster), Telefon 541124 73
mit Obus 53 zur Haltestelle in der Holečkova ulice
Im pseudoromanischen Gebäude des ehemaligen Klosters der Beuroner Benediktinerinnen zu St. Gabriel ist eine philatelistische Europa-Sammlung.

Körperkultur- und Sportmuseum — Muzeum tělesné výchovy a sportu, Malá Strana, Újezd 450, Telefon 531216, 532351 74★
mit der Straßenbahnlinie 7 oder 20 bis zur Haltestelle Hellichova ulice
Beim Institut für Körperkultur und Sport und beim Forschungsinstitut für Körpererziehung wurden diese Sammlungen verschiedenster Sporttrophäen, Trachten von Turnerorganisationen, Photographien bedeutender Sportler und Begründer der verschiedenen Sportzweige in der

Tschechoslowakei angelegt. Hier befinden sich auch die ersten tschechoslowakischen Skier und andere Sportgeräte. Übersichten über die Zahl der aktiven Sportler und Sportsektionen in der Tschechoslowakei, Briefmarken mit Sportszenen, Banner von Turnervereinigungen, als Sehenswürdigkeiten ein Gipsabguß der Hand des berühmten amerikanischen Schachspielers Paul Morphy sowie ein Holzpokal von der Fußballmeisterschaft der Häftlinge in Theresienstadt, die 1944 von den Hitlerfaschisten zur Täuschung der Kommission des Internationalen Roten Kreuzes veranstaltet wurde.

★★★75 **Sammlungen angewandter Kunst — Sbírky užitého umění, Staré Město, ulice 17. listopadu Nr. 2, Telefon 66144**

mit der Straßenbahnlinie 22 bis zur Haltestelle náměstí Krasnoarmejců

Gegen Ende des 19. Jahrhunderts zur Aufnahme der Sammlungen des schon früher gegründeten Museums errichtet. Die Fachbücherei enthält rund 50 000 Bände und Zeitschriften über Kunstgeschichte und kunsthandwerkliche Erzeugung der Gegenwart aus der ganzen Welt. Die Ausstellungsgegenstände bieten eine Übersicht der Entwicklung der Kunsthandwerke und der Industrie von der Antike bis zur Gegenwart, mit besonderer Beachtung des Glas-, Keramik- und Möbelschaffens. Die Glassammlung ist die umfangreichste auf der Welt, weshalb ein großer Teil ständig in der bekannten Bijouteriestadt Jablonec nad Nisou untergebracht ist.

★★76 **Heeresgeschichtliches Museum — Vojenské historické muzeum, Hradčany, Hradčanské náměstí 2, Telefon 66488**

mit der Straßenbahnlinie 22 bis zur Haltestelle Brusnice, durch die Straßen Brusnice und Kanovnická zum Hradčanské náměstí

Das Museum befindet sich im ehemaligen Schwarzenberg-Palast. Es zeigt eine Übersicht der historischen Wehr und Waffen europäischer Heere bis zum ersten Weltkriege (siehe auch Seite 182). Hier finden auch spannende originelle Fecht- und Gefechtsvorstellungen in ursprünglichen historischen Musketier- und Banditenkostümen statt.

★★77 **Musikinstrumentenmuseum — Muzeum hudebních nástrojů, Malá Strana, Velkopřevorské náměstí 4, Telefon 530610** mit der Straßenbahnlinie 7 oder 20 bis zur Haltestelle Hellichova ulice, über die Karmelitská zur Harantova und über den Platz Maltézské náměstí zum Velkopřevorské náměstí

Im ehemaligen Palais des Malteser-Großpriors befindet sich eine Sammlung von (vor allem historischen) Musikinstrumenten, darunter mehrere Unikatstücke. (Die Sammlung bildet einen Bestandteil des Nationalmuseums.)

Ethnographisches Museum — Národopisné muzeum — Praha - Smíchov, Parkanlagen Petřínské sady Nr. 9 Telefon 540617   105★★

mit der Straßenbahnlinie 5 zur Haltestelle Realistisches Theater (Realistické divadlo) und weiter zu den Parkanlagen am Petřín-Hügel

Abteilung des Nationalmuseums mit Sammlungen von Möbelstücken, Trachten und sonstigen tschechoslowakischen Volkskunsterzeugnissen. (Siehe S. 217.)

SAMMLUNGEN

Nationalgalerie

a) Hradčany, Hradčanské náměstí 15, Telefon 352441   78★★★

mit der Straßenbahnlinie 22 zur Haltestelle Brusnice, durch die Straßen Brusnice und Kanovnická zum Platz Hradčanské náměstí

Sammlungen alter europäischer Malkunst und alter böhmischer Malerei, böhmische gotische Tafelzeichnungen und geschnitzte südböhmische Madonnenbildsäulen. (Siehe auch Seite 167).

b) Staré Město, náměstí primátora dr. V. Vacka, Nr. 1, Telefon 66101   19★★

mit der Straßenbahnlinie 22 zum Platz náměstí Krasnoarmejců, wenige Schritte zurück und durch die nach links abbiegende Platnéřská ulice zum Platz náměstí primátora dr. V. Vacka

Sammlung moderner tschechischer Kunst von Slavíček bis zur Gegenwart.

★★*11* **c) Staré Město, Staroměstské náměstí Nr. 12, Telefon 65478**

vom unteren Ende des Wenzelsplatzes weiter durch die Straße Na můstku und ihre Fortsetzung Melantrichova zum Altstädter Ring
Sammlung tschechischer und nichttschechischer Graphik aus der ganzen Welt, Ausstellung französischer und flämischer Kunst.

★★*36* **d) Malá Strana, Valdštejnská ulice, Telefon 513**

mit der Straßenbahnlinie 7, 20 oder 22 zum Klárov-Platz und nach links abbiegend in die Valdštejnská
Sammlung tschechischer Malerei des 19. Jahrhunderts, untergebracht in der ehemaligen Waldsteinschen Reitschule.

★★*79* **e) Schloß Zbraslav, Telefon 591193**

bis zum Schloß mit dem Stadtautobus aus Smíchov oder mit Taxi
Sammlung moderner tschechischer Skulpturen seit dem Ende des 19. Jahrhunderts (beginnend mit J. V. Myslbek, dem Schöpfer des Herzog-Wenzels-Denkmales vor dem Prager Nationalmuseum) bis zur Gegenwart. Die Sammlungen sind in dem ehemaligen Zisterzienser-Kloster und im anliegenden Schloßpark untergebracht.

80 **Reitschule — Jízdárna, Hradčany, U Prašného mostu 3, Telefon 62867**

mit der Straßenbahn 20 bis zur Haltestelle Prašný most (zur Beachtung: jeweils feststellen, ob gerade eine Austellung zugänglich ist!)
Sammelausstellungen bester tschechischer und slowakischer Gegenwartkunst. (Siehe S. 166).

SEHENSWÜRDIGKEITEN

★★★*29-32* **Prager Burg — Hradčany, Hradčanské náměstí**

mit der Straßenbahnlinie 22 zur Haltestelle Prašný most, durch die Straße na Prašném mostě zum Burgareal
Archäologische und architektonische Burgdenkmäler, beginnend mit dem 10. Jahrhundert bis zur heutigen Zeit, Vladislav-Saal, Schauplatz

der Präsidentenwahlen und Spanischer Saal, Veitsdom mit gotischen und barocken Kunstdenkmälern, mit Halbedelsteinen ausgekleidete und mit gotischen Gemälden geschmückte Wenzelskapelle, Gruft der böhmischen Könige, Grabmal des hl. Johannes von Nepomuk usw., der in der Kreuzkapelle am zweiten Burghof untergebrachte St.-Veits-Domschatz, Gemäldegalerie der Prager Burg, romanische Georg-Basilika und Haus der Tschechoslowakischen Kinder.

Bethlehemskapelle — Betlémská kaple, Staré Město, Betlémské náměstí, Telefon 224880 56★★
mit der Straßenbahnlinie 7, 20 oder 22 zur Haltestelle Na Perštýně, rechts abwärts durch die Straße Na Perštýně, unten links zum Betlémské náměstí.

Rekonstruierte gotische Kapelle, in der Magister Jan Hus predigte, an den Wänden sind renovierte Zeichnungen und Aufschriften, für die er den Feuertod erlitt. Andenken an die Hussitenzeit.

Altstädter Rathaus — Staroměstská radnice, Staré Město, Altstädter Ring 8★★★
vom unteren Ende des Wenzelsplatzes weiter über die Straße Na můstku und ihre Fortsetzung Melantrichova
Apostelhr (astronomische Rathausuhr), unterirdische Rathausräume mit Ausgrabungen, Sitzungssaal mit Monumentalgemälden von Brožík, gotischer Saal mit geschnitzten Deckenbalken und den Wappen der Prager Zünfte, gotische Christus-Bildsäule usw.

Bertramka, Smíchov, Mozartova ulice 169, Telefon 543893 81★
mit der Straßenbahnlinie 15 oder 9 zur Haltestelle Tomáškova ulice in Smíchov, durch die Tomáškova ulice zur Straße Duškova ulice und von hier nach rechts durch die Mozartova ulice hinauf zur Bertramka
Gedenkstätte zu Ehren W. A. Mozarts sowie des tschechischen Komponisten F. Dušek und dessen Gattin, der Opernsängerin Josephine Dušková. (Siehe Seite 200—203.) Hier ist auch ein Teil der Archivbestände der Musikabteilung des Nationalmuseums untergebracht.

***82 **Loreto-Kirche, Hradčany, Loretánské náměstí, Telefon 62058**
mit der Straßenbahn 22 zur Haltestelle Pohořelec; nach links abwärts über den Pohořelec-Platz zum Loreto-Platz

Nachbildung der sog. Santa Casa (Wohnhaus der Jungfrau Maria) mit reichhaltiger, plastischer Ausschmückung, Ambit mit pittoresken Malereien und Altar (Sehenswürdigkeit: Bildsäule der bärtig dargestellten hl. Kümmernis). Loretoschatz mit kostbaren Prunkmonstranzen, bekanntes Glockenspiel. (Siehe Seite 170—177.)

Auf dem Königshügel

5 km zu Fuß über den Hradschin — 3,5 km mit der Straßenbahn, halbtägiger oder ganztägiger Spaziergang

DIE INTERESSANTESTEN OBJEKTE

- ★★★ 84 — Lustschloß der Königin Anna, Renaissance-Arkadenbau im Königsgarten
- ★★★ 78 — Nationalgalerie im Sternbergpalast, Sammlungen alter Kunst, böhmische gotische Madonnen
- ★★★ 82 — Loreto-Kirche, Nachbildung der Santa Casa, Loreto-Schatzkammer
- ★★★ 71 — Museum des Nationalen Schrifttums mit wundervoller Aussicht auf Prag
- ★ 76 — Heeresgeschichtliches Museum im Schwarzenberg-Palast, einem typischen böhmischen Renaissancebau
- ★★★ 29-33 - Areal der Prager Burg
- ★★ 89 — Alchimistengäßchen
- ★ 90 — Haus der Tschechoslowakischen Kinder

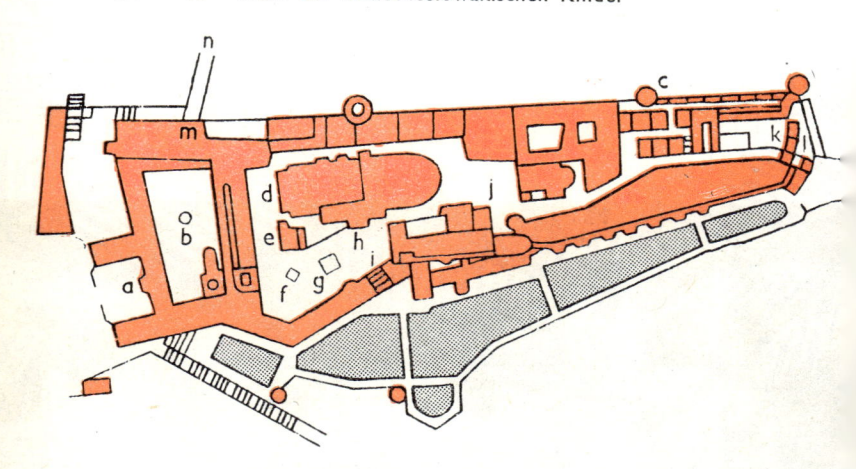

a — Matthiastor b — Brunnen c — Weißer Turm d — Haupteingang in den Veitsdom e — Kulturhaus f — Monolith g — Brunnen mit St.-Georgs-Statue h — Mosaik „Jüngstes Gericht" i — Freitreppe zum Basteigarten j — Landrechtsstube k — Schwarzer Turm l — Osttor m — Nordtor n — Pulverbrücke (Prašný most) o — HL.-Kreuz-Kapelle

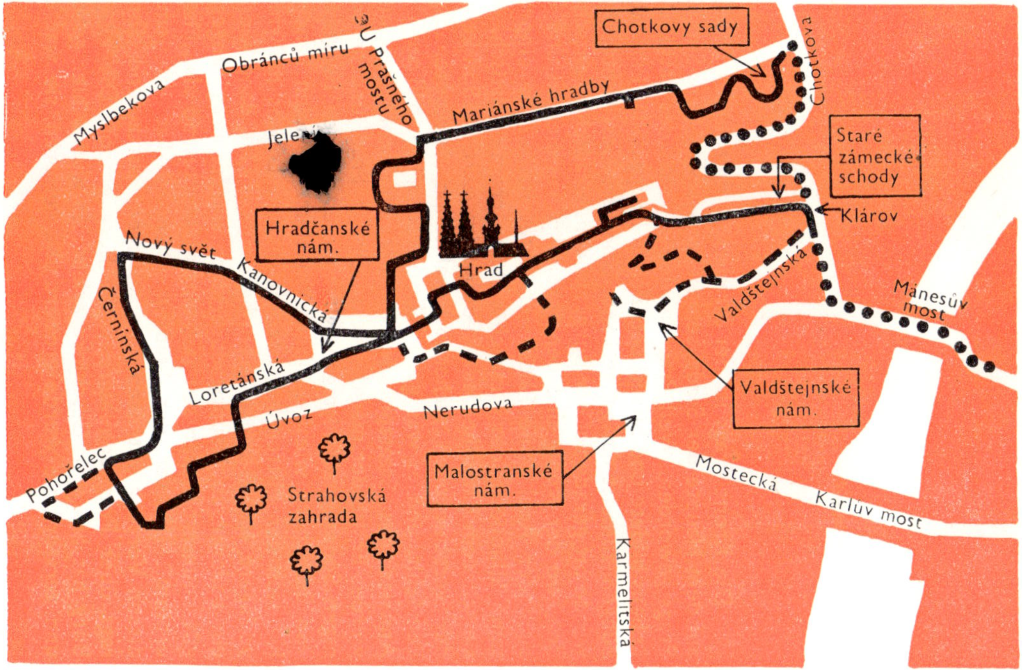
Chotkovy sady
Chotkova
Staré zámecké schody
Klárov
Mánesův most
Mariánské hradby
Obránců míru
U Prašného mostu
Myslbekova
Jelení
Hradčanské nám.
Hrad
Nový svět
Kanovnická
Černínská
Loretánská
Úvoz
Nerudova
Valdštejnská
Valdštejnské nám.
Malostranské nám.
Mostecká
Karlův most
Karmelitská
Pohořelec
Strahovská zahrada

Die Krone Prags ist der Hradschin. Er ruht als Diadem auf dem Haupte der Stadt, seine Umrisse sind zum Sinnbild Prags geworden. Weil Prag den Mittelpunkt des nationalen Lebens bildete und bildet, betrafen in Prag gefällte Entschließungen zumeist das ganze Land. Über die Geschichte Prags wurde oft gerade auf der Burg, auf dem Hradschin, entschieden, wo der König und der Erzbischof residierten und wo auch der Adel seine Paläste errichtet hatte. Die einprägsame Silhouette des Hradschin ist so charakteristisch, daß sie seit dem Entstehen der Republik im Jahre 1918 in keiner der verschiedenen tschechoslowakischen Banknotenausgaben fehlt, und es war ganz selbstverständlich, daß auch als Amtssitz des Staatspräsidenten der Hradschin bestimmt wurde. Er ist der meistbesuchte Ort in Prag, und an sonnigen Sonntagnachmittagen wimmelt es in den Burghöfen von Besuchern wie bei einem Volksfest. In vielen Ländern hat sich der Mittelpunkt des nationalen Lebens mehrmals verlagert, so daß zunächst ein bestimmter Ort, dann wieder ein anderer zu Hauptstadt erklärt wurde. Prag hingegen gilt ununterbrochen seit fast einem Jahrtausend als „Mater urbium" (Mutter der Städte). Niemand hat ihr jemals diesen Vorrang entrissen, und seit mehr als tausend Jahren ragt über Prag dominierend die Burg empor. Die Prager Burg hat bewegte Geschicke erlebt: es wurde hier gebaut und zerstört, sie wurde erobert und verloren, sie war die

DIE PRAGER BURG

Residenz von Kaisern, um zu anderen Zeiten wieder — als das Zentrum der Staatsgewalt auf nichtböhmisches Gebiet übergegangen war — ganz verödet dazustehen, aber stets bildete sie die Dominante der Stadt, ihren Stolz und das Symbol der Staatshoheit.

Am besten gelangt man zur Prager Burg, indem man die Straßenbahn 7, 20 oder 22 besteigt und zur Haltestelle Chotkovy sady fährt. Von der Serpentine unter den **Parkanlagen,** die sich zu dieser Haltestelle hinaufwindet, bietet sich, besonders am Nachmittag, ein bezaubernder Anblick des Stadtbildes. Die Straßenbahnhaltestelle befindet sich an der Straßenkreuzung bei der Villa des Bildhauers František Bílek: im Garten der Villa sieht man die von Bílek geschaffene Statuengruppe „Komenský nimmt Abschied von der Heimat". Und nunmehr können wir entweder über die Schanzenstraße Mariánské hradby oder durch die Parkanlagen Chotkovy sady weitergehen, den im Jahre 1833 gegründeten ersten öffentlichen Park von Prag. Hier sieht man das eigenartige Denkmal des Dichters und Schriftstellers Julius Zeyer, der im vergangenen Jahrhundert wirkte und bemüht war, durch Aktualisierung von Mythen, Sagen und historischen Begebenheiten des tschechischen Volkes das Nationalbewußtsein zu heben. Die Denkmalgruppe Josef Mauders aus dem Jahre 1913 wurde an einem Weiher errichtet; sie hat die Gestalt einer Grotte, in der eine Bildnisplatte des Dichters angebracht ist, umgeben von Marmorfiguren der Gestalten seines literarischen Schaffens. Julius Zeyer hat als Dichter und Mensch vieles gemeinsam mit dem 1875 in Prag geborenen Rainer Maria Rilke, der allerdings bisher in Prag noch kein Denkmal hat. Beide Dichter waren deutsch erzogen worden und stammen von französischen Vorfahren ab, beide neigten in ihrer Poesie zu mystischer Betrachtung, beide empfanden innige Verbundenheit mit der Geschichte Böhmens. R. M. Rilke schrieb sowohl über den im Burgturm auf dem Hradschin eingekerkerten Dalibor als auch über Jan Hus, unter seinen Versen findet man sogar ein Gedicht über die tschechoslowakische Hymne „Kde domov můj" (Wo ist mein Heim?), und in seinen Dichtungen stellt man besonders häufig Prager Motive fest — am meisten wohl in den „Larenopfern". Zwischen Rilke und Zeyer bestanden auch persönliche Beziehungen: es ist bekannt, daß sie gemeinsam die Prager Friedhöfe aufsuchten und ihre romantische Stimmung auf sich einwirken ließen; Rilkes Jugendliebe, Valerie David von

Rhonfeld, war eine nahe Verwandte Zeyers. Und als Rilke später Prag verließ, kehrte er immer wieder zu seinem Onkel in die Gartenvilla ‚Excelsior" in der Prager Arbeitervorstadt Smíchov zurück, und auch diesen Ort finden wir in seinen Dichtungen wieder. All das sind jedoch nur Erinnerungen, und wir sollten doch lieber durch die Parkanlagen weiterschreiten. Wir begegnen hier einer neueren Plastik — B. Bendas Mädchen mit Apfel.

Der Weg über die Schanzenstraße Mariánské hradby führt uns längs einer Gartenmauer zum Gittertor des Königsgartens, durch das wir zum **Lustschloß der Königin Anna** — letohrádek královny Anny — gelangen. Dieses einstöckige, geräumige Gebäude mit zierlichen Arkaden und patinagrünem Kupferdach erinnert an ein umgekipptes Boot und ruft den Eindruck graziöser Leichtigkeit hervor. Es wird als die stilreinste Renaissance-Architektur außerhalb Italiens betrachtet. Das Lustschloß wurde nach den Plänen des italienischen Architekten Paolo della Stella errichtet, der in seiner Werkhütte auch die plastische Ausschmückung des Schlosses schuf. Durch die riesige Feuersbrunst, die den Burgkomplex verheerte, und durch Stellas Tod wurde die Verwirklichung des Bauvorhabens erschwert, so daß es erst im Jahre 1563 durch Bonifaz Wohlmut zu Ende geführt wurde. Das erste Geschoß wurde als Gemäldegalerie und

★★★84

LUSTSCHLOSS DER KÖNIGIN ANNA

Tanzsaal eingerichtet, im Erdgeschoß befanden sich prunkvoll ausgestattete Gemächer, die von den Schweden während des Dreißigjährigen Krieges gründlich geplündert wurden. Um die Mitte des vergangenen Jahrhunderts wurde das Objekt baulich erneuert, und man hat hier 14 große Gemälde aus der böhmischen Geschichte untergebracht. Vor den Arkaden bemerkt man vier Gartenplastiken — antike Gottheiten aus M. Brauns Werkstatt, etwa aus dem Jahre 1730. Paolo Stella setzte in diese Arkaden noch eine Reihe von Plastiken ein, darunter auch eine Darstellung König Ferdinands, der der Königin Anna einen Feigenzweig überreicht — nach diesem Relief wird das Lustschloß gelegentlich auch als Belvedere oder Lustschloß der Königin Anna bezeichnet. Vom Rundgang des Schlosses aus eröffnet sich dem Besucher ein prachtvoller Ausblick auf einen Teil der Stadt Prag und auf die rückwärtige Front der Prager Burg mit den ihren Nordflügel überragenden Burgtürmen.

Vor dem Lustschloß erstreckt sich ein nach niederländischer Vorlage angelegter Garten aus gestutzten Immergrünhecken. Hier ist der große, als „Singende Fontäne" — Zpívající fontána — bekannte Springbrunnen des Meisters Jaroš. Von diesem Künstler wurde auch „Zikmund", die größte Kirchenglocke in Böhmen, gegossen, die im Hauptturm des Prager Veitsdomes aufgehängt ist und an Sonntagen auch im Rundfunk dröhnend die Mittagsstunde und außerdem täglich die Mitternachtsstunde verkündet. Die Bezeichnung „Singende Fontäne" ist keine bloße Metapher. Die schlanken in das tiefer befindliche Bronzebecken hinabpissenden Putti sind so angeordnet, daß ihr übermütiges Treiben den weit entfalteten Kelch des Beckens erklingen läßt, der wie eine von Bienen umschwärmte Wiese rauscht und summt. Mit aneinandergeschmiegten Häuptern lauschen Liebespaare dieser Musik, aber auch Kinder, Prager und Fremde. Alt und jung, bezaubert alle schon seit vierhundert Jahren das Werk dieses wirklichen Meisters in seinem Fache.

Vom Lustschloß und vom Springbrunnen zieht sich der Königliche Garten, der nur zu bestimmten Zeiten zugänglich ist, weiter zur Burg hin. Er entstand fast in denselben Jahren wie das Lustschloß, und hier wurden viele exotische Gewächse angepflanzt, die damals in Prag noch nicht bekannt waren; auch ein Gewächshaus mit Feigenbäumen, mehrere Wasserbecken und ein Irrgarten wurden hier angelegt. Zum Schluß setzten sich freilich im böhmischen Klima heimische Blumen, Sträucher und Bäume durch, und aus dem Garten wurde ein normaler Naturpark. Kaiser Rudolf II. hielt hier einen Zwinger. Längs den Wegen sieht man Statuen und steinerne Vasen aus Matthias Brauns Werkstatt. Im Renaissancegebäude des ehemaligen Großen Ballhauses, das 1945 am letzten Kriegstage noch von einem Brand verwüstet wurde, befindet sich heute ein schöner Repräsentationssaal; seine Wandteppiche zeigen Darstellungen aus der Gechichte von Kleopatras Liebe zu Antonius. Die dreihundert Jahre alten Gobelins stammen aus der Brüsseler Werkstatt des Jan von Leefdael. Bei den Arkaden des Ballhauses steht die von Matthias Braun gestaltete Skulptur „Nacht". Die bemerkenswerten Sgraffitos mit Allegorien der Wissenschaften, der Tugenden und der Elemente wurden nach dem Brande renoviert.

Wir verlassen den kleinen Park bei der „Singenden Fontäne" und begeben uns wieder auf die asphaltierte Parkstraße hinaus, um bei der ersten Kreuzung nach links abzubiegen. Wir befinden uns nunmehr auf der nach der alten Pulverbrücke benannten ulice U prašného mostu. Auf der rechten Straßenseite gehen wir durch das Tor zum ehemaligen Reitschulplatz, der den **Reitschulbau** — Jízdárna Pražského hradu — umgibt. Der Hof ist heute als Parkanlage gestaltet, und sein hinter der Reitschule liegender Teil gewährt einen zauberhaften Anblick des Nordflügels der Burg und des Veitsdomes. In den Innenräumen der Reitschule werden regelmäßig Leistungsschauen mit den besten Werken tschechischer und slowakischer Kunst bestimmter Zeitabschnitte veranstaltet. Der Ausstellungssaal mündet unmittelbar auf die Straße U prašného mostu hinaus, durch die wir über den Hirschgraben zum theresianischen Burgtor unter dem Spanischen Saal gelangen. Wir betreten aber noch nicht das Burgareal, sondern schwenken über die Parkterrasse nach rechts in den Basteigarten ab und kommen von dort auf den vor der Burg befindlichen Platz Hradčanské náměstí.

Nur ein schmaler Gartenstreifen trennt die Burg vom **Erzbischöflichen Palais** — arcibiskupský palác — mit Rokokovorderfront und mit Resten der auf Ignaz Platzer zurückgehenden plastischen Ausschmückungen. Die Statuen Glaube und Hoffnung sind von Thomas Seidan. Im Inneren des Palastes verdienen Beachtung vor allem die Kapelle mit Deckengemälden von Daniel Alexius und im Hof Überreste von Renaissancegraffitos vom Ende des 16. Jahrhunderts. Die Repräsentationssäle des Erzbischöflichen Palais tragen zierlichen Rokokodekor und an den Wänden einen wundervollen achtteiligen Wandteppichschmuck mit exotischen Motiven aus Neu-Indien. Die Gobelins entstanden in den Jahren 1753—1756 im Pariser Atelier Desport. Von den Bildern sind vier Kirchenväter von Peter Brandl besonders sehenswert. Von den kostbaren Schätzen des Palastes ragen hervor zwei aus Kupfer getriebene vergoldete Büsten der Apostel Petrus und Paulus vom Beginn des 15. Jahrhunderts.

Der linke Eingang des Palastes führt auf ein Hofgäßchen hinaus, durch das man zum ehemaligen Sternbergpalast gelangt, in dem heute ein Teil der **Nationalgalerie** untergebracht ist. Das nach einem Projekt des Wiener Architekten Dominik Martinelli errichtete Gebäude gehört zu den bedeutendsten Bauwerken des Hochbarock. Von der architektonischen Ausschmückung des Palastes verdienen Beachtung zwei Deckengemälde von P. Aldovrandini, die den Tod der punischen Königin Dido und die trauernde Arthemis darstellen; interessant ausgestattet ist auch das mit vergoldetem Stuck und farbigem Holz dekorierte Chinesische Kabinett. Im Treppenhaus stehen von Matthias Braun geschaffene Statuen antiker Gottheiten.

78 ★★★

Heute kann man hier Sammlungen alter tschechoslowakischer und fremder Kunst besichtigen. Von den Denkmälern heimischer Kunst ist am berühmtesten die Sammlung gotischer Tafelgemälde sowie geschnitzter Madonnenbildsäulen, die sowohl auf der Weltaustellung in Brüssel als auch später in Paris Aufsehen und Bewunderung erregten. Hierher gehört namentlich der Bilderzyklus des sogenannten Meisters von Vyšší Brod, aus dem an der Südgrenze Böhmens befindlichen Klosterstift Vyšší Brod; er entstand um das Jahr 1360, die Gemälde und die wundervollen Madonnenstatuen um die Mitte des 14. Jahrhunderts, die Kreuzigung stammt aus dem Prager Emauskloster. Ebenso einzigartig sind auch die Tafelgemäldezyklen des Meisters Theodoricus vom Karlštejn und des gleichfalls im 14. Jahrhundert wirkenden Meisters von Třeboň sowie zahlreiche spätgotische Tafelgemälde. Man findet hier jedoch auch klangvolle Namen fremder Künstler: Meister der venezianischen und florentinischen Schule des 14. und 15. Jahrhunderts, Majolikareliefs von Luco della Robbia; man sieht hier Bilder von El Greco,

Murillo und Goya; stark vertreten ist die deutsche Malerschule des 15. und 16. Jahrhunderts durch Cranach d. Ä., Striegel, beide Holbeins, Albrecht Dürer mit seinem berühmten Rosenkranzfest und andere. Es gibt hier Arbeiten der niederländischen Malerfamilie Brueghel, Werke von Rubens, ein Bronzepferd des Bildhauers Adrian de Vries, der mit seinen Statuen den Waldsteinpalast auf der Kleinseite ausstattete, und vieles weitere. Man bewundert hier Rembrandts Rabbiner, den Abraham und Isaak von A. van Dyck, Werke Repins, böhmische Barockmalerei, repräsentiert hauptsächlich durch Karel Škréta, Bildnisse von J. Kupetzky, der für die Kunstwelt eine Entdeckung bedeutet, Bilder von Peter Brandl und V. V. Reiner. Auch Sie werden es nicht bedauern, hier eine oder zwei Stunden verbracht zu haben.

Auf dieser Seite des Platzes Hradčanské náměstí bis zum Gäßchen Kanovnická ulice gibt es noch mehrere größtenteils im Renaissance- oder Barockstil gebaute Kanonikerhäuser, die jedoch nicht bedeutend genug sind, um eine besondere Besichtigung zu rechtfertigen. Erwähnenswert ist das Eckhaus, die Residenz der Herren von Martinice, ein Renaissancebau mit schönem Giebelwerk vom Ende des 16. Jahrhunderts. Von der Kanovnická ulice gelangen wir wenige Schritte weiter zur Straße U kasáren und von hier nach links in die als Neue Welt bezeichnete Gasse Nový svět. Sie bildete in der Vergangenheit eine Vorstadt des Hradschin, mehrmals wurde sie von Stadtbränden heimgesucht, aber jedesmal wieder erneuert. Den ursprünglichen Renaissancecharakter verlor sie durch mehrere Umbauten. Trotzdem ist sie bis auf den heutigen Tag ein romantischer Winkel geblieben — mit einem ungemein behaglichen versteckten Gasthaus. In der Vergangenheit lebte hier das Burgstadtproletariat, Menschen, die sich kümmerlich mit den von der Tafel des Königs und den Tischen des Adels fallenden Brocken ernährten. Es mutet grotesk an, wie sehr in den Häusernamen dieser Armutswelt alles in Gold schwelgt: Zum

Goldenen Greifen (die Behauptung, hier habe Tycho Brahe gewohnt, ist unbestätigt), Zum Goldenen Stern, Zur Goldenen Birne, Zum Goldenen Baum, Zum Goldenen Storch, Zur Goldenen Sonne, Zum Goldenen Lamm, Zum Goldenen Pflug; hier wurde im Jahre 1857 der geniale Geigenvirtuose František Ondříček geboren, den die ganze Welt feierte. An seinem Geburtshause ist eine Gedenkfatel angebracht. Er war auch dadurch berühmt, daß er jedes seiner Konzerte mit der nur auf der G-Saite gespielten tschechoslowakischen Hymne Kde domov můj? (Wo ist mein Heim — mein Vaterland?) abschloß. Er starb auf der Reise nach Mailand, und der Schmerz seiner Frau und Schülerin war so groß, daß sie ihn nicht einmal um einen Monat überlebte. Die Asche der beiden ist auf dem Vyšehrader Friedhof beigesetzt.

Durch die Straße Černínská ulice kommen wir zum Platz Loretánské náměstí. Am Ende dieser Straße steht das aus den letzten Jahren des 17. Jahrhunderts stammende ehemalige Kapuzinerkloster. Zu ihm gehört auch das schlichte, im Jahre 1602 errichtete Marienkirchlein. Früher war die Kirche mit einem Zyklus von vierzehn gotischen Tafelbildern geschmückt, die heute in der Nationalgalerie aufbewahrt werden. Dafür kann man hier die größte Prager Krippe sehen. Die doppelte Dominante des Platzes bilden hingegen zwei bedeutende Bauwerke: der Palast des Außenministeriums und die Loretokapelle. Das Außenministerium hat seinen Sitz im **Czerninpalast,** einem gewaltigen Gebäude mit 150 Meter langer, durch 30 Halbsäulen gegliederter Fassade. Der Palastbau entstand in der zweiten Hälfe des 17. Jahrhunderts nach einem Projekt von Francesco Caratti, und die Steinmetz-, Stukkatur- und Malerarbeiten wurden von italienischen Meistern durchgeführt. Er wurde zweimal renoviert, zuerst die Innenräume durch Fr. M. Kaňka und dann, nach der Bombardierung durch preußische Truppen im Jahre 1757, die Fassade durch Anselmo Lurago. Von der Innenausschmückung ist am wertvollsten das Deckenfreskogemälde von V. V. Reiner, einem Künstler von unerhörter Dynamik, Dramatik und Beschwingheit. Das Thema des Gemälder bildet der Sturz der Titanen.

Der unmittelbar vor dem Palast liegende erhöhte Teil des Platzes ersteckt sich über einem ehemaligen heidnischen Begräbnisplatz und einer uralten Hinrichtungsstätte. Bei Bauarbeiten wurden dort zahlreiche schädellose Skelette gefunden. Der ganze Ort scheint ohnedies von Schreckhaftem erfüllt gewesen zu sein: am Ende der Rampe, vor der linken Seitenfront des Palastes, befand sich bis zur Wende des 18. Jahrhunderts eine Grube, von der es hieß, sie sei hier seit dem Ende der Fürstin Drahomíra zurückgeblieben. Es war jene Fürstin, die ihre Schwiegermutter — die hl. Fürstin Ludmilla, die Großmutter des hl. Herzogs Wenzel, — erdrosseln ließ und die angeblich zur Strafe dafür von der Erde verschlungen wurde.

★★★82 Gegenüber dem Czerninpalais steht die **Loreto-Kirche.** Sie ist eine der Nachbildungen des angeblichen Häuschens von Nazareth, in dem nach dem Evangelium der Erzengel Gabriel die Jungfrau Maria heimsuchte und ihr verkündigte, sie werde die Mutter des Erlösers werden. Die Begebenheiten dieser Santa Casa sind sehr erstaunlich, denn das Haus begann den frommen alten Legenden zufolge seine wunderbare Wanderung zu einer Zeit, als die Ingenieure noch keine brauchbaren Verfahren zum Transport von Gebäuden ersonnen hatten, und zwar ganz konkreterweise in der Nacht vom 9. auf den 10. Mai 1291. Die Wanderung des Baues war recht beschwerlich. Die Engel trugen ihn in der besagten Nacht aus Palästina an eine Stelle bei Rjeka im heutigen Jugoslawien, doch die barbarischen Bewohner des Ortes wußten diese Gunstbezeigung nicht zu schätzen und betreuten das Haus nicht mit der gebührenden Achtung. Deshalb flogen die Engel mit dem Hause weiter, aber nur bis zur Stadt Recanati in Mittelitalien. Auch hier sind genaue Einzelheiten bekannt:

Es geschah am 10. Dezember 1294. Das Haus wechselte noch mehrmals seinen Standort. Schließlich — man schrieb das Jahr 1295 — ließ es sich aber doch dauernd in dem Hain Loreto bei Ancona nieder.

Obwohl so zahlreiche Einzelheiten feststehen und obwohl viele Gläubige bezeugten, das Haus über das Meer fliegen gesehen zu haben, ja, obwohl die Kirche am 10. Dezember das Fest der Übertragung des Gnadenhauses der Allerseligsten Jungfrau feierte, und die ganze Legende durch eine Bulle von Papst Julius II. bestätigt wurde, bemühte sich dessen Nachfolger, Benedikt XV., in die Angelegenheit eine etwas nüchternere Auffassung hineinzutragen. Loreto hatte freilich bereits seine Rolle gespielt. Es besteht sogar eine große Zinnmedaille — beachten Sie sie in den Sammlungen des Nationalmuseums —, die von dem deutschen Graveur Vestner zum 100. Jubiläum geschaffen wurde, und auf der dieser Lufttransport plastisch dargestellt wird: Froh lächelnde Engel tragen das Haus, auf dessen Dach Maria mit dem Jesuskind sitzt und mit Interesse die unter ihr dahinschwindende Landschaft betrachtet. Kurz — die Rolle der Prager Loretokapelle läßt sich nicht mehr aus der böhmischen Geschichte streichen.

Ihre Aufgabe bildete einen Bestandteil des großen Rekatholisierungsprozesses, und sie sollte ebenso wie die Kanonisierung des Johannes von Nepomuk zur Verdrängung der Erinnerung an Jan Hus dienen. Dazu wurden weder Mühe noch Kosten gescheut. Es gibt in der Tschechoslowakei noch Dutzende weiterer Loretokapellen, aber keine von ihnen spielte eine solche Rolle wie die von Prag. Die Nachbildung der Santa Casa von Nazareth wurde in Prag im Jahre 1626 begonnen, also knapp sechs Jahre nach jener Schlacht am Weißen Berge, die über den Sieg der katholischen Partei entschied, und fünf Jahre nach jenem Tage, als am Altstädter Ring die Häupter der aufrührerischen böhmischen Herren unter den Schwertstreichen des Henkers fielen. Giovanni Battista Orsi, der mit der Errichtung des Bauwerkes betraut war, errichtete ein in allen Einzelheiten mit der italienischen Loretokapelle übereinstimmendes Gebäude: einen ebenerdigen Bau ohne Fenster, aber mit zwei Eingängen; weitere italienische Bildhauer schmückten ihn mit Statuen von Propheten und Sibyllen sowie mit Reliefdarstellungen aus dem Leben Mariä und Christi. Erst im Inneren dieses Gebäudes sieht man, sozusagen unter Dach und Fach, die eigentliche Kopie des Hauses von Nazareth. Schon bald nach seiner Gründung griff das Loreto von Prag in die Geschichte ein: die Kapuziner, denen es gehörte, ließen im Mai 1632 durch ihren Klostergarten die Waldsteinschen kaiserlichen Truppen nach Prag ein, die sodann dem Heer des sächsischen Kurfürsten, mit dem auch die böhmischen protestantischen Exulanten nach Prag gezogen waren, eine empfindliche Niederlage zufügten.

Popularität gewann die Prager Loretokapelle auch dadurch, daß sie in ihren Mauern die praktisch am häufigsten angerufenen Heiligen versammelte: Sebastian als Schutzpatron gegen die Pest (während des Dreißigjährigen Krieges war die Bevölkerungszahl Böhmens infolge von Entbehrungen und Seuchen auf ein Drittel zurückgegangen), Appolena gegen Zahnschmerzen, Florian gegen Feuersbrunst, Antonius zum Wiederfinden verlorener Dinge sowie zur Auffindung eines Bräutigams und mehrere weitere.

Die Loreto-Anlage wurde später ausgebaut; 1661 wurde rings um die Santa Casa ein Kreuzgang mit sechs Kapellen und einer Kirche errichtet; es entstanden Räume zur Aufnahme des unaufhörlich anwachsenden Loretoschatzes, der durch seinen finanziellen Wert alle ähnlichen Schatzsammlungen in den Schatten stellte; zuletzt renovierte und erweiterte Kilian Ignaz Dientzenhofer auch die Fassade des Gebäudes und verlieh ihm seine heutige Gestalt. Im Inneren des viereckigen Turmes, der oben in einen achteckigen Ansatz übergeht und durch eine Zwiebelkuppel abgeschlossen wird, ist ein kompliziertes Glockenspiel untergebracht. Es wurde in Amsterdam angefertigt und kostete 15 000 Gulden. In der Loretokirche wurde es im Jahre 1695 aufgehängt. Die 27 Glocken sind so gegossen, daß sie zwei volle Oktaven samt Halbtönen und Terzen bilden. Der Umfang des Glockenspieles umfaßt die ganze eingestrichene sowie einen Teil der kleinen und der zweigestrichenen Oktave. Die größte Glocke ist 63 cm hoch, die kleinste 16 cm. Ihr Spiel wird von einem Uhrwerk gesteuert, das der Prager Uhrmacher Peter Nauman geschaffen hat. Es versetzt allstündlich eine Spielwalze mit Vorsprüngen in Bewegung, die bei der Drehung der Walze Tasten anschlagen und die einzelnen Glocken entsprechend erklingen lassen. Es sind mehrere Spielwalzen vorhanden, so daß je nach den Abschnitten des Kirchenjahres verschiedene Weisen ertönen. Man kann jedoch auf dem Glockenspiel auch freihändig beliebige Kompositionen spielen, und zwar mit Hilfe einer Klaviatur, die einem Orgelmanuale entspricht; zum Anschlagen der schweren Glocken sind statt der Tasten Pedale vorhanden. Verschiedene Künstler haben auf dem Glockenspiel improvisiert, so z. B. Franz von Liszt oder der Komponist der tschechoslowakischen Hymne, František Škroup.

Vom Loretoplatz aus betritt man durch ein dreiteiliges

Portal den Loretohof, in dessen Mitte die Santa Casa steht. Die heutige plastische Ausschmückung besteht aus Kopien. denn die ursprünglichen Skulpturen waren aus Sandstein gehauen, der rasch verwitterte. Das Innere dieser im Halbdunkel gehaltenen Kapelle schmücken Bilder eines Marienzyklus, des gleichfalls eine (1795 von Fr. Kunz gemalte) Kopie des italienischen Loreto bildet. In der Kapelle steht ein Altar mit silbernem Tabernakel und Kristallkreuz. Daneben hängt in einer Nische mit Silbergitter ein aus Dukatengold getriebenes Herz, ebenfalls eine Nachbildung nach Loreto. Außerdem sieht man hier die aus Zedernholz geschnitzte Statue der Schwarzen Madonna von Loreto. Unter der Kapelle ist die Gruft der Adelsfamilie von Lobkowitz, die besonders große Verdienste um die Errichtung und Ausschmückung der Kapelle erworben hat.

Den Hof mit der Santa Casa umgibt ein quadratischer Ambit; auf den ersten Blick bemerkt man, daß er in zwei Etappen errichtet wurde — der ebenerdige Gang zu Beginn des Barock (1634), der Aufbau um mehr als hundert Jahre später. In dem Kreuzgang stehen sechs Kapellen mit 22 Altären, in dem Ambit ist auch die Loretokirche mit der Schatzkammer eingebaut. Den gedeckten Gang schmücken Deckengemälde von durchschnittlichem Handwerksniveau, Illustrationen der sogenannten lauretanischen Litanei. Sie rühren von Felix Ant. Scheffler her. Die 45 Sinnbilder, durch die die Litanei ausgedrückt wird, lassen künstlerische Phantasie vermissen, und die zahlreichen dichterischen und metaphorischen Anrufungen der Mutter Gottes sind sehr primitiv aufgefaßt (so stellt Scheffler etwa den Begriff „elfenbeinerner Turm" durch die Zeichnung eines Elefantenschädels dar). Kunstwert weist lediglich die St.-Franziskus-Kapelle auf, in der der stigmatisierte Heilige auf einem Gemälde von Peter Brandl, einem der größten Meister der böhmischen Barockkunst, erscheint.

Dabei bietet der Ambit dem Beschauer jedoch mannigfaltige Attraktionen. Hierher gehört z. B. der Altar der hl. Kümmernis in der ersten Kapelle rechts vom Eingang, wo an einem Kreuz die Gestalt eines bärtigen Mädchens angeschlagen ist, einer portugiesischen Königstochter, die sich weigerte, ihre Jungfräulichkeit preiszugeben. Als dieser Vorsatz dadurch gefährdet war, daß ihr Vater für sie einen Bräutigam aussuchte, erbat sie sich vom Himmel einen Vollbart, der in einer einzigen Nacht üppig hervorschoß. Von diesem wundersamen Bartwuchs abgestoßen, trat der Freier zurück, der väterliche Wüterich ließ jedoch die bärtige Tochter kreuzigen. Bei Loreto wurde die Situation suggestiv gelöst, indem, die Gestalt am Kreuz mit wirklichem Frauengewand und sogar mit Naturbart angetan wurde. Auch in der an den Ambit anschließenden Loretokirche bemerkt man ähnliche naturalistische Elemente. An den Seiten des Hauptaltars sieht man, in kostbare Gewänder gehüllt, die Gebeine der spanischen Märtyrer Mauritius und Felicissima; auf einem anderen Altar ist eine weitere Heilige beigesetzt, die wegen ihres Liebreizes Anfechtungen ausgesetzt war. St. Agatha entschloß sich für eine radikale Lösung: sie schnitt ihre verlockenden Brüste ab und opferte sie auf einem Tablett dem Himmel. Ihr Bildnis schuf der Maler A. Kern. Das Gemälde mit der Darstellung von Christi Geburt (der die Kirche geweiht ist) über dem Hauptaltar dürfte eine von J. G. Heintsch angefertigte Kopie des berühmten Gemäldes von Raphael sein. Künstlerisch am wertvollsten ist in der Kirche das Deckenfreskobild Darstellung Christi im Tempel. Das Gemälde schafft in feiner Farbgebung eine

vollendete Raumillusion des geöffneten Himmels. Sein Schöpfer ist V. V. Reiner, der bei venezianischen und flämischen Malern in die Schule gegangen war. Die übrigen — von Johann Adam Schöpfel aus Regensburg gemalten — Fresken besitzen, wie auch der Laie bemerkt, erheblich geringeren Kunstwert.

Zum Loretohof gehören zwei Brunnen mit aufeinander abgestimmten Figurengruppen. Die eine davon stellt Mariä Himmelfahrt dar, die andere die Auferstehung. Beide Statuengruppen sind Kopien der ursprünglichen Sandsteinfiguren, an denen, ähnlich wie an der Ausschmückung der Santa Casa, merklich der Zahn der Zeit genagt hat.

Im ersten Stock des Kreuzganges ist der weltbekannte Loretoschatz untergebracht, der nun hinter Spezialglas untergebracht ist, das jenen Teil der Lichtstrahlung abfiltert, der die Exponate beschädigen würde. Wie bereits gesagt, übertrifft diese Schatzsammlung im Hinblick auf den materiellen Wert alle übrigen Kirchenschätze in der Tschechoslowakei. In künstlerischer Hinsicht befindet sich unter den verschiedenen Gegenständen nur eine bescheidene Zahl wertvoller Dinge: Einige Barockkleinodien, ein spätgotisches Andenken, zwei Renaissancestücke und sonst vorwiegend Gegenstände aus dem 17. bis 19. Jahrhundert von nur durchschnittlichem handwerksmäßigem Niveau.

Die etwa dreihundert Gegenstände zählende Sammlung verdient trotzdem bestimmt eine Besichtigung: Das älteste Stück des Kirchenschatzes ist ein fast ein Viertelmeter hoher gotischer Kelch aus stark vergoldetem Silber mit geschmücktem sechsteiligem Fuß und ziselierten Reliefbildern des Fürsten Wenzel, des Bischofs Adalbert sowie der hl. Barbara, der hl. Anna, der hl. Margaretha und des hl. Christoph. Zwei Tafelgemälde der Madonna von unbekannten Autoren gehören der Renaissancekunst an. Hohen Kunstwert weist auch ein Ebenholzkreuz mit meisterhaft geschnitztem Elfenbeinkorpus auf. In der Schatzkammer sieht man sieben

XII

„Prag besitzt für mich eine inspirierende Gewalt.

NIKOLAI VIRTA

XIII

Die moderne Linie aus Glas und Aluminium hoch über romantischem Mauerwerk oder gotischen Fialen wirkt keineswegs störend; von der Brüsseler Gaststätte aus genießt man einen zauberhaften Ausblick auf die Moldau und die steinerne Brandung der Stadt

Monstranzen: die älteste, von der Familie Lobkowitz gestiftete, stammt aus dem 17. Jahrhundert; sie besteht aus vergoldetem Silber und ist mit Korallen sowie 664 Edelsteinen und Halbedelsteinen und außerdem buntfarbigem Glas verziert. Eine weitere Monstranz, die sogenannte Kleine Perlenmonstranz, ist aus purem Gold gefertigt, und ihren Schmuck bilden außer 260 Diamanten große reine Perlen, die zu den schönsten Exemplaren der Welt gehören. Die dritte, die sogenannte Schlehkranzmonstranz, zeigt einen typischen Blätterdekor aus grünem Email und Beerenschmuck aus Korallen und Perlen. Der Teil um den Hostienraum ist kunstvoll getrieben und mit Relieffiguren biblischer Gestalten geschmückt. Die kostbarste Monstranz ist die Diamantenmonstranz, die ihren Namen nach den 6222 Diamanten trägt, die vorwiegend auf den 53 vom Hostienschrein auslaufenden Strahlen eingesetzt sind. Sie ist gleichzeitig ein prächtiges Kunstwerk, und ihr Fuß setzt sich aus allegorischen Gegenständen von verschiedentlicher Bedeutung zusammen: man bemerkt hier einen Erdball mit Drachenleib, Reptilien und Wolken, einen Halbmond mit menschlichem Antlitz, eine Madonnengestalt und vieles andere. Die fast 90 cm hohe Monstranz wiegt 12 kg. Sie wurde 1699 in Wien angefertigt. Aufmerksamkeit verdient auch die fast meterhohe Große Perlenmonstranz, die aus verschiedenen, von den Gläubigen für den Loretoschatz gestifteten Juwelen hergestellt wurde, und mehr als 1000 Perlen und Diamanten vereint. Auf ähnliche Art wurde die Ringmonstranz geschaffen, in deren Mitte man viele Einzelteile von Broschen sowie Ringe und andere Juwelen bemerkt. Sehenswert ist der Lobkowitzkelch, dessen Fuß von Amethysten und böhmischen Granaten bedeckt ist, und die als Hausaltar aufgebaute Krippe, vermutlich ein Werk Augsburger Goldschmiede. Es dürfte interessant sein, den Loretoschatz mit dem in der Hl.-Kreuz-Kapelle (S. 64) auf der Prager Burg aufbewahrten Domschatz von St. Veit zu vergleichen.

Wenn man das Loreto verläßt und nach links an dem behaglichen Gasthaus mit Vorgarten schräg aufwärts längs der Rampe des Czerninpalais hinaufgeht, gelangt man zum Pohořelec (Brandstätte). Der Name läßt erkennen, daß hier Gebäude standen, die im Laufe der Jahrhunderte mehrmals niederbrannten und deren heutige Gestalt keine baulichen Denkwürdigkeiten darstellen, jedoch in ihrer Gesamtheit einen malerischen Anblick bieten. Für den historisch interessierten Besucher seien zwei unmittelbar am Zugang zum Pohořelec stehende Häuser erwähnt: das Eckhaus zur linken Seite, das zu Beginn des 17. Jahrhunderts im Barockstil mit großem Portal und Giebelfassade entstand (Nr. 26), bot eine Zeitlang dem bekannten tschechischen Maler Mikoláš Aleš Obdach. Das gegenüberliegende Haus, das im 19. Jahrhundert umgebaut wurde (Nr. 25), war ein Waisenhaus, und hier kam, wie auch die Gedenktafel besagt, im Jahre 1849 Josef Boleslav Pečka, einer der Gründer der tschechoslowakischen Sozialdemokratie, zur Welt. Der illegal veranstaltete konstituierende Kongreß fand am 7. April 1878 im Gasthaus „Zum Kastanienbaum" in der Bělohorská třída Nr. 201 statt.

Durch die Passage im Hause Nr. 8 oder über die Rampe am linken Oberteil des Pohořelec gelangt man auf den Hof des historischen Klosterstiftes Strahov. Die Rampe führt uns zu dem schönen Barocktor mit der St.-Norbert-Statue von J. A. Quittainer, von dem auch die Reprise desselben Heiligen auf der den Innenhof des Stiftes überragenden Säule stammt. Beide Statuen entstanden um die Mitte des 18. Jahrhunderts. Den Hof umgeben Wirtschaftsgebäude des ehemaligen Klosterstiftes sowie ein Brauereigebäude, das gleichfalls den Prämonstratensern von Strahov gehörte. Links befindet sich außerdem das St.-Rochus-Kirchlein, das Kaiser Rudolf II. zu Beginn des 17. Jahrhunderts als Danksagung für die Abwendung der Pestgefahr von den Toren Prags im Jahre 1599 erbauen ließ. Die gotischen

Fenster des Gotteshauses, das eigentlich schon zu Beginn des Barock entstand, lassen sehr gut den kraftvollen Schwung der Prager gotischen Bautradition erkennen.

Auf der gegenüberliegenden Seite erhebt sich rechts die **Stiftskirche Mariä Himmelfahrt** — Chrám Panny Marie na Strahově —, eine ursprünglich romanische Basilika mit gotischem Querschiff. Sie wurde zu Beginn des 17. Jahrhunderts verlängert und im 18. Jahrhundert durch zwei schlanke Zwiebeltürme ergänzt, die zwar das typische Aussehen böhmischer Dorfkirchtürme haben, aber zu einem untrennbaren Bestandteil der Prager Stadtsilhouette geworden sind. Die Kirche wurde größtenteils im Barockstil umgebaut, die Fassade der Kirche hat der Schöpfer der St.-Norbertus-Standbilder, J. A. Quittainer, um die Mitte des 18. Jahrhunderts neu gestaltet. Auf dem barocken Deckengemälde sieht man in Stuckkartuschen von Palliardi acht große Gemälde aus dem Marienleben von Josef Kramolín und 32 marianische Symbole von Ignaz Raab. Zwölf Wandgemälde von Wilhelm Neunerz über den Arkaden des Seitenschiffes behandeln Episoden der Norbertuslegende. Die plastische Ausschmückung der fünfzehn Altäre schufen größtenteils J. A. Quittainer und I. Platzer, den Bilderschmuck (z. B. der beiden Altäre beim Eingang) Franz Xaver Balko und Michael L. Willmann (z. B. Mariä Heimsuchung oder Christi Geburt). Die Deckengemälde in der Ursulakapelle, in der Hl.-Kreuz-Kapelle der St.-Katharina-Kapelle und in der Pappenheimschen Marienkapelle stammen von dem Strahover Ordenspriester und Maler Siard Nosecký. In der Ursulakapelle werden Reliquien der hl. Ursula und des hl. Norbert aufbewahrt, in der Marienkapelle ist Graf Gottfried Heinrich Pappenheim bestattet, der gleichzeitig mit dem Schwedenkönig Gustav Adolf 1632 in der Schlacht bei Lützen fiel. Von den Kunstwerken der Kirche verdienen außerdem die geschnitzten Kirchenbänke Beachtung; die Ausschmückung des Chorgestühles fertigte J. A. Quittainer an. Auf der Empore erhebt sich die riesige Orgel auf der auch W. A. Mozart spielte.

★★★71 Das **Museum der Tschechischen Literatur** — Památník národního písemnictví —, dessen Eingang sich hinter der Stiftskirche befindet, ist in den Räumen des ehemaligen Prämonstratenserstiftes untergebracht, das selbst durch seine großartige Büchersammlung berühmt war. Dieses alte Klosterstift wurde bereits im Jahre 1140 von Fürst Vladislav II., ursprünglich als geräumiger Holzbau, später als romanischer Steinbau, gegründet. Schon vor achthundert Jahren bildete es eine mitteleuropäische Besonderheit wegen seines kunstvoll angelegten Wasserleitungssystems, und im vergangenen Jahrhundert wurde es wegen der einzigartigen Bibliothek oft sogar von gekrönten Häuptern aufgesucht. Zum Dank für die gastliche Aufnahme schenkte z. B. die Kaiserin Marie Louise dem Klosterstift ein vierbändiges Inventarium der französischen Museen, das auf der Welt nur noch in drei Exemplaren vorhanden ist; alle übrigen Exemplare ließ Napoleon nachträglich vernichten, damit nicht bekannt würde, wieviele Kunstdenkmäler er bei seinen Feldzügen in der Welt geraubt hatte.

Heute ist Strahov wiederum ein europäisches Unikat. Kein Volk in Europa hat die Entwicklung seiner Literatur so übersichtlich und mit solchem Geschmack festhalten können, wie es in diesem Kloster mit uralter Kulturtradition gelang. Es kam hier etwas Einzigartiges zustande, was eben nur in Prag möglich war, wo die Bauten mit den Jahrhunderten weiterwuchsen: Das Schrifttum konnte in jenem Milieu zusammengetragen werden, in dem es entstand. Vorhussitische und hussitische Literatur spricht zu uns in Räumen, die romanische Fundamente und an manchen Säulen gotische Malereien aufweisen oder ein in den Kreuzgang hinausführendes Fenster; sie sind ebenso alt wie das danebenliegende von Leuchtstofflampenlicht beleuchtete Manuskript. Der unermüdliche Abbé Dobrovský, der heimlich hoffte, daß es gelingen möge, den Ruhm der tschechischen Literatursprache zu erneuern, würde seine Schriften in Gemächern erblicken, in denen er mit den Strahover Stiftsbibliothekaren oft und heftig über die Echtheit mancher Handschriften stritt. Und die Schönheit der Schriftstellerin Božena Němcová (bei einer Rundfrage, die einmal in der Tschechoslowakei zum Thema „Welches einzige Buch würden Sie auf eine einsame Insel mitnehmen?" veranstaltet wurde, antworteten die meisten Teilnehmer: Den Großmütterchen-Roman von Božena Němcová!) ist von dem goldfunkelnden Prunk des äbtlichen Salons umrahmt, der jener Zeit angehört, in der sie lebte — auch wenn ihr selbst nur herzlich wenig Glanz und Luxus vergönnt war.

Angesichts der riesigen Säle der ursprünglichen Strahover Bibliothek — die Prämonstratenser hatten eine freisinnigere Einstellung zu Büchern und verbrannten verbotene Schriften nicht, sondern bewahrten sie in besonderen Schränken auf — erstehen vor dem Besucher die toten Buchstaben als fesselnde Historie und leidenschaftliche Kämpfe zu neuem Leben. In vielen davon spürt man heroisches Ringen um die großen Werte des menschlichen Lebens: in den Briefen, die Jan Hus aus Konstanz über das Recht auf die erkannte Wahrheit verfaßte, in Jungmanns unnachgiebig um die von politischer Fremdherrschaft bedrohte eigene Sprache ringenden Wörterbüchern, in Havlíčeks Polemiken mit ihren schneidend scharfen Ausfällen im Kampf um das Recht auf das freie Wort. Von den romanischen Gemächern im Kreuzgang bis zum Sommerrefektorium führt die Wanderung zwischen Handschriften, Wiegendrucken und Briefen großer Geister sowie Buchausgaben tschechischer Literatur, hindurch und bietet uns gleichzeitig einen Rundgang durch das tschechische Schrifttum.

An das Museum des Schrifttums ist die ehemalige Bücherei des Klosterstiftes Strahov angeschlossen. Der ältere Teil und die theologische Literatur sind im Theologischen

Saal untergebracht, dessen Tonnengewölbe Gemälde des Prämonstratensers Siard Nosecký schmücken. Die Buchwerke sind in schönen Barockschränken ausgestellt, im Saal stehen Globusse aus dem 17. Jahrhundert, und in den Vitrinen erblickt man illuminierte Handschriften. Die älteste davon ist ein Evangelienbuch aus dem 9. Jahrhundert. Betrachten Sie aber auch das handgeschriebene Graduale des Jan Václav Šicha vom Beginn des 17. Jahrhunderts, ein sehenswertes Dokument des Volkskunstschaffens. Die Gänge, die den Theologischen Saal mit dem Philosophischen verbinden, bergen die ärztliche und die juristische Bibliothek sowie naturkundliche Bücher. Der Philosophische Saal ist zweigeschossig angelegt und mit einer imposanten Deckenmalerei aus dem Jahre 1794 von Ant. Fr. Maulpertsch, dem bedeutendsten Wiener Rokokomaler, verziert. Im Saale sind Sammlungen schöner, vorwiegend barocker Bucheinbände und wissenschaftliche Bücher in prunkvoll gearbeiteten Schränken untergebracht, die vom Kloster Louka bei Znojmo gekauft wurden. Hier wird auch das bereits erwähnte, von Napoleons Gattin geschenkte Sammelwerk über die französischen Museenschätze aufbewahrt. Die Bücherei Strahov gehört zu den kostbarsten Prager Denkmälern; sie ragt hervor sowohl durch architektonische Schönheit wie auch durch künstlerische Ausschmückung und umfaßt 130 000 Bände, darunter zahlreiche Unikate. Im Museum des tschechoslowakischen Schrifttums wird überdies das literarische Archiv der Bücherei des Nationalmuseums aufbewahrt.

Von manchen Fenstern des Museums aus, zum Beispiel aus den der Schriftstellerin Božena Němcová oder Nerudas und Erbens Werken gewidmeten Sälen, eröffnet sich ein hinreißender Blick auf Prag mit der Möglichkeit schöner Aufnahmen um die Mittagsstunde. Nahezu derselbe Anblick bietet sich dem Besucher von der Terrasse, die sich nur einige Meter tiefer im Erdgeschoß der Klosterbibliothek befindet. Das Restaurant gehört in seiner Art zu den exklusiven

Unternehmen; es heißt Oživlé dřevo, lebendiggewordenes Holz, denn es ist mit mandragoraähnlichen Wurzelgebilden geschmückt, die im böhmisch-mährischen Grenzland von V. Chocholáč gesammelt wurden. Hier ist der Holztorso eines Aktes, unberührt von menschlicher Hand im Wald gewachsen, Vögel und andere Naturplastiken, aber es gibt auch guten Wein, der angesichts des blauenden Panoramas des Goldenen Prag ausgezeichnet mundet.

Vom Restaurant führt der Weg durch den ehemaligen Garten von Strahov, der heute öffentlich zugänglich ist, in die Straße Úvoz. Wir gehen wenige Schritte abwärts und steigen linksseits über die von einem engen Treppenaufgang ausgefüllte Häuserlücke zur Straße Loretánská ulice hinauf. Gleich gegenüber steht eine kleine St.-Barbara-Kapelle mit einem leider mehrfach übermalten Gemälde von V. V. Reiner. Durch die Loretánská ulice gehen wir weiter nach rechts, längs des Hrzanschen Hauses Nr. 9 weiter, das ursprünglich dem Erbauer des St.-Veits-Domes, Peter Parler, gehörte. Heute dient das Gebäude als Repräsentationshaus des Schul- und Kulturministeriums. Wir kommen nun zur Rathaustreppe, die im 15. Jahrhundert angelegt und um die Jahrhundertwende des 17. Jahrhunderts in ihrer heutigen Gestalt umgebaut wurde.

Die Straße führt uns nun auf den Platz vor der Burg — Hradčanské náměstí. Die gesamte linke Platzfront füllt das Toskanische Palais aus, das dem Außenministerium gehört. Über den Balkontüren sind Wappen der Herzoge von Toscana, die seit dem Jahre 1718 Besitzer und Eigentümer des Objektes waren. Die frühbarocken Statuen auf der Attika stammen von A. F. Kitzinger und das St.-Michaels-Standbild an der Ecke des Gebäudes ist von Ottavio Mosta aus dem Jahre 1700. Zur rechten Seite des Platzes bemerkt man das ehemalige Karmeliterinnenkloster, wo der sehr gut erhaltene mumifizierte Körper einer Ordenspriorin, der seligen Elektra (1662), aufbewahrt und gezeigt wurde.

★76 Ein kleines Stück weiter befindet sich das Gebäude des **Heeresgeschichtlichen Museums** — Vojenské historické muzeum —, ein Palais, das ehemals dem Adelsgeschlecht Lobkowitz und schließlich dem Fürstengeschlecht Schwarzenberg gehörte. Es wurde in den Jahren 1543—1563 von dem „Welschen" Augustus aufgeführt als typischer böhmischer Renaissancebau mit Ehrenhof und Sgraffito-Rustika. Die Säle im zweiten Stockwerk haben Deckenmalereien mit Darstellungen antiker Gottheiten und allegorischen Gestalten in grotesker Umrahmung: Phaeton, Jupiter und Juno, der Schiedsspruch des Paris, der Raub der Sabinerinnen, der Fall Trojas und der den Anchises aus den brennenden Trümmern Trojas wegschleppende Aeneas sowie schließlich im vierten Saal Chronos, der die Persephone aus der Unterwelt hinaufführt. Das Museum zeigt sehenswerte Andenken an die Entwicklung des Kriegswesens seit den Hussitenkriegen bis zum Ende des ersten Weltkrieges.

Am Rande des kleines Parkes, der die Mitte des Platzes ausfüllt, erhebt sich eine Pestsäule, die im Jahre 1726 zur Danksagung für die Abwendung der Pestgefahr aufgestellt wurde. Die Madonnenstatue und die acht Heiligengestalten auf dem Geländer und auf den Pfeilern des Obelisken sind Werke F. M. Brokoffs.

Von dem Platz aus kann man entweder über die Burgrampe in den Burggarten Rajská zahrada — Paradiesgarten — und von hier über eine Treppe zum dritten Burghof gelangen, oder man wählt den klassischen Weg durch das Haupttor (29) mit den Platzerschen Gigantenstatuen über den ersten Burghof und durch das Matthias-Tor zum zweiten Burghof mit dem Brunnen und der Hl.-Kreuz-Kapelle (30), in der der St.-Veits-Domschatz aufbewahrt wird, sodann durch die Tordurchfahrt zum Veitsdom (31) und auf den dritten Burghof mit dem alten Königspalast (32) sowie zur Georgskirche (S. 56—93).

Durch das abschüssige Gäßchen Jiřská ulice an der

Seitenfront der Georgs-Basilika hinabgehend kommt man zu einer Freitreppe, die an dem Alchimistengäßchen endet. Die Nordseite dieses winzigen Gäßchens bilden verschiedenfarbige Miniaturhäuschen verschiedenen Alters, ebenerdige, unmittelbar auf den Befestigungsmauern, die ihre Ausmaße bestimmten, errichtete Bauten. Zunächst besuchen wir jedoch am Ende der Gasse den Turm Daliborka.

Der Burgturm **Daliborka** war als Kerker für besonders schwere Fälle bestimmt. Seinen Namen erhielt er nach dem ersten Insassen, dem Ritter Dalibor von Kozojedy, der auf seinen Gütern die rebellischen Leibeigenen eines anderen Adeligen aufgenommen hatte. Das feudale Landesgericht entschied, daß sich Dalibor des ärgsten Vergehens gegen die Landesordnung schuldig gemacht habe, indem er sich der aufrührerischen Untertanen angenommen und dadurch das freie Verfügungsrecht des Adels über die Leibeigenen gefährdet und verletzt habe. Nach dem Beschlusse des Gerichtes wurde Dalibor im Jahre 1498 auf dem anliegenden, zum Burggrafenamt gehörenden Hofe enthauptet. Es wird erzählt, Dalibor habe sich die Haft in dem grauenhaften Kerkerverlies durch Geigenspiel verkürzt, und Bedřich Smetana bezog aus dieser Sage den Stoff zu seiner Festoper Dalibor. Der Burgturm Daliborka schließt als am weitesten vorgeschobener Punkt das Burgareal am Ende des Alchimistengäßchens über dem Hirschgraben ab. 88

Das **Alchimistengäßchen** (auch Goldmachergäßchen bzw. Goldenes Gäßchen genannt) — Zlatá ulička — gehört zu den meistbesuchten Stellen der Prager Burg. Es zählt mehr Besucher als der Veitsdom und mehr als der Spanische Saal. Was lockt nun all die vielen Tausende in das winzige Gäßchen mit den achtzehn primitiven Häuslein? Ein Mißverständnis, eine Illusion, — etwas, was es weder gibt, noch jemals gab! Aus der ganzen Welt kommen Leute hierher, um jene Stellen aufzusuchen, wo die Alchimisten angeblich versuchten, den Stein der Weisen, das Lebenselixier und vor allem Gold herzustellen. 89★★

DAS GOLDENE GÄSSCHEN

Seit mehr als vierhundert Jahren besteht bereits das Goldene Gäßchen, und obwohl die Legende so manches darüber berichtet, war es in Wirklichkeit stets ein Elendswinkel. Die ersten kleinen Behausungen erbaute sich in den Nischen der Burgmauerbögen das Kleinseitner Proletariat nach dem großen Stadtbrand im Juni 1541, der gleichfalls die Prager Burg heimsuchte. Damals fanden hier auch mehrere kleine Goldschläger Zuflucht. Nach ihnen erhielt die Straße den Namen Zlatnická (d. h. Goldmachergäßchen), den sie bis zum Ende des 18. Jahrhunderts behielt, obwohl dort später keine Goldschläger mehr, geschweige denn Goldmacher wirkten. Die hölzernen Anbauten unter den Bögen der Burgmauer teilte Rudolf II., gerade jener Herrscher, der als größter Gönner der Alchimisten bekannt ist, seinen Burgwächtern zu. Es waren nur vierundzwanzig Bögen, und obwohl der hier geschaffene Wohnraum unvorstellbar klein war, wohnten in dem neuen Gäßchen bald rund hundert Menschen. Zu viert und zu fünft lebte sie in Räumen, die knapp sechs bis acht Quadratmeter maßen, je nachdem, wie weit der Anbau in die Straße hinausreichte. Erfinderische Volksbautechnik fügte dann bei manchen dieser Kleinbauten noch ein erstes Stockwerk hinzu, das jedoch so niedrig war, daß es die Benützung nur liegend, also als Schlafraum, erlaubte. Dies geschah freilich erst später, als die Burgwacht nicht mehr hier wohnte, — zu einer Zeit, wo dieses Armengäßchen wenigstens durch eine solche Einrichtung, wie es ein Abort war, ergänzt wurde. Es gab allerdings nur einen einzigen für das ganze Gäßchen, und so versahen die findigen Bewohner die Burgmauer, die ihre Wohnnester vom darunterliegenden Hirschgraben trennte, mit Fensterluken bzw. Ausgußlöchern. Es ist nicht erstaunlich, daß die hohe Mauer des Hirschgrabens bald stark verschmutzt war und daß auch die Hirsche und anderes in dem Gatter gehaltenes Wild infolge der infizierten Äsung oft erkrankte. Auch wenn unter Maria Theresia den Bewohnern des Goldenen Gäßchens, um die Feuersgefahr einzudämmen, vorgeschrieben wurde, ihre hölzernen Behausungen durch gemauerte oder wenigstens verputzte zu ersetzen, stand dieser Ort stets in schroffem Gegensatz zur üppigen Pracht des königlichen Palastes.

In der historischen Vergangenheit des Gäßchens würde man unter den Bewohnern zwar Gestalten finden wie den Dichter Jaroslav Seifert oder die Kartenlegerin Prošková, die statt ihres schlichten Namens die Firma Madame de Thèbes angenommen hatte, und sogar einen Zirkusbesitzer, dessen einzige Tierattraktion weiße Mäuse bildeten — doch niemals findet man einen Alchimisten darunter. Dennoch ist es ein anmutiger Winkel der Stadt Prag. Jedes Häuschen ist anders verputzt, alle zusammen sehen munter aus und erinnern mit ihren Miniaturfenstern an Lebkuchenhäuschen. Man sieht alte Möbelstücke und altes Geschirr, und für besonders erpichte Anhänger der Legende ist hier sogar eine Alchimistenwerkstatt errichtet worden. Jetzt bildet das ganze Gäßchen eigentlich ein Museum, und es wird von niemand mehr bewohnt. Heute sind hier Verkaufsstellen für Souvenirs, und Philatelie, ein Buchantiquariat usw. untergebracht.

Wo aber wirkten nun eigentlich die Alchimisten? Sie hatten ihre Laboratorien in allen Winkeln des rudolfinischen Prags, einige davon befanden sich sogar unmittelbar auf der Burg, jedoch nicht hier im Alchimistengäßchen, sondern ein kleines Stück weiter, in den Häusern der Vikářská uličká, dicht an der St.-Veits-Kathedrale. Wir verdanken ihnen so manche Liköre und Destillate, Tinten, Farben, Seifen, Riechwässer und auch einige Arzneien; sie ersannen auch die Lebensmittelkontrolle und befaßten sich sogar mit etwas, was uns heute nicht gelingen will: mit dem Versuch, Haarwuchsmittel herzustellen, die bei Kahlköpfigkeit neuen Haarwuchs bewirkten. Nur Gold stellten sie nicht her. So manche von ihnen resignierten und wirkten weiter als ausgezeichnete Köche, denn sie hatten Phantasie, wieder andere endeten im Gefängnis. Betrüger größeren Kalibers kamen bis an den Hof Kaiser Rudolfs II., wie etwa der Engländer John Dee, der die Sprache der Vögel zu verstehen vorgab, und zu dessen Kenntnissen die jener Sprache gehörte, mit der sich Adam und Eva im Paradies verständigten. Er scheint aber viel eher ein englischer Agent als Alchimist gewesen zu sein, worauf die Hartnäckigkeit, mit der er sich an Rudolfs Hofe zu behaupten strebte, sowie seine häufigen Besuche bei Königin Elisabeth von England schließen lassen. Aus demselben Holze war auch sein Nachfolger und Landsmann Eduard Kelley geschnitzt, dem man schon in England wegen Urkundenfälschung beide Ohren abgeschnitten hatte. Allein sein abenteuerliches Leben in Prag, bei dem er überdies noch beide Beine brach, wäre einen Roman wert. Ihm gehörte das bekannte Faust-Haus (S. 238) am Karlsplatz in der Prager Neustadt. Geheime Alchimie wurde auch im Thomaskloster auf der Kleinseite betrieben, doch steht fest, daß die Mönche viel eher von dem Bier, für das in

Böhmen stets Interesse bestand, reich wurden als vom Gold. Verargen Sie mir also bitte nicht, wenn ich Sie — falls, Sie sie hegten —, einer Illusion beraubt haben sollte, und lassen Sie sich zum Weitergehen einladen.

Zwischen dem Ende des Alchimistengäßchens und der Jiřská ulice (Georgsgäßchen) steht die ehemalige Residenz der Obersten Burggrafen, die 1963 in ein **Haus der Tschechoslowakischen Kinder** — Dům československých dětí — umgestaltet wurde. In sein Areal in der romantischen Nachbarschaft des Schwarzen und des Weißen Turmes wurde auch der Turmbau Daliborka einbezogen. Die zum Burggrafenamt gehörenden Bauten wurden durch die nunmehrige Umgestaltung zu einem 22 Räume umfassenden Komplex verbunden. Man kommt durch ein gläsernes Atrium in einen freundlichen Speisesaal mit Büfett, dessen Ausschmückung eine große Kosmonauten-Mosaik bildet, weiter in einen Musiksaal mit Anlage für Stereowiedergabe, der auch für verschiedene Musik- sowie Gemeinschaftsprogramme bestimmt ist, ferner in einen Theatersaal, eine Bücherei mit Lesehalle, ein Kabinett für bildende Kunst, in dem die Kinder ihr Talent an Staffeleien probieren können, einen Ausstellungssaal usw. Die Ausstattungsergänzungen, Glas, Teppiche und Gobelins sowie die Möbelstücke wurden eigens für diese Räume hergestellt. Es gelang, recht glücklich die historischen Andenken mit der modernen Architektur zu verbinden und ein wundervolles Milieu hervorzuzaubern, das die empfängliche kindliche Psyche stark beeindruckt. In diesem Raume werden auch Treffen tschechoslowakischer Kinder mit ihren ausländischen Freunden veranstaltet, im übrigen dient es ausschließlich den Kindern — Erwachsenen ist der Zutritt verwehrt.

Durch die Toreinfahrt im sogenannten östlichen Burgtor kommt man auf die Artilleriebastei hinaus, die einen zauberhaften Ausblick auf Prag gewährt. Zu den Straßen der Stadt gelangt man durch die Kleinseitner Palastgärten

90★

91 (Seite 94) oder über die **Alte Schloßstiege** auf den Klárov-Platz hinab. Von dort kann man mit der Straßenbahn 7, 20 oder 22 ohne Umsteigen zum Wenzelsplatz zurückkehren.

ƒ

Die Musikstadt Prag

Spaziergang nach eigener Wahl: 5 oder auch 20 Kilometer

DIE DENKWÜRDIGSTEN ORTE

★★	37 —	Nationaltheater
★★	64 —	Smetana-Museum
★★	77 —	Musikinstrumentenmuseum
★★★	28 —	Nikolauskirche, Barockbau mit bemerkenswerten Fresken
★★★	97 —	Waldsteinpalast mit Salla Terrena, im Garten Kopien von de Vriesschen Statuen
★	99 —	Thomaskirche, Barockumbau mit Gemälden von Reiner
★	95 —	Haus der Künstler — Rudolfinum
★	41 —	Tyl-Theater, in dem die Uraufführung von Mozarts Don Giovanni stattfand
★★	3 —	Gemeindehaus, Sezessionsbau mit Smetana-Konzertsaal und reicher künstlerischer Ausschmückung
★★	100 —	Heinrichskirche mit freistehendem gotischem Turm und wertvollen Gemälden
★★	98 —	Musiktheater mit Wunschkonzert

Besonders lohnende Ausflüge:

★★	81 —	Bertramka, W.-A.-Mozart-Gedenkstätte zur Erinnerung an Mozarts Prager Aufenthalt
★★	65 —	Dvořák-Museum, im Michna-Schlößchen Amerika; unweit von hier das aus Hašeks Roman vom Braven Soldaten Schwejk bekannte Gasthaus U kalicha — „Zum Kelch" (103) und die berühmte Kirche am Karlov mit ihrer kühn geschwungenen Kuppel
★	103 —	Das aus den Abentenern des Braven Soldaten Schwejk bekannte Wirtshaus U kalicha (Zum Kelch)

„Armselig sind Menschen ohne Erinnerungen, armselig sind Städte ohne Geschichte. In jahrhundertealten von der Maiensonne und dem menschlichen Atem erwärmten Steinen liegt jedoch Gewähr für Unsterblichkeit; in der Arbeit, in der Kunst, in den Kindern und in uralten Denkmälern. Daran gemahnt das traute Prag seine Besucher auch hier, im Alchimistengäßchen, und dafür ebenso wie für vieles andere empfinde ich das Bedürfnis, immer wieder von neuem zu danken."

ILJA EHRENBURG

XV

Stein, Metall und Holz, belebt durch wärmende Schönheit auf einer der zahlreichen Prager Ausstellungen

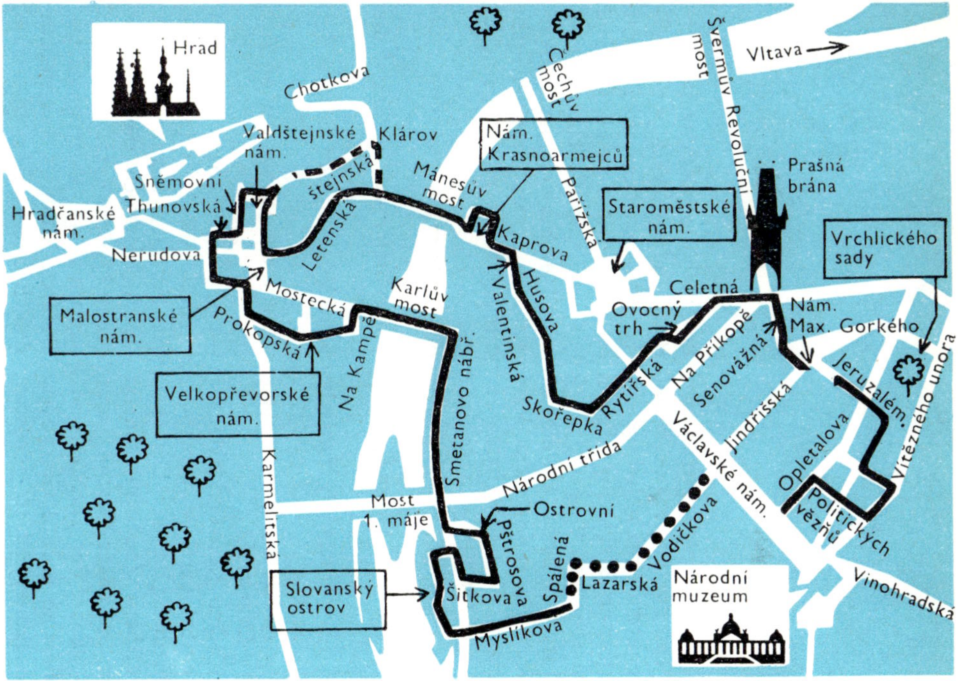
Hrad
Chotkova
Vltava
Švermův most
Revoluční
Čechův most
Prašná brána
Nám. Krasnoarmejců
Staroměstské nám.
Vrchlického sady
Valdštejnské nám.
Klárov
Sněmovní
Thunovská
Hradčanské nám.
Nerudova
Valdštejnská
Letenská
Mánesův most
Kaprova
Pařížská
Celetná
Ovocný trh
Nám. Max. Gorkého
Malostranské nám.
Mostecká
Prokopská
Karlův most
Valentinská
Husova
Na Příkopě
Senovážná
Jeruzalém.
Vítězného února
Velkopřevorské nám.
Na Kampě
Smetanovo nábř.
Skořepka
Rytířská
Jindřišská
Opletalova
Václavské nám.
Národní třída
Most 1. máje
Ostrovní
Pštrosova
Politických vězňů
Vodičkova
Karmelitská
Spálená
Lazarská
Národní muzeum
Vinohradská
Slovanský ostrov
Šitkova
Myslíkova

Est ist nicht ganz einfach und auch nie ganz ungefährlich, wenn man in Prag etwas mit Musik anfängt. Wie in dem bekannten Märchenschloß aus Kristall geht es zu: Bei der leisesten Berührung beginnt es unaufhörlich zu klingen und zu schallen. Prag ist für jeden Ton empfindlich wie eine gespannte Saite; auf eine einfache Melodie erklingt als Antwort ein sinfonischer Widerhall. Und man braucht nicht einmal eine Eintrittskarte zu lösen, wenn man ein solches Prager Orchester hören will:

Schwermütige Cellomelodien erklingen von den Moldaudämmen

Mit Schlagzeug- und Fanfarenstimmen ertönen die Turmuhren

Flötenstimmig zwitschern die Vögel in den Gärten der Städt

Als zarte Streichmusik säuseln die Lindenkronen der Uferstraßen

Den Konzertklavierpart — oder ist es nicht eher ein Cembalopart? — versehen siebenundzwanzig Glocken, die allstündig in der Loreto-Kirche ihr Lied anstimmen. Mit welchem Zauberinstrument läßt sich jedoch die Fontäne im Belvedere-Garten vergleichen? Meister Jaroš aus Brno — jener, der auch die im Hauptturm des Veitsdomes befindliche größte Glocke von Böhmen schuf — hat sie aus Glockenmetall so gegossen, daß Bronzeknaben in einem melodischen Tonfall in das Becken hinabpissen. Die Wassertropfen lassen das Metall erklingen, und die Leute kommen ebenso gern her, um dem Lied der Fontäne zu lauschen, wie früher die böhmischen Königinnen. Es ist nur schade, daß nicht auch die Prager Häuser erklingen können. Jenes mit der Mozartgedenktafel am Alten Kohlmarkt — Uhelný trh — würde vielleicht ein Menuett trillern, ein anderes, in der Lázeňská ulice — der Badegasse auf der Kleinseite — würde dann aus Beethovens Werken präludieren.

Und doch gibt es eine Musik, die ständig durch Prag schallt, auch wenn die Steine schweigen. Es ist Smetanas Musik. Seine geliebte Stadt hat sich mit ihr so innig verbunden und sie so vollendet aufgenommen, daß man sich Prag ohne sie nicht mehr vorstellen kann. Auf dem Gipfel des Vyšehrad werden zum zärtlichen Geflüster der Verliebten ständig die Harfenakkorde der Seher ertönen, die der Prager Rundfunk als Pausenzeichen erwählt hat; und die Moldau werden wir nie wieder anders rauschen hören als in der Dur-Tonart, obwohl die Talsperren stromaufwärts ganz revolutionär das Antlitz des Flusses verändert haben. Denn Prag gehört ebensosehr Smetana, wie Smetana Prag gehört hat. Durch ihre Vergangenheit, ihre Größe und ihre Schönheit hat die Stadt ihm das ganze Land — sein Vaterland — verkörpert. Und es ist kein Zufall, wenn wir auf der Partitur zu seinem bedeutendsten Werke „Mein Vaterland" folgende Widmung lesen können: „Zugeeignet der königlichen Hauptstadt Prag".

So besuchen Sie etwa das **Smetana-Museum** am Moldauufer vor der Karlsbrücke, ein mit Sgraffitos geschmücktes Gebäude, das sich im Flusse spiegelt, und betrachten Sie, was dort mit vieler Liebe zusammengetragen wurde. Dank dem Umstand, daß Smetana selbst sorgfältig alle Dokumente, Skizzen und Theaterprogramme aufbewahrt hat, findet man hier eine Fülle von Andenken an sein Leben und Wirken. Das vierte Zimmer hält den letzten Akt der Tragödie im Leben des Meisters fest — die Periode der

64★★

Taubheit. Hier steht der schwarze Flügel, den Smetanas Finger berührten, in den Glasschränken ruhen die Manuskripte seiner Werke „Der Kuß", „Ein Geheimnis", „Aus meinem Leben" und „Mein Vaterland", Partituren und auch Zettel mit skizzierten Einfällen, die er sodann musikalisch ausdrückte. Das Museumsgebäude ragt weithin sichtbar in den Fluß hinaus, und die Moldau umströmt es von drei Seiten. Kommen Sie, wenn Sie wählen können, am besten im April oder im Mai. Durch die geöffneten Fenstern wird Ihnen der Hauch des Prager Frühlings entgegenströmen — verlockend mit dem zarthellen Grün der Saalweiden, den weißschimmernden Schwingen der Lachmöwen und der Moldau mit den schaumgekrönten Wehren. Dort unten braust ihr Lied nach Smetanas Weisen. In Smetanas Nachlaß befindet sich auch nicht ein einziger Beleg dafür, daß ihm die Stadt Prag ihren Dank für die Widmung seines Werkes „Mein Vaterland" abgestattet hätte. Damals wußten die Ratsherren mit ihren Krämerseelen wohl kaum die Größe dieses Geschenkes zu schätzen. Erst das Prag von heute stattet Smetana diese Schuld ab. Ihm allein, und niemand anderem, nur seiner Tondichtung „Mein Vaterland" ist jedesmal der feierlichste Abend der Musiksaison gewidmet: die Eröffnung des „Prager Musikfrühlings".

Kaum jemand wird sich erinnern können, wie es eigentlich kam, daß er heute einen Bestandteil der im Lenz erblühenden Stadt bildet. Seine Anfänge waren bescheiden Die Tschechische Philharmonie faßte 1946 den Beschluß, ihr fünfzigjähriges Bestehen durch Veranstaltung eines Musikfestivals zu feiern. Doch wie wir bereits sagen, ist es stets gefährlich, in Prag etwas mit Musik anzufangen. Es blieb nicht bei einigen Konzerten und auch nicht bei einer Festwoche und nicht bei einigen Gästen aus dem Auslande. Heute fliegen aus der Tschechoslowakei und aus dem Auslande Musikanten wie Schwalben nach Prag zusammen, und die Anzeigenflächen an den Straßenecken vermögen kaum all die buntfarbigen Konzertanzeigen zu fassen. Das riesige weiße „f" auf blauem Grund, weitaus mehr einem Violinschlüssel als einem Buchstaben ähnlich, beherrscht dann alljährlich Prag und erfüllt die Stadt mit einer Flut von Tönen nicht weniger hinreißend als die vom Frühling geschwellten strömenden Gewässer.

Vor dem Prag als üppige Frauengestalt darstellenden Mosaikbild am Repräsentationshaus der Stadt Prag (S. 18) am Ende des Grabens beim Pulverturm flattert die blaue Flagge des Festivals und rings um sie die Flaggen zahlreicher Nationen. Über die festlich beleuchtete Treppe hinauf eilen Scharen festlich gekleideter und von Erregung erfaßter Menschen. Der Dirigent hebt den Taktstock, es erschallen Harfen mit dem Sehermotiv aus Smetanas Vyšehrad. Unter den Trauben der Saalleuchten lauschen weiße, gelbe, schwarze Zuhörer, man bemerkt darunter oft die besten Musiker, Tondichter und Dirigenten, die die Welt kennt. Sie sind nach Prag gekommen, wie schon viele vor ihnen. Wenn all die Berühmten, die hier schon in der Vergangenheit auftraten, komponierten oder dirigierten, auf einmal erscheinen könnten, so würde dieser riesige Saal nicht ausreichen. Es wäre eine Galerie der größten Musiker der Welt, und das, was sie sagen würden, woran sie sich erinnern würden, wären inbrünstige Worte der Zuneigung zu Prag.

Wolfgang Amadeus Mozart kam im Januar 1787 zum erstenmale nach Prag und verliebte sich in die Stadt, kaum hatte er die Postkutsche verlassen. Welch ein Unterschied im Vergleich zum kühlen, überheblichen Wien, wo all die Herrschaften die Nase über seinen Figaro rümpften und ihm vorwarfen, das Werk sei „zu italienisch" geraten! Schon am Abend nach seiner Ankunft bemerkte er beim Ball im Bretfeldschen Hause (heute Nerudova ulice Nr. 33 auf der Kleinseite), wie fröhlich die Menschen zu seinen Melodien tanzten und hüpften, wie sogar die Lehrlinge auf den Straßen seine Arien pfiffen. Hier schwang Musik in der Luft, sie umgab wie Blütenduft die Kleinseitner Paläste, und überall, in den Schulen, auf den Chören der Kirchen, in den Handwerkervereinen, in den Schenken, allenthalben wurde gespielt. Und so gespielt, wie es Mozart gern hatte. Mit ganzer Seele.

Wollten wir Sie an alle Stellen führen, die Mozart von früh bis in die Nacht in Prag aufsuchte, so würde es lange dauern. Wenigstens einige davon: Er wohnte zuerst beim Grafen Thun, mit dem ihn außer der Musik auch gemeinsame Sympathien zum Freimaurertum verbanden. Und nur nebenbei gesagt: der Graf hatte für diese Sympathien nie im Leben zu büßen, aber den Musikanten Mozart kosteten sie die Gunst des Wiener Kaiserhofes, und ihretwegen konnte er sein ganzes Leben hindurch keine sichere Stellung erlangen. Heute ist im Thunschen Palast (Barockbau in der Thunovská ulice 14) die britische Botschaft untergebracht, und sein wundervoller, über mehrere Terrassen bis dicht an die Burg ansteigender Garten ist nicht zugänglich. Dafür kann man im Universitätsgebäude des Clementinums die kostbaren Wiegendrucke, illuminierte Bibeln und die ersten Notenaufzeichnungen betrachten, die dem hingerissenen Mozart ein anderer Freimaurer zeigte, der Angehörige der Prager Loge „Zu den Drei gekrönten Säulen", der Prämonstratenser und Bibliothekar Karl Raphael Ungar. Dann kann man zur Kirche von Strahov (auf dem Hofe des Stiftes Strahov, beim Museum des tschechischen Schrifttums) hinaufgehen, wo Mozart Orgel spielte; doch wird man weniger Erfolg haben, wenn man den Prager Wirtshäusern nachgehen wollte, wo er manchen Becher Wein geleert hat. Der Weinkeller in der Templová ulice, wo er beglückt und sorglos am hölzernen Tisch seine musikalischen Einfälle niederschrieb, besteht nicht mehr. Vom Gasthaus am Carolinum ist nur noch die Weintraube an der Mauer übriggeblieben, und auch heute rufen die prallen steinernen Beeren noch die Vorstellung eines guten vollen Weines hervor, der damals unter diesem Zeichen ausgeschenkt wurde. Auch in der Celetná ulice würde man vergeblich nach dem Hotel „Zum Goldenen Engel" forschen, in dem Mozart wohnte. Der goldene Engel schwebt zwar auch heute noch an der Hauswand, doch Hotel und Weinschenke sind längst dahingeschwunden.

Beim „Goldenen Engel" machte Mozart die Bekanntschaft eines böhmischen Musikanten, des Harfenspielers Heisler, der in Gasthäusern aufspielte. Heisler war zwar nicht der Noten und der Lehre von Harmonie und Kontrapunkt kundig, spielte jedoch auf eine solche Art, daß Mozart ihn in sein Zimmer einlud. Er führte ihn ans Piano und spielte ihm ein Thema vor. Dann forderte er seinen Gast auf, eine Variation dazu zu ersinnen. Nach kurzem Nachdenken ließ sich Heisler das Thema noch einmal vorspielen und begann dann zu improvisieren. Dieses Thema spielte Heisler später in den Wirtshäusern; jemand zeichnete es auf, und so blieb es bis auf unsere Tage erhalten — auf alle Zeiten mit dem Namen des tschechischen Harfenspielers verbunden. Andere, die Andenken an Mozart wie Kleinodien sammeln, fanden sogar Heislers Bildnis, eine Lithographie mit der tschechischen Unterschrift „Josef Heisler, achtzigjährig (1834), Thema andante von Mozart".

Für Prag, für sein Ständetheater, das heutige **Tyl-Theater** in der Rytířská ulice, schrieb Mozart seinen Don Giovanni, der schon seit 200 Jahren im Opernrepertoire der Welt weiterlebt. Am anderen Ende der Straße, dort, wo sich seine Gedenktafel an dem Eckhaus „Zu den Drei Goldenen Löwen" (Uhelný trh) befindet, wohnte er auch,

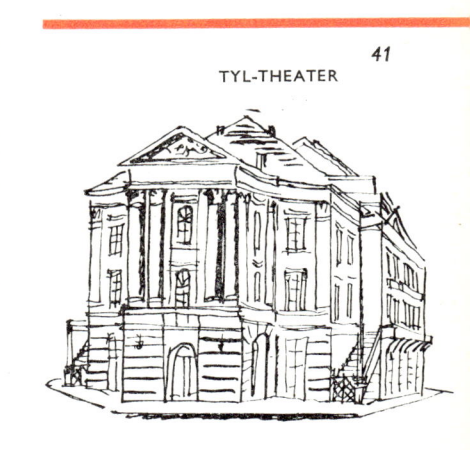

TYL-THEATER

doch hat er die unsterbliche Oper nicht hier geschrieben. Sie entstand im Sommerhaus des Musikerehepaares Dušek auf der **Bertramka,** weit entfernt vom Zentrum Prags, in Smíchov, heute Mozartstraße Nr. 2. In der Bertramka komponierte er nicht nur den Don Giovanni, sondern er beendete dort auch seine zur Krönung Kaiser Leopolds II. im Jahre 1791 bestimmte Oper „Titus". Obwohl der weitere Umkreis dieser Stätte von den Sinfonien des 20. Jahrhunderts erfüllt ist — Smíchov ist ein Industrieviertel mit großem Güterbahnhof, dröhnenden, schallenden und stampfenden Industriewerken, Straßenbahnen und Kraftwagen — hat sich die nahe Umgebung des Landhauses unverändert ihren malerischen Reiz wie zu Mozarts Zeiten bewahrt.

Im Bertramka-Garten schwingen im Sommer wie zu den tänzerischen Klängen eines Menuetts blaue Glockenblumen, und die Bienen summen unbeirrt ihr Andante amoroso. Man hat den Eindruck, daß es genügen müßte, die Treppe zum ersten Stockwerk der Villa hinaufzusteigen, damit dort eine Dame mit üppigen, gepuderten Locken die Glastür öffne. Sie wird uns ebenso freundlich zum Weiterkommen einladen, wie sie Mozart und auch Casanova einlud, der in Böhmen seine wirklichen oder erdachten Abenteuer — wer mag es wissen? — verfaßt hat. Und wir begrüßen Josephine Dušková, diese bezaubernde Frau, treten ein und fragen, so wie ihre Gäste fragten: Ist unser Amadeus zu Hause? Die Frau des Hauses führt uns in die beiden Eckzimmer; eines davon hat fröhlich bemalte Deckenbalken. Am weißen Spinett erhebt sich ein Mann mit kindlich treuherzigem Antlitz, in blauem Frack mit vergoldeten Knöpfen.

Das Cembalo und das Klavier vor uns sind jene, auf denen Mozart spielte, und auch die Einrichtung stammt aus Mozarts Zeit, obwohl nicht alles unmittelbar aus der Bertramvilla erhalten geblieben ist. Nehmen Sie abends unter dem sternbedeckten Firmament Platz, und bevor das Orchester auf dem Podium im Garten seine Instrumente zur Kleinen Nachtmusik gestimmt hat, wird Ihnen möglicherweise die Dämmerung eine Begebenheit zuflüstern, die auch zur Historie des Don Giovanni gehört, wiewohl sie nicht immer in den Lehrbüchern enthalten ist: es waren nur noch wenige Tage bis zur Premiere des Don Giovanni, und der verzweifelte Direktor bemühte sich vergeblich, von Mozart die Ouvertüre zu erhalten. Der Komponist hatte eine Unzahl von musikalischen Einfällen, ließ sich aber nicht dazu bewegen, sie auf dem Papier festzuhalten. Es drohte ein Skandal, und deshalb sperrte die energische Josephine eines Abend Mozart in seinem Zimmer ein, mit dem Bemerken, er würde erst nach Beendigung der Ouvertüre wieder herausgelassen werden. Angeblich gingen die Freunde die ganze Nacht unter dem Fenster auf und ab und überzeugten sich, daß bei Mozart noch Licht war und daß er also auch schrieb. An Stangen wurde ihm ein Korb mit Speisen und einer Flasche Mělníker Wein hinaufgereicht. Es ist uns nicht bekannt, ob alles an dieser Erzählung ganz wahr ist. Eines steht jedoch fest: Mozart gab die Ouvertüre tatsächlich erst am Tage der Generalprobe vor der Vorstellung ab; noch feucht wurden die eilig angefertigten Abschriften an die Musiker verteilt; es waren solche Virtuosen, daß sie die Musik bei der Premiere vom Blatt spielten, und noch dazu so wundervoll, daß das Theater vor Begeisterung brandete. Es trifft auch zu, daß Mozart später immer wieder sagte: „Mein Orchester ist in Prag".

In Prag hatte er auch seine aufgeschlossenen, liebenden und begeisterten Zuhörer — und nicht in Wien, das ihn nahezu Hungers sterben ließ. Und so geleitete ihn dort auch nur eine kleine Schar allernächster Freunde auf seinem letzten Weg. Er wurde in einem Armengrab auf dem St.-Marxer-Friedhof beigesetzt; und bis zum heutigen Tage weiß man noch nicht genau, wo dort seine letzte Ruhestätte ist. Hingegen wurde Prag von leidenschaftlichem Schluchzen erschüttert. Geradezu einer Massenkundgebung

BERTRAMKA

glich die Versammlung von viertausend Menschen, die wenige Tage nach Mozarts Tod die Nikolauskirche auf der Kleinseite anfüllten. Auf der Empore sang Josephine Dušková das Solo des Requiems — für den verstorbenen Freund und nunmehr unsterblichen Künstler. Wien kam mit seinem Requiem erst fünfzig Jahre später.

In den Gedenkbüchern auf der Bertramka findet man zahlreiche Eintragungen. Es haben sich hier Peter Iljitsch Tschaikowski, Leoš Janáček, aber auch Igor Oistrach unterschrieben, das ganze Orchester der Zagreber Solisten, der amerikanische Klaviervirtuose Julius Catchen und zahlreiche andere Gäste des Prager Musikfrühlings. Die schlichtesten Eintragungen — jene, die von Schreibern unbekannter Namen herrühren, lassen am deutlichsten erkennen, daß die Menschen in der Tschechoslowakei Mozart als Angehörigen ihres Volkes ansehen, auch wenn er nicht ihre Sprache sprach.

Und dann sieht man hier zwei Unterschriften, die besonders denkwürdig sind. Sie stammen vom 9. Mai 1945, als sich in dem Gedenkbuch Antonín Rosenbaum und Josef Šeba unterschrieben. Sie standen hier mit dem Gewehr inmitten des Aufstandes, so wie andere Wachtposten, die die Brücken, Kraftwerksgebäude oder Fernämter schützten. Sie wachten und kämpften hier deshalb, damit das Gebäude, das für die Prager dadurch teuer ist, daß hier der unvergeßliche Künstler gelebt hat, beim Rückzug der Naziarmee nicht vernichtet wird. Es gibt freilich in Prag viele ähnliche Häuser.

Franz von Liszt, der geniale Pianist, Komponist und Dirigent, wohnte im Platýz (Národní třída Nr. 37). Seine Büste blickt zum alten Marktplatz Uhelný trh hinüber und zu dem Haus gegenüber, wo Mozart vorübergehend weilte.

Christoph W. Gluck spielte mit riesigem Erfolg in der Anna-Kirche (am Anenské náměstí in der Altstadt) — die Kirche wurde längst aufgehoben und dient heute einer Druckerei.

Ludwig van Beethoven, der Revolutionär des Geistes und der Musik, war mehrmals in Prag und nahm sein stärkstes Erlebnis von seinem Auftreten im Konzertsaal des Konviktes (vormals Jesuitenrefektorium) mit; er berichtete darüber seinem Bruder: „Meine Kunst gewinnt mir Freunde und Achtung, was könnte ich mehr wollen?". Er wohnte im Hotel Zum Goldenen Einhorn in der Lázeňská ulice 11 auf der Kleinseite, wo auch eine Gedenktafel angebracht wurde.

Der tschechoslowakische Nationalkünstler Josef Bohuslav Foerster, Schöpfer bekannter Männerchöre und Komponist, ein Freund Gustav Mahlers, kam im Jahre 1859 nicht weit von hier in dem barockisierten Renaissancehaus Nr. 1 am Velkopřevorské náměstí zur Welt. Die J.-B.-Foerster-Gedenkstätte befindet sich zum Teil im **Pfarrhaus,** in der Vojtěšská ulice, wo der Komponist auch seine Wohnung hatte. In dem Depositär des Pfarrhauses befindet sich außer liturgischen Geräten auch eine interessante Sammlung barocker Musikinstrumente aus dem 18. Jahrhundert. Das Pfarrhaus und die anliegende Adalbertskirche sind außerdem in anderer Hinsicht denkwürdig: die Treppe ist mit plastischer Ausschmückung von Ignaz Platzer verziert, und die bemerkenswerten, durchweg aus dem Jahre 1778 stammenden Gemälde von Johann Hofmann stellen romantische Landschaften, mythologische Szenen und illusive Architektur dar. Die ursprünglich gotische Kirche mit angebauter Kreuzkapelle vom Jahre 1690 hat alte Deckenmalereien aus der ersten Hälfte des 16. Jahrhunderts, die erst vor kurzem aufgedeckt wurden, sowie eine gegen Ende des 15. Jahrhunderts entstandene gotische Bildsäule der Madonna vom Zderaz und ein ebenso altes zinnernes Taufbecken.

Bedřich Smetana, Karel Bendl und Karel Knittel haben ihre Gedenktafeln nur ein kleines Stück weiter — am Gottwaldovo nábřeží Nr. 16 —, nämlich am Vereinsgebäude der Sängervereinigung Hlahol, deren Chormeister sie waren. Das Haus ist ein Sezessionsgebäude mit Mosaikschmuck und plastischem Dekor. Eine weitere Smetana-Gedenktafel sieht man an der Ecke des Staroměstské náměstí uud der Železná ulice, wo der Komponist eine Musikschule hatte, und am Gebäude des Café Slavia, Ecke Národní třída und Uferstraße Smetanovo nábřeží (Smetana-Kai), wo er in den Jahren 1866—1869 lebte.

Vítězslav Novák, tschechoslowakischer Nationalkünstler und Komponist, hat gleichfalls eine Gedenkbüste an der Uferstraße Gottwaldovo nábřeží, und zwar am Haus Nr. 12.

Hector Berlioz, Franz von Liszt, Richard Wagner und Jan Kubelík konzertierten auf der **Slawischen Insel** — Slovanský ostrov —, die unmittelbar gegenüber im Flusse liegt. „O Praga, quando te aspiciam", mit diesen Worten nahm der französische Komponist ungern Abschied von der Stadt, die mit endlosen Ovationen seine Kunst zu würdigen wußte, Berlioz, ein Schüler des bekannten tschechischen Flötenvirtuosen und Musiktheoretikers Antonín Rejcha, widmete dem Prager Publikum viele begeisterte Worte, und obwohl er von Erfolg umrauscht war, bemerkte er sehr wohl, daß die billigeren Plätze restlos von einfachen Leuten besetzt waren, für die ein Konzert mehr war als nur ein gesellschaftliches Ereignis, und daß gerade sie mit vollem Verständnis seine Musik anhörten. Dieselbe Begeisterung stellte Berlioz auch bei einem vom Prager Gesangsverein Pražský zpěvácký spolek auf der Moldauinsel veranstalteten Konzert fest. Es dirigierte Škroup — der Komponist der tschechoslowakischen Nationalhymne —, und die Handwerker, Lehrer und Studenten sangen seine Phantasien auf tschechische Volkslieder so wundervoll und verwegen, daß Berlioz schrieb: „Etwas Besseres habe ich nie zuvor, noch auch später gehört." Im Konzertsaal auf der Insel trat zum erstenmal auch der berühmte tschechische Geiger Jan Kubelík auf — und da schon von dem Orte die Rede ist, so interessiert Sie wohl, daß hier im Jahre 1841 die erste in Böhmen gebaute Lokomotive fuhr. Auf der Insel, wo heute verschiedene Ausstellungen veranstaltet werden, sind zwei interessante Statuen zu sehen: Akkord von Ladislav Šaloun und das von Karel Pokorný geschaffene Denkmal der Božena Němcová, der Verfasserin des unsterblichen Großmütterchen-Romanes.

Carl Maria von Weber wirkte drei Jahre lang als Direktor der Prager Oper und leitete 1813 bis 1816 dasselbe Ständetheater, an dem vor Jahren W. A. Mozart zum erstenmal seinen Don Giovanni aufgeführt hatte. Weber erlebte in Prag mehrere Liebschaften; zuerst entbrannte er in heißer Liebe zu der tändelnden blonden Ballettänzerin und Schauspielerin Therese Brunetti, dann zu Karoline Brandt, die in Frankfurt als Sylvana in Webers gleichnamiger Oper auftrat; und zu seinen Liebesromanen gehörten auch zarte Beziehungen zu einer weiteren schönen Schauspielerin, Christine Böhler. Wie sein persönliches Leben, so war auch sein Wirken beim Theater von Komplikationen begleitet. Sein Verhältnis zu Prag war innig, er erlernte sogar ziemlich gut die tschechische Sprache, und zu guter Letzt vermählte er sich hier in der St.-Heinrichs-Kirche (S. 214) am 4. November 1817 doch eben mit seiner Lina Brandt. Er schuf — die Begebenheiten seines Freischütz spielen sich in den böhmischen Wäldern ab — und dirigierte in Prag auch mehrere seiner Werke. Als Dirigent kam er später mehrmals nach Prag, zum Beispiel zur fünfzigsten Reprise seiner Oper Freischütz.

Peter Iljitsch Tschaikowski traf in Prag im Februar 1888 ein. Er nahm Wohnung im Hotel „Zum Sächsischen Hof" an der Grabenstraße Na příkopě, gegenüber dem Pulverturm (wo heute das Gebäude der Staatsbank steht), und die Chorsänger des Hlahol brachten ihm dort ein Begrüßungsständchen dar. Tschaikowski war tief bewegt und komponierte in Prag für den Hlahol eigens den Chor „Vaterunser". Der russische Komponist feierte in Prag einen geradezu phantastischen Triumph. Seine Musik sprach zu den Herzen der Tschechen in einer nahe verwandten slawischen Sprache. Als er am Abend des 21. Februar 1888 von seinem Konzert im Nationaltheater zurückkehrte, war er so ergriffen, daß er mit vor Erregung bebender Hand in sein Tagebuch den Satz „Eine Minute absoluten Glückes!" eintrug, den er noch unterstrich.

Fryderyk Chopin wohnte nebenan im damaligen Hotel „Zum Blauen Stern" (man sieht hier seine Gedenktafel), ebenso auch Hans von Bülow. Der populäre tschechische Jazzkomponist Jaroslav Ježek wurde in der Kaprova ulice in der Prager Altstadt geboren — und dabei haben wir Dutzende weiterer Namen nicht genannt und auch nicht das lange Verzeichnis der Musiker und Sänger aufgeführt, die alle auf dem Ehrenfriedhof am Vyšehrad beigesetzt sind.

Und dann Antonín Dvořák, ein weiterer Gigant der tschechischen Musikvergangenheit! Sein Museum ist im ★★65 **Michna-Schlößchen Amerika** in der kleinen Gartenstraße

Ke Karlovu. Es ist dies eines der entzückendsten Profangebäude des Prager Barock, und es wurde in den Jahren 1712—1720 von Kilian Ignaz Dientzenhofer erbaut. Den Garten schmücken Statuen und Vasen aus der Werkstätte Matthias Bernard Brauns, die Innenräume guterhaltene Original-Wandmalereien von Johann Ferdinand Schor. Das Dvořák-Museum zeigt Beispiele von Dvořáks Schaffen sowie Manuskripte, Photographien, persönliche Andenken und Dokumente bezüglich seines Wirkens in Amerika und in England; teilweise sind hier auch sein Arbeitszimmer und sein Musikzimmer rekonstruiert.

Wundern Sie sich, daß Prag ständig von klingender Musik erfüllt ist?

Im Rahmen der Rundfrage „Was hat Sie am meisten an der tschechoslowakischen Kultur interessiert?" schrieb einst Leopold Stokowski: „Drei Dinge — erstens, daß Prag die erste Stadt der Welt war, die sich der Genialität Mozarts bewußt wurde, zweitens die wundervolle Musik Smetanas, drittens die tiefempfundene Musik Dvořáks." Der Dirigent der Leningrader Philharmonie bezeichnete Prag als Zentrum der Musikwelt, und Pablo Casals stellte fest, so dankbare und musikalisch gebildete Zuhörer wie in Prag seien nur selten zu finden. Die Prager müßten von diesem Lob berückt sein, wenn sie nicht davon jenen Teil von Sympathie zu unterscheiden wüßten, den die Stadt von sich aus erweckt.

Es bleibt allerdings eine Tatsache, daß Prag von je eine Art Probierstein der Musik war und ist, daß es stets mit feiner Einfühlung große Kunst erkannte und verdientermaßen einschätzte, und schließlich daß es ein Konservatorium Europas war und geblieben ist, an dem Musiker aus der ganzen Welt ihre Meisterprüfung ablegen. Dies ist nicht nur eine Metapher. In Prag wurde tatsächlich das erste **Konservatorium** Mitteleuropas eröffnet; es wurde im Jahre 1810 bei der Aegidius-Kirche im Dominikanerkloster in der jetzi-

94

gen Husova ulice gegründet. Das dortige Refektorium lohnt übrigens eine Besichtigung.

Wenn Sie also im feierlich verstummten Konzertsaal des **Hauses der Künstler** am náměstí Krasnoarmejců oder in der Spiegelkapelle des Clementinums sitzen, wenn Sie an einem Konzert im Maltesergarten neben dem **Museum alter Musikinstrumente** (S. 152) am Velkopřevorské náměstí teilnehmen oder wenn Sie den Klängen von Mozarts Musik in der Bertramka lauschen — so ist all das nur eine Komponente jenes klingenden Akkordes, der in Prag gewissermaßen einen Genius loci schafft. Versäumen Sie auch ja nicht, ein Konzert im Garten des **Waldsteinpalastes** zu erleben, des ersten monumentalen Prager Barock-Profanbaues. Vor seiner Salla terrena werden Sie von Harmonien bezaubert, so wie vor dreihundert Jahren die Suite des Kaiserlichen Generalissimus und Herzogs von Friedland

WALDSTEINPALAST MIT SALLA TERRENA

davon bezaubert wurde. Kaum merklich wird das Rauschen der Fontäne mit dem Abguß der wundervollen Venusstatue von Wurzelbauer aus dem Jahre 1599; auf dem künstlichen Teich hinter Ihnen schlummern Schwäne, und aus der Dunkelheit werden die lieblichen Formen der Abgüsse von Originalstatuen des holländischen Bildhauers Adrian de Vries hervortreten (die Originale wurden von den plündernden schwedischen Soldaten im Jahre 1648 weggeführt). Es wird auf lange Zeit hinaus ein wundervolles Erlebnis für Sie bleiben, und Sie werden mir bestimmt recht geben.

Für besinnlichere Naturen sind Kirchenmusik-Konzerte bestimmt, so zum Beispiel in der Jakobskirche (S. 120) in der Malá Štupartská ulice, in der Georgsbasilika auf der Prager Burg (S. 91), oder in der Martinskapelle in der Mauer (S. 139). Und dann gibt es hier eine Stelle, wo täglich Konzerte stattfinden, und wo man sogar sehr billig für sich allein ein Wunschkonzert bestellen kann: das **Musiktheater** — 98★★ Divadlo hudby —, das erste seiner Art auf der Welt. Es befindet sich in der Opletalova ulice, gleich um die Ecke am oberen Teil des Wenzelsplatzes. Lebendige Schauspieler und lebendige Musikanten spielen dabei, auch wenn sie hier gleichfalls auftreten, nur eine untergeordnete Rolle, den Hauptbestandteil des Ensembles bilden Zehntausende von Schallplatten, darunter viele kostbare Unikate und lange Kilometer von Tonbandaufnahmen. Im Konzertsaal erklingen immer wieder die Stimmen längst verstorbener Sänger, von den besten Orchestern der Welt aufgeführte Sinfonien, Töne, die vom Anschlag weltberühmter Virtuosen hervorgezaubert wurden. Man lauscht in behaglichen Klubsesseln, das Licht der Leuchtstofflampen schimmert gedämpft, von der Bühne schallt Musik in vollendeter Wiedergabe: Smetana, Dvořák, Mozart, Gershwin — es fanden hier schon Hunderte von Konzerten der berühmtesten Künstler statt, oder Sie stellen selbst nach eigenen Wünschen Ihr Konzertprogramm zusammen, Sie setzen die Kopfhörer auf, Sie nehmen im Klubsessel Platz ... und Sie können hier das ganze Jahr hindurch den Prager Frühling nacherleben.

Es heißt in der Welt allgemein, jeder Tscheche sei Musikant. Diese Behauptung hat mehr ihre sprichwörtliche Gültigkeit, denn Plattenspieler und Tonbandgerät sowie Hörfunk und Fernsehen haben sehr merklich die Zahl deren verringert, die in früheren Zeiten bei Dorflehrern das Geigenspiel erlernten. Auch die Behebung der Arbeitslosigkeit hat dazu beigetragen, daß in den Straßen und Höfen der Stadt nicht mehr Gruppen von Wandermusikern erscheinen, die ehemals auf diese Art ihr Brot erwärben. Es bestehen aber immer nach zahlreiche Volkskapellen und -ensembles, die nicht aus Erwerbsgründen bei Feierlichkeiten oder in den Werk- und Dorfklubs auftreten, wobei die einen noch der traditionellen volkstümlichen Blasmusik mit Trommel und Helikon verschworen sind, während die anderen, zumeist die Jugend, diese alte Blasmusik ablehnen und nur noch Jazzinstrumente anerkennen wollen. Die

Fehde verläuft hart und unerbittlich, von beiden Gruppen werden Rundfunk und Fernsehen mit heftigen und sogar derben Briefen überschwemmt. Übrigens gibt es weder in Prag noch irgendwo in der Tschechoslowakei halbleere Konzertsäle. Auch wenn heute nicht mehr fast jeder Tscheche selbst Musik betreibt, ist doch dem Herzen eines jeden Tschechen die Musik nahe geblieben.

Falls Sie die Geduld hatten, diese Zeilen eingehend zu lesen, begreifen Sie gewiß, wie schwer es ist, ein Spaziergangsprogramm zusammenzustellen, dessen Route alles umfaßt, was in Prag von klingender Musik erfüllt ist. So manches werden wir jedoch bei einer anderen Gelegenheit besichtigen, und weil jeder Leser eigentlich dem Verfasser gewissermaßen wehrlos ausgeliefert ist, lege ich Ihnen den nachfolgenden Spaziergang nahe, falls Sie nicht Ihre Trasse nach eigenen Interessen wählen wollen. Dabei werden wir unterwegs noch manche andere Sehenswürdigkeiten bemerken:

Von der Straßenbahnhaltestelle an der Ecke Jindřišská ulice und Wenzelsplatz fahren wir mit der Straßenbahn 15, 18 oder 21 zwei Stationen weit, oder wir begeben uns zu Fuß durch die Vodičkova ulice und sodann die Myslíkova ulice zur Uferstraße Gottwaldovo nábřeží. Unter dem alten Wasserturm an der Moldau, beim Caféhaus Mánes, gelangen wir über eine Treppe hinab zur Slawischen Insel (**93**) mit dem Konzertsaal, in dem Liszt, Berlioz, Jan Kubelík und andere auftraten. Von der Insel aus sieht man das Hlahol-Sängerhaus am Moldauufer mit dem bunten Keramikbild einer von Zuhörern umringten, harfespielenden Frau; die Inschrift auf der Hausfront besagt: „Mit Gesang zu den Herzen, mit den Herzen zum Vaterland". An Šalouns Statue „Akkord" und an Pokornýs Denkmal der Schriftstellerin Božena Němcová vorbeigehend kommen wir über eine kleine Brücke auf die Uferstraße und kehren hier zum Hlahol-Sängerhaus zurück, an dem wir die Gedenktafeln für

Smetana, Bendl und Knittel sehen. Durch das kurze Gäßchen Šitkova ulice begeben wir uns in die Vojtěšská ulice, wo sich anschließend an die Kirche das Pfarrhaus zu St. Adalbert (**92**) befindet, in dem die Gedenkstätte zu Ehren des tschechischen Komponisten J. B. Foerster untergebracht ist. Neben dem Pfarrhaus erhebt sich ein Gebäude mit Gedenktafel; hier wurde auf Betreiben der Schriftstellerin Eliška Krásnohorská das erste Mädchengymnasium Mitteleuropas gegründet. Von da gelangen wir auch durch die Gäßchen Pštrossova ulice und Ostrovní ulice zum Nationaltheater (**37**), dessen äußere und innere Ausschmückung sehenswert ist: eröffnet wurde es mit Smetanas Oper „Libuše", und lange war es die einzige tschechische Opernbühne. Über die zu Ehren Smetanas benannte Uferstraße Smetanovo nábřeží gehen wir zu dem Steg Novotného lávka, der in die Moldau hinaus zum Smetana-Museum (**64**) führt; sodann über den Kreuzherrenplatz auf die Karlsbrücke (**23**), auf deren zweiter Hälfte linksseits eine Stiege zur Kampa-Insel hinabführt. Der Weg geht weiter durch das Gäßchen Hroznova ulička über eine kleine Brücke, dann die Čertovka mit der Mühle entlang zum Velkopřevorské náměstí. Hier ist unser Ziel das Musikinstrumenten-Museum (**77**) am Maltesergarten, wo Musikdarbietungen mit alten Instrumenten stattfinden. Im Haus Nr. 1 wurde der Komponist J. B. Foerster geboren. An der Ecke der Lázeňská ulice wohnte Beethoven im ehemaligen Hotel Zum Goldenen Einhorn. Durch die Prokopská ulice und Karmelitská ulice begeben wir uns zum Kleinseitner Ringplatz — Malostranské náměstí —, wo in der Nikolauskirche (**28**) die Sängerin J. Dušková das Requiem für Mozart sang. Weiter geht es durch die Zámecká ulice zur Thunovská ulice und von hier abwärts zur britischen Botschaft, wo im damaligen Thun-Palast während seines ersten Prager Besuchen im Januar 1787 Mozart mit seiner Frau Konstanze wohnte. Über die Sněmovní ulice geht es zum Valdštejnské náměstí — Waldsteinplatz — und zum Waldstein-Palast

(97), in dessen großem Garten Konzerte veranstaltet werden, ebenso wie in der Salla Terrena des Ledebour-Gartens, gegenüber an der Einmündung der Valdštejnská ulice. Von hier entweder durch die Valdštejnská ulice mit Besichtigung der Bildergalerie in der ehemaligen Waldsteinschen Reitschule und über den Klárov-Platz auf die Mánesbrücke oder durch die Tomášská ulice in die Letenská ulice mit Besichtigung der **Thomaskirche** — kostel sv. Tomáše, einer gotischen, von K. L. Dientzenhofer im Barockstil umgestalteten Klosterkirche mit bemerkenswerten Deckengemälden von V. V. Reiner und Statuen von J. A. Quittainer (und dem ursprünglich gotischen, später während des Barock umgebauten Thomasbräuhaus). In der Brauerei-Gaststätte wirkt ein Kabarett mit gelegentlich interessanten Chansons, und es wird hier das nach ursprünglichen Rezepturen gebraute Thomasbier ausgeschenkt. Von hier nun zur Mánesbrücke und vorbei am Künstlerhaus — Rudolfinum **(95)** —, dem größten Konzertsaal Prags und dem Zentrum der Musikwochen Prager Frühling, durch die Kaprova ulice und hierauf nach rechts durch die Valentinská ulice zum Clementinum **(20)**, wo sowohl in der Spiegelkapelle als auch im Hofraum gegenüber dem alten Refektorium Musikveranstaltungen abgehalten werden. Vom Clementinum geht man durch die Husova ulice zum ehemaligen Gebäude des ersten Konservatoriums **(94)** vom Mitteleuropa, neben der Ägidius-Kirche; durch das schräge Gäßchen Skořepka kommt man zum Uhelný trh, wo sich das Eckhaus befindet, in dem W. A. Mozart wohnte; im Platýz, dem Hause gegenüber, sieht man an der Ecke der Martinská ulice die Büste des Komponisten Franz von Liszt, der hier mehrere Jahre lebte. Die Rytířská ulice führt von hier zum J.-K.-Tyl-Theater **(41)**, wo die Welturaufführung von Mozarts „Don Giovanni" stattfand sowie die Premiere von Tyls Schauspiel „Fidlovačka", in der zum erstenmal das von Škroup vertonte Lied „Kde domov můj" — die heutige Nationalhymne — erklang.

Über den alten Marktplatz Ovocný trh in die Celetná ulice und nach rechts führt der Weg zum Pulverturm (2). Gegenüber, an der Stelle, wo sich heute das Gebäude der Staatsbank erhebt, standen Hotels, in denen Chopin, Tschaikowski und andere wohnten. An den Pulverturm schließt das imposante Repräsentationshaus (3) mit dem Smetana-Saal an, in dem regelmäßig mit der sinfonischen Dichtung „Mein Vaterland" der Prager Musikfrühling eröffnet wird. Durch die Senovážná ulice zum náměstí Maxima Gorkého und am gotischen Heinrichs-Turm vorüber gelangen wir dann zur

★★100 **Heinrichskirche** — kostel sv. Jindřicha —, einem gotischen Bauwerk mit Renaissancevorhalle und zwei angebauten Barockkapellen. In der Kirche findet man mehrere Bilder von J. G. Heintsch, V. V. Reiner, ein gotisches Tafelgemälde mit der St.-Stephans-Madonna aus dem 15. Jahrhundert (rechts vom Eingang), ein Wandgemälde der Immaculata aus dem Jahre 1535 und das von Karel Škréta stammende Altarbild mit der Dreifaltigkeit. Das zinnerne Taufbecken ist aus dem 15. Jahrhundert. Von der Heinrichskirche aus führt der Weg dann durch die Jeruzalémská ulice mit der zu Beginn unseres Jahrhunderts im pseudomaurischen Stil erbauten Synagoge, über die Parkanlagen Vrchlického sady

101 zum **Smetana-Theater,** einer weiteren Prager Opernbühne, auf der auch die Opernprogramme des Prager Frühlings aufgeführt werden. Durch den Park hinab kommt man in die Straße třída Politických vězňů mit dem ehemaligen

102 Gestaposítz im sogenannten **Petschek-Palais.** Nebst vielen anderen wurde hier auch Julius Fučík verhört, der hierüber in seiner weltbekannten „Reportage unter dem Strang geschrieben" berichtet. Wir befinden uns in der nach dem von den Hitlerfaschisten erschossenen Studenten Jan Opletal benannten Opletalova ulice (von den Okkupanten aufgezäumter Vorwand zur Schließung aller tschechischen Hochschulen). Hier besuchen wir das Musiktheater — Divadlo hudby (**98**). Nun kann man Platz nehmen und ein Konzert nach eigenem Wunsch hören — vielleicht spüren Sie schon Ihre Beine? Wenige Schritte von hier erstreckt sich Václavské náměstí — der Wenzelsplatz —, dort verlassen wir Sie — Auf Wiedersehen!

Unser Rundgang durch die Stadt ließ allerdings zwei bedeutende Stellen der Musikstadt Prag unbeachtet, die wir besonders aufsuchen müssen:

Bertramka (81), die Gedenkstätte W. A. Mozarts sowie des tschechischen Tondichters F. X. Dušek und seiner Gattin, der Opernsängerin Josephine Dušková. Hier werden Mozart-Konzerte veranstaltet. Am besten fährt man vom Wenzelsplatz mit der Straßenbahnlinie 15 zur Tomáškova ulice in Smíchov, begibt sich zur Duškova ulice und von hier nach links abbiegend zur Mozartova ulice, die nach rechts ansteigend zur Bertramka führt.

Die zweite dieser Stellen, das Dvořák-Museum (65), befindet sich im Schlößchen Amerika in der Straße Ke Karlovu Nr. 20. Es empfiehlt sich, mit Obus 138 oder 148 vom Wenzelsplatz bis zur Haltestelle Lípová ulice zu fahren; gegenüber der Haltestelle biegt man in die Kateřinská ulice ein und von hier nach rechts in die Straße Ke Karlovu. Am oberen Ende dieser Straße steht die im vierzehnten Jahrhundert gegründete berühmte Karlskirche. Ihre kühn geschwungene Kuppel aus dem Jahr 1575 gab Anlaß zum Entstehen der Legende, der Teufel selbst habe bei der Errichtung des Baues mitgeholfen und habe nach Beendung der Bauarbeiten den Baumeister in die Hölle fortgeschleppt. Unweit von hier, in der Straße Na bojišti, befindet sich das **Wirthaus U kalicha** — zum Kelch —, das aus Hašeks Roman vom braven Soldaten Schwejk bekannt ist.

Es ist schön —

machen

wir

einen

Spaziergang!

Eines Tages, vielleicht in fünfzehn Jahren, wird man geschlossene Wanderungen durch die Prager Parkanlagen unternehmen können, die zwei zusammenhängende Gürtel — rings um die Innenstadt und dazu um ganz Prag — bilden werden. Es werden dann, zusammen mit den Vorstadtflächen, auf jeden Einwohner Prags 70 Quadratmeter Grünflächen entfallen. Also ein ausreichend großes Stück Garten, um die anspruchsvollen Prager zufriedenzustellen. Überdies verbleiben natürlich noch die sehr beträchtlichen Ausmaße der Privatgärten und- gärtchen, die in die vorgenannten Zahlen nicht einbezogen sind. Schon heute kommt auf jeden Prager fünfmal mehr Grünfläche als auf einen Newyorker. Ein Blick auf den Stadtplan sagt Ihnen sofort, daß der in Errichtung befindliche grüne Gürtel noch nicht fertig ist; und deshalb ist es zweckmäßig, zwei oder drei Spaziergänge ins Grüne zu unternehmen. Wir werden natürlich nicht alle Parkanlagen einzeln aufsuchen, sondern nur jene auswählen, die außer Rasen und Bäumen noch etwas weiteres bieten, vor allem nichtalltägliche Ausblicke auf die Stadt. Manche davon gehören zu den Dominanten von Prag, andere weisen eine interessante Entstehungsgeschichte auf. Wir schlagen Ihnen hier drei Wanderungen durch Prager Grünflächen und Anlagen vor:

1. Über die Anhöhen am linken Moldauufer

5—10 km durch Parkanlagen und Gärten

WAS WIR UNTERWEGS ANTREFFEN

- ★ **105** — Kinský-Lustschloß; Ethnographische Abteilung des Nationalmuseums
- ★ **108** — Volkssternwarte
- ★ **110** — Aussichtsturm auf dem Petřín
- ★ **111** — Terrassenrestaurant Nebozízek

* * * *82* — Loreto-Kirche mit Santa Casa, plastische Ausschmückung. Loreto-Schatzkammer und Glockenspiel
* * * *84* — Königliches Lustschloß, Renaissance-Arkadenbau und Singende Fontäne
* **112** — Brüssler Parkrestaurant Praha auf der Anhöhe Letná
* * **114** — Kultur- und Erholungspark Julius Fučík

Einen Spaziergang sollte man zwar gehend absolvieren; da wir aber in dieser Hinsicht bestimmt noch auf unsere Rechnung kommen werden, besteigen wir in der Haltestelle am Dětský dům (Kaufhaus der Kinder) in der Straße Na příkopě die Straßenbahn Nr. 5 oder Nr. 9 und bitten den Schaffner, uns auf die Haltestelle Realistické divadlo — Realistisches Theater — in Prag-Smíchov, aufmerksam zu machen. Wir fahren mit der Straßenbahn durch die Národní třída am Nationaltheater vorüber, über die Brücke most 1. máje, die — sich über die Moldauinsel Střelecký ostrov hinwegschwingend — zum linken Moldauufer führt. Noch bevor die Straßenbahn am anderen Ufer ankommt, beachten wir links unter der Brücke (auf der Mole bei der Schleuse) die anmutige Bronzestatue einer lieblichen **Mädchengestalt.** Sie wird sehr umschwärmt, und zwar besonders von Tauben, zum Ärger der Prager Feuerwehr, die dann regelmäßig zu Reinigungseinsätzen ausziehen muß. Die Bildsäule stellt eine Allegorie der Moldau und ihrer vier Zuflüsse dar: der von den Wassersportlern so sehr geschätzten Lužnice, der einstmalig goldführenden Otava sowie der romantischen Sázava und der Berounka. Ihr Urheber ist Josef Pekárek, und sie bildet nicht nur eine Verschönerung der Schleusenanlagen: jedes Jahr im November nähert sich ihr ein Schiff der Prager Wassersportler, um ihr feierlich einen Kranz zu Füßen zu legen, zum Gedenken jener, die in der kühlen Umarmung des Flusses ihr Leben ließen.

Ein kleines Stück von der Haltestelle, die unser Ziel ist, blickt von einem massiven gemauerten Sockel ein Tank herab. Es ist der Sowjetische Panzer T 34, mit der weißen Nummer 23 an der Flanke — jener, der als erster bei Kriegsende dem hilferufenden Prag Beistand leistete. Er war in die Stadt herbeigeeilt, in der noch gekämpft wurde, zusammen mit der Panzerarmee Marschall Rybalkos, und erst hier erlebte er den Schluß des Krieges. Er wurde nicht weiter benötigt und verblieb hier zum Gedenken. Gegenüber dem Tank befindet sich der Eingang in den ehemaligen Kinský-Garten (die heutigen Parkanlagen von Smíchov), wo unser Spaziergang beginnt. Nahe beim Tor steht die „Vierzehnjährige", eine liebliche Bronzestatue von Karel Dvořák, und dahinter eröffnet sich der Blick auf eine große, von mehr als hundertjährigen Bäumen umsäumte Rasenfläche, die bereits bei der Gründung des Gartens im Jahre 1825 gepflanzt wurden. Am oberen Ende des Rasens sieht man das Empiregebäude des **Kinský-Lustschlosses** und eine Gruppe ehemaliger Wirtschaftsgebäude. In beiden Objekten ist heute die ethnographische Abteilung des Nationalmuseums untergebracht.

105★

Am Hang hinter dem Lustschloß bemerkt man eine Glockensäule aus einem wallachischen Dorfe (von der Nordgrenze Mährens und der Slowakei) samt einem gemalten Holzkreuz aus Dolní Bojanovice (Südostmähren) und das von Štursa geschaffene Denkmal der tschechischen Bühnenkünstlerin Hana Kvapilová. Vielfältig verschlungene Pfade führen von hier den Südhang der Berglehne hinauf. Suchen Sie sich in Ihrem Stadtplan von Prag einen solchen aus, auf dem sie zu den beiden kleinen Weihern gelangen. Den einen von ihnen schmückt eine Herkules-Statue sowie eine moderne Walroßplastik von J. Lauda. In der Nähe erhebt sich ein typisches Holzkirchlein aus Medvedovce in der Karpatoukrajine, eine schöne Volkskunstarbeit aus dem 18. Jahrhundert. Die komplette Kirche wurde im Jahre 1929 nach Prag überführt. Falls Sie in östlicher Richtung weiterzugehen beabsichtigen, stoßen Sie unfehlbar irgendwo auf die der langen Fallinie des Hanges folgende **Hungermauer**. Dieses Bauwerk ist ebenso wie die Karlsbrücke gotischen Ursprungs und wurde um die gleiche Zeit von demselben Karl IV. errichtet. Auch bei ihrem Bau wurden angeblich zur Verfestigung des Mörtels Hunderte von Eiern zerschlagen. Ein wenig paradox klingt dann der Name Hungermauer. Eine Erklärung behauptet, er stammte von den Zinnen her, die die Mauer krönen, doch ist dieses Argument zweifelhaft, denn Schießscharten und Schützendeckung bildende Zinnen sind für alle Befestigungsmauern charakteristisch; eine andere Erklärung geht von der Ansicht aus, daß damals in Prag Hungersnot geherrscht habe und daß der hilfreiche Kaiser die Mauer habe errichten lassen, um der notleidenden Bevölkerung Prags weitere Erwebsgelegenheit zu bieten. Dieser zweite Versuch einer Erklärung erscheint glaubhafter, denn in Prag bestand damals tatsächlich Knappheit und Teuerung, aber die kaiserliche Tat mochte viel eher auf Berechnung als auf bloßer Barmherzigkeit beruhen: Karl IV. wußte, daß die Bevölkerung gerne bereit sein würde, eine solche Befestigung als Notstandsarbeit auch nur für eine einzige Mahlzeit am Tage zu bauen. Die Mauer kam daher sehr billig, und die Kleinseite erhielt binnen weniger als zwei Jahren — schon 1362 — eine Befestigung, um die sie lange beneidet wurde. Es muß immerhin ein solider Bau gewesen sein, denn er steht heute noch unversehrt da, — samt seinen Wachttürmen, deren Durchgang so kompliziert ist, daß man mit Bestimmtheit stets auf ein Liebespaar stoßen wird, das sich hierher „verirrt" hat.

In der Hungermauer sind mehrere Durchbrüche, und sobald man hindurchschreitet, befindet man sich am Petřín. Auch hier hat der wackere alte Petřín — er ist der betagteste Prager Park — die Wege und Pfade mit zahlreichen Windungen versehen, damit möglichst viele lauschige Winkel, von üppigen Büschen umrahmte Bänke und auch große Holzpilze vorhanden sind, die die umschlungenen Paare nicht nur gegen Regen, sondern auch gegen Mondlicht schützen. Und wohl auf jeder der vielen Bänke finden Sie dort gegen Abend ein verzaubertes junges Paar. Es wird Ihnen nicht entgehen, wie starr und artig sie dasitzen, aber doch mit demselben betretenen Ausdruck wie etwa das nächste, das mit laut vorgetragenen Worten bemüht ist, den Eindruck zu erwecken, es sei eigens deshalb hierhergekommen, um einen gelehrten Streit auszutragen, zu dessen Auseinandersetzung unten in der brandenden Stadt nicht genug Ruhe herrschte. Es sind vergebliche Täuschungsmanöver, denn hunderte Indizien widerlegen Sie, vom verwischten Lippenrot und der zerknitterten Bluse bis zu jenem berauschenden Flieder- und Jasminduft, der die Anlagen am Petřín besonders im Frühjahr für die jungen Mädchen gefährlich macht. Sogar die Bäume scheinen hier zärtliche Geständnisse zu flüstern.

Übrigens hat ja die Stadt Prag diese Anhöhe ganz speziell für die Verliebten bestimmt, indem sie gerade hier Myslbeks **Denkmal des romantischen Dichters und Revolutionärs Karel Hynek Mácha** errichten ließ, dessen unvergleichlicher Versroman Máj schon hundertdreißig Jahre hindurch alle bezaubert, die das erleben, wovon seine Dichtung singt. Der große Dichter steht an einem Knotenpunkt der Parkwege des Petřins, und jedes der vorüberziehenden Liebespaare liebkost ihn dankbar wenigstens mit einem Blick dafür, daß er den Monat Mai als Liebesmond preist, auch wenn inzwischen schon warme Augustabende oder kühlere Septembertage angebrochen sind. Für die ganz Schüchternen, denen diese Anregung nicht ausreicht, steht am Gipfel des Petřins noch Mařatkas Statuengruppe ,,Der Kuß". Eine Fülle lebendiger Abwandlungen des Themas in der Dämmerung auf den Pfaden und Bänken läßt erkennen, daß es nicht erst dieses Impulses bedurfte.

Der Kuß ist ein Zwillingsstück zu Ladislav Šalouns Skulptur Vernunft und Gefühl, die man unweit von hier, am Rande des Fučik-Gartens, erblickt, in der Nähe einer anderen Gruppe von Statuen — ,,Sehnsucht", ,,Wassermann" und ,,Rusalka" (Wassernixe). Inmitten dieser Plastiken ragt die **Volkssternwarte** — Lidová hvězdárna — empor, eines der Dutzende von Observatorien in der Tschechoslowakei, die der Öffentlichkeit zugänglich sind. Es erscheint unglaublich, aber oft warten hier Scharen von Menschen Schlange stehend auf den Saturn oder den Mond; und wenn künstliche Satelliten am Firmament kreisen, geht es hier fast so lebhaft zu wie am Wenzelsplatz. Man begreift kaum, wieso es geschieht, daß Tausende von Menschen in der Tschechoslowakei, statt sich der redlich verdienten Nachtruhe hinzugeben, die Nacht von Sternbild zu Sternbild bummelnd verbringen mögen; manche Industriewerke haben sogar für ihre Sternbegeisterten werkseigene Sternwarten errichtet, die ebenso einen Bestandteil des Werkklubs bilden wie etwa der Photozirkel oder die Laienbühnengruppe. Es scheint sich hier ein Ausgleich für das abzuspielen, was der Tschechoslowakei vom Schicksal vorenthalten wurde, und was ein sehr populäres Lied besingt, das besagt, die azurblaue Luft sei ,,unserer Hei-

★108

mat Meer". Wie anders läßt sich sonst erklären, daß es ein tschechoslowakischer Jurist war, der als erster in der Organisation der Vereinten Nationen Entwürfe für die Grundlagen zu einem Weltraumrecht vorgelegt hat, daß einer der Mondkrater nach dem tschechischen Lehrer Anděl benannt, ist, einem Amateurastronomen, von dem die besten Karten dieses unseren Planeten umkreisenden Trabanten stammen, daß ich weiß nicht wieviel Himmelskörper die Namen ihrer tschechischen und slowakischen Entdecker tragen. Von dem schönen Rosenhain aus und von der Sternwarte bekommen Sie besonders interessante Aufnahmen der Hungermauer. Versäumen Sie nicht, ein paar zu machen.

Unweit der Sternwarte liegt die obere Endstation der von der Straße am Újezd ausgehenden Drahtseilbahn. Wer allerdings erwartet, daß sich ihre Kabine von Tragmast zu Tragmast durch die Luft schwingt, wie es sich für eine ordentliche Schwebebahn gehört, der wird enttäuscht sein: die scheinbar schrägwandige Wagengarnitur, deren Fußboden einer Treppe gleicht, schiebt sich sehr bedächtig über den Schienenstrang empor, und der Name geht darauf zurück, daß sie durch eine Trommelwinde mit Seil und nicht durch eine Lokomotive gezogen wird. Sie bewegt sich gemächlich wie ein Käfer bergaufwärts, und was ihr an Temperament abgeht, ersetzt sie durch Warnungstafeln längs der Strecke: „Pozor na vlak!" — (Achtung auf den Zug!). Auf den Gipfel des Petřín gelangen Sie damit in fünf Minuten und für sechzig Heller, für dieselbe billige Gebühr, wie sie die Straßenbahn einhebt. Sie sehen also, daß der Petřín eine romantische Stelle ist, auch wenn er zur Zeit unserer Vorfahren bei weitem kein so lauschiger Winkel war wie heute. Im 11. Jahrhundert, und vielleicht schon früher, stand hier der Galgen, und der Henker waltete da seines Amtes. Im Jahre 1108 gipfelte gerade hier der Streit der Přemyslidenfürsten mit einer anderen tschechischen Dynastie, als der Přemyslide Svatopluk, um endgültig seinem Hause das Vorrecht zu sichern, auf diesem Hügel den Rest seiner Rivalen aus dem Geschlecht Vršovci enthaupten ließ. Dies liegt allerdings schon so lange zurück, daß es kaum mehr wahr ist, und wir können nur anraten, sich durch keine schaurigen Visionen bedrücken zu lassen. Im übrigen befand sich hier an der unteren Seilbahnstation und in der Nähe der nunmehrigen Sternwarte ein Steinbruch — die heute noch erhaltenen romanischen und gotischen Baudenkmäler Prags sind zum größten Teil aus dem am Hange des Petřín-Hügels gewonnenen Plänerkalkstein gebaut.

109 Wenn Sie hier auf der Kuppe des Petříns weiterschreiten, kommen Sie bestimmt an der **Laurentiuskirche** — kostel sv. Vavřince — vorüber, die kurz nach der Ausrottung der letzten Mitglieder des Geschlechtes der Vršovci durch die Přemysliden erbaut wurde. Ihr romanischer Ursprung ist noch im Südteil der Kirche erkennbar, deren übriger Teil barocke Gestalt aufweist; das Gotteshaus wurde nämlich in den Jahren 1735—1770 durch das Verdienst — oder aus den Verdiensten — der Prager Köche umgebaut, die sich ihren Schutzheiligen geneigt machen wollten. An der Außenseite steht eine schlichte St.-Adalberts-Statue von Fr. Dvořáček, und in der Sakristei schildert ein Deckengemälde die angebliche Gründung der Kirche durch St. Adalbert im Jahre 991. Auf dem Hauptaltar stellt das von Jan Claudius Menne im Jahre 1693 angefertigte Gemälde den Märtyrertod des hl. Laurentius das. Die Laurentius-Statue schuf Josef Lederer im Jahre 1756. Neben der Kirche steht eine im Jahre 1735 erbaute Kalvarien-Kapelle; ihre Vorderfront ist mit einem Sgraffitobild „Die Auferstehung von den Toten" — nach einem Karton von Mikoláš Aleš geschmückt. Unter dieser Kapelle ist ein als Barockillusion gestalteter Kerker Christi. Längs der Kirche führen die Straße entlang Kreuzwegstationen, und dazwischen steht eine von dem Priester Norbert Saazer gebaute Nachbildung der Kapelle des Hl. Grabes von Jerusalem. Mehr Besucher lockt das

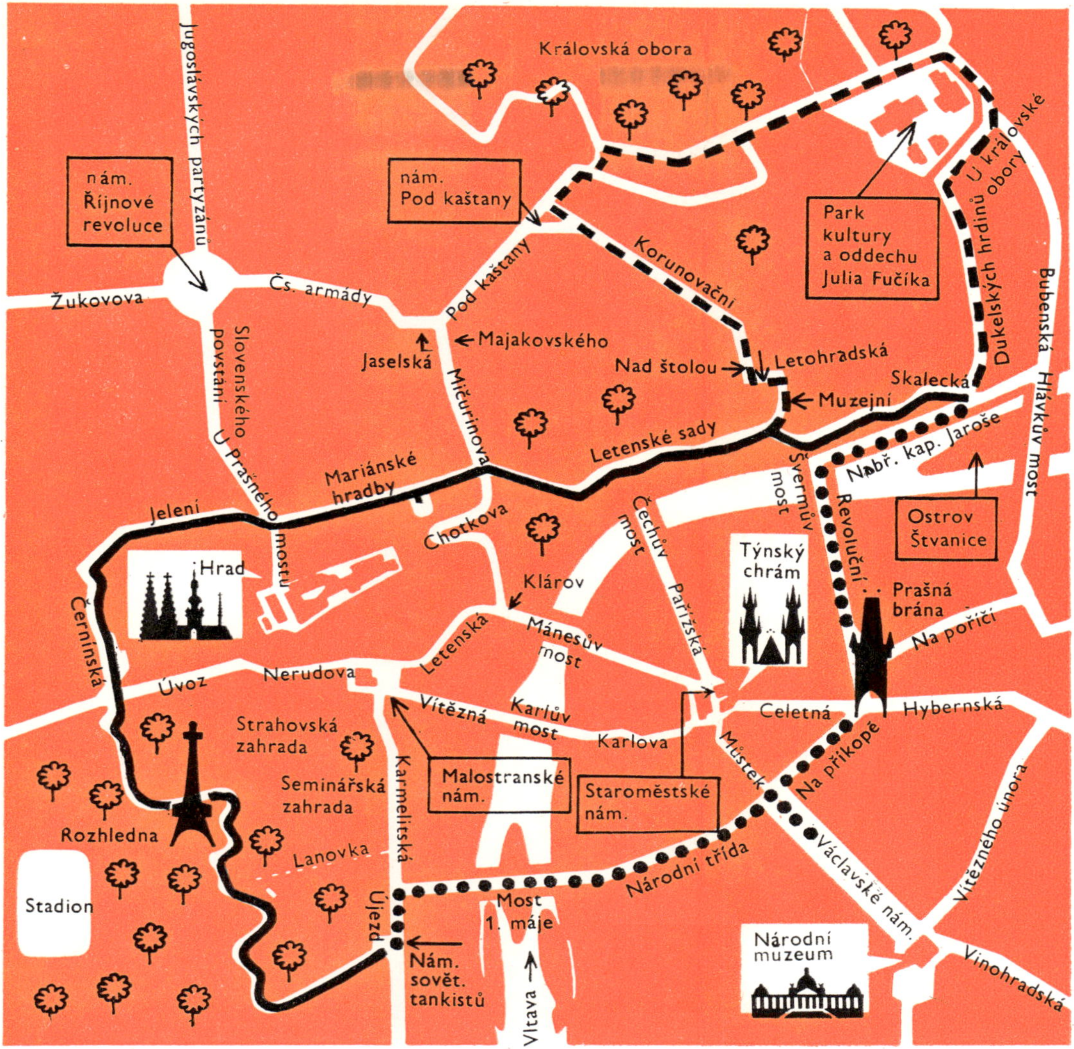
Královská obora
Jugoslávských partyzánů
nám. Říjnové revoluce
nám. Pod kaštany
Park kultury a oddechu Julia Fučíka
U královské obory
Dukelských hrdinů
Korunovační
Pod kaštany
Žukovova
Čs. armády
Slovenského povstání
Jaselská
Majakovského
Nad štolou
Letohradská
Skalecká
Muzejní
Bubenská
Hlávkův most
Mičurinova
Letenské sady
U Prašného mostu
Mariánské hradby
Jelení
Švermův most
Nábř. kap. Jaroše
Čechův most
Revoluční
Ostrov Štvanice
Chotkova
Hrad
Klárov
Týnský chrám
Prašná brána
Černínská
Pařížská
Letenská
Mánesův most
Na poříčí
Úvoz
Nerudova
Vítězná
Karlův most
Celetná
Hybernská
Strahovská zahrada
Karlova
Můstek
Na příkopě
Seminářská zahrada
Malostranské nám.
Staroměstské nám.
Karmelitská
Rozhledna
Lanovka
Národní třída
Václavské nám.
Vítězného února
Stadion
Újezd
Most 1. máje
Nám. sovět. tankistů
Vltava
Národní muzeum
Vinohradská

nahe Spiegellabyrinth an, das an den Eingang zu dem Rundpanorama der Schlacht zwischen den Pragern und den Schweden auf der Karlsbrücke im Jahre 1648 hinausführt. Das ungemein suggestive Rundgemälde stammt von Karl Adolf Liebscher und Vojtěch Bartoněk.

Der auf diesem Areal errichtete **Aussichtsturm** ist eine bescheidene Nachbildung des Pariser Eiffel-Turmes nach Maßgabe der tschechischen Verhältnisse im vorigen Jahrhundert. Er wurde im Jahre 1891 anläßlich der Jubiläumsausstellung konstruiert. Vom Gipfel des 60 m hohen Turmes genießt man eine prachtvolle Aussicht über Prag. Wenn Sie die 299 Stufen nicht scheuen, werden Sie den Aufstieg nicht zu bedauern haben. Es ist nur schade, daß Sie nicht tschechisch können, denn der Aufstieg wäre dann unterhaltsamer: „Hier beguckte Prag Ruda", teilt auf der Eisenkonstruktion jemand mit, der Jahrzehnte vor uns dagewesen war. Präziser protokollierend teilt ein Karel mit: „Als Soldat war ich hier mit Irenka". Die knappen Worte geben Aufschluß über den Mann. Eine klassische Pressenotiz — so sparsam und treffend wurde in Zeiten geschrieben, als Zeitungen noch in Stein gehauen wurden und man es noch nicht gelernt hatte, mit dem Kugelschreiber endlose Perioden aufs Papier zu zaubern. Wie plastisch sind hingegen die Kommentare zum Hinweisschild, das darauf aufmerksam macht, daß sich die Durchgangshöhe an dieser Stelle auf 1,60 m verringert! In urwüchsigem(?) Slowakisch berichtet da ein Besucher, er sei hier ordentlich mit dem Schädel angerempelt, und solidarisch schließt sich ihm mit der schlichten Feststellung „Ich auch" ein Leidensgefährte an. Ein ganzer Roman läßt sich aus der Inschrift „Hedva und Fanoušek mögen einander — furchtbar!" herauslesen. Also nicht nur von Herzen oder innig. Seien wir nur nicht im Dufte der erblühten Gärten am Petřín so mißtrauisch wie jener, der energisch bestritt: „Stimmt nicht".

Es gibt hier übrigens noch viel mehr Behauptungen, die

110★

auf der Eisenkonstruktion und an den Wänden der Rundgänge zum Lesen und Beherzigen vorgesetzt werden. Eine vorgebliche V. K. schrieb sogar, sie sei „ein braves Mädchen und noch dazu unbescholtene Jungfrau". Eingeritzt ist die Inschrift mit dem Schlüssel, um für ewige Zeiten dazustehen. Unter den Schreibern befanden sich auch verschiedene Philosophen, was aus den hier verewigten Feststellungen hervorgeht, wie: „Die Dummköpfe sterben nicht aus", die von anderen, im Namen der Würde des Menschengeschlechtes mit Entrüstung korrigiert wurde. Je nach ihrer Veranlagung reagierte darauf jemand ironisch, also z. B.: „Laut Meldung des statistischen Staatsamtes", oder logisch: „Laß doch also vom Schreiben ab", oder erbost mit Entlehnung von Tiernamen. Das Bekritzeln von Baudenkmälern ist an manchen Stellen auch in Prag so beliebt und bedrohlich geworden, daß sich sogar der St.-Veits-Dom an die Besucher mit der dringenden Bitte wendet: „Schreiben Sie bitte nicht auf die Mauern, sondern auf Ansichtskarten, die Sie beim Eintrittskartenverkäufer erhalten können." Aber nirgends findet man so viele und so ausgelassene Aufschriften wie hier im Aussichtsturm am Petřín. Vielleicht sind sie deshalb in solchen Mengen vorhanden, weil die Besucher hier nicht den weihevollen Odem der Geschichte verspüren, oder deshalb, weil der Weg hinauf sonst zu eintönig wäre — eines steht fest, daß die Turmkonstruktion von unten bis hinauf beschrieben ist.

Auf der zweihundertsten Stufe liest man noch mit Verständnis die treuherzige Mitteilung: „Hier ruhte Soňa Kolárová aus, weil ihr die Füße wehtaten", und man begreift auch, warum sie — trotz Beinschmerzen — bis hinauf weiterging, um sich hier von neuem einzuschreiben. Und in gleichem Maße, wie Sie hinaufsteigen, entfaltet sich zu Ihren Füßen Prag wie eine vollerblühte Rose. Auf jeder weiteren Stufe können Sie bemerken, wie ihre Schönheit weitere Kelchblätter entfaltet. Zunächst erblickt man nichts als das von oben erschaute Meer der Baumwipfel und Baumkronen. Dann taucht aus ihnen die zackige Hungermauer auf. Und schon erblickt man die Prager Burg, das imposante Massiv mit den drei St.-Veits-Türmen und den beiden zur St.-Georgs-Kirche gehörenden weißen Türmen. Dann erglänzt hell schimmernd die Windung der Moldau mit mehreren Brücken — von allen eben doch am schönsten die Karlsbrücke — und die Uferstraße mit dem patinagrünen Dache des Hauses der Künstler. Dieselbe zartgrüne Tönung zeigt auch das Kieldach des Lustschlosses der Königin Anna. Im Hintergrund sind in Qualm gehüllte Bahnhöfe und Industrieviertel, darüber Žižkov mit der auf dem Vítkov-Hügel ragenden Nationalen Gedenkstätte. Die gewaltige Reiterstatue des erblindeten hussitischen Heerführers, die vor dem Mausoleum steht, kann man eher erraten als erkennen. Man bemerkt auch einige der neuentstandenen Stadtviertel — sie sind am hellen Weiß der Wohnblöcke erkenntlich —, und dann erblickt man es ganz, in tausenden Farbstufen zwischen Grau und Blau, von Taubengrau bis Dunkelblau: Prag im zarten Dunstschleier, Prag, die Mutter der Städte.

Vorübergehend diente der Aussichtsturm auf dem Petřín auch als Fernsehsender für Mittelböhmen, als die Programme noch nicht von dem jetzt auf der Anhöhe Cukrák südlich von Prag errichteten Sender ausgestrahlt wurden. Auf der Aussichtsbastei am Petřín im Komplex der zur Hungermauer gehörenden Befestigungen findet man auch eine steinerne Windrose, aus deren drei Kreisen man ersieht, in welcher Richtung Wien, Dresden, Köln am Rhein oder Genf liegen, ja sogar die Franz-Josephs-Brücke und St. Petersburg. Dise beiden letzten Namen verraten, daß die Aufschriften der Windrose schon sehr alt sind. Sie stammen aus dem Jahre 1891, und obwohl der Regen während eines Dreivierteljahrhunderts sie nicht auslöschen konnte, haben die Menschen unten indessen ihre Welt verändert.

Es empfiehlt sich, den Rückweg vom Aussichtsturm

★111 durch den Park zu wählen. Falls Sie müde sind, können Sie in dem **Terrassenrestaurant Nebozízek** ausruhen, das sich unweit der Drahtseilbahn befindet und eine letzte Erinnerung an die Weingärten darstellt, die in früheren Jahrhunderten am Hange des Petřín-Hügels angelegt waren. Hier kann man unter blühenden Kastanienbäumen sitzen, abends kann man hier tanzen und die Flut der Lichter beobachten, die die Stadt Prag unten im Tal aufleuchten läßt. Oder man kann weitergehen zum Seminargarten, der mit dem Petřín verbunden ist. Früher gehörte er dem Karmeliterkloster, später dem erzbischöflichen Priesterseminar und heute — den Malern und Photographen. Im Frühjahr prangen diese Anlagen in einem rosigweißen Blütenmeer, es blühen hier Apfelbäume, Birnbäume und Zwetschgen. Und wenn die übrigen Parkanlagen ihren vollen Zauber erst abends entfalten, erscheint der Seminargarten am prachtvollsten bei vollem Sonnenschein. Sobald der ganze Abhang üppig erblüht ist, unternehmen Maler und Photographen ihren Generalangriff: sie betreten den sonst so sorgsam geschonten Rasen, rücken Kinderwagen mit schlummernden Kleinen beiseite, steigen auf die Bänke, kriechen auf dem Bauch oder stehen auf den Fußspitzen, nur um die Kuppel von St. Nikolaus gerade unter diesen blütenschweren Apfelbaumzweig hier zu bekommen, oder die Prager Burg so von Blüten umrankt festzuhalten, wie es bisher noch niemandem gelang. Und weil Apfel- und Birnbäume jedes Jahr wieder anders blühen, und jeder überzeugt ist, daß es noch nie so wundervoll war, wird dieser Fotorummel zu einem alljährlichen Bestandteil Prags. Der Autor möchte noch aus eigener Erfahrung nachschicken, daß die Suche nach der schönsten Aufnahme gewöhnlich ein freudebringenderes Erlebnis ist als das Ergebnis, das bedauerlicherweise niemals voll dem gleichkommt, was man in Wirklichkeit aufgesucht und erspäht hat. Und hier betreten wir auch den neuen, vorläufig mehr als zwei Kilometer langen Aussichtsweg, den die Prager vor wenigen Jahren in freiwilligen Arbeitseinsätzen selbst errichtet haben, um die Schönheit ihrer Stadt zu feiern und zu genießen; und es wechseln hier tatsächlich zauberhafte Ausblicke auf Prag ab.

Durch eine Mauerpforte tritt man in den Lobkowitz-Garten ein. Unter seinen imposanten alten Bäumen gewährt er Schatten und Stille, doch kann man ihn durchqueren und in einen weiteren am Hang des Petřīns angelegten Garten schreiten: bis vor kurzem gehörte der Stiftsgarten von Strahov der kleinen Schar von Mitgliedern des Prämonstratenserstiftes. Auch hier wurden in der Vergangenheit Weinreben gezogen; die Berglehne ist der Sonne zugewandt, die Ernte dürfe daher ausgiebig und die Trauben süß gewesen sein. Aber die Mönche haben den Ort verlassen, schon längst wachsen hier keine Weinreben mehr, und als einziges Andenken an das Klosterleben sind im Garten von Strahov die im Sandstein ausgehöhlten Grotten verblieben, wo angeblich die frommen Spaziergänger Zuflucht bei Regen — oder Schutz vor Anfechtungen — fanden. Sollten sie wirklich dazu gedient haben, so erfüllen sie heute oft einen gegenteiligen Zweck. Von Strahov aus kann man in die Gärten unter der Burg und zu den Parkanlagen der Kleinseitner Paläste weiterwandern, oder man kann sich an der **Loretokirche** vorbei durch die Černínská ulice zum Lumbe-Garten und hier entlang durch die Straßen Jelení třída und Mariánské hradby zum Königsgarten mit

82★★★

★★★84 dem **Lustschloß** und der Singenden Fontäne begeben. Als Fortsetzung lockt hier der Parkweg Mariánské hradby, der zu den Anlagen Chotkovy sady (S. 161) und durch die Gogolova ulice auf die Letná hinausführt.

Letná ist ein weiter Begriff. Jeder Prager wird Ihnen sagen, daß dort oben ein bekannter Fußballplatz liegt. Wenn Sie mehrere Prager danach fragen, wird der eine Sie informieren, daß dort ein bekannter Fußballplatz besteht, der zweite wird den großen Wohnblock erwähnen, der dritte wird berichten, es sei dort der größte Prager Platz, der aber vorläufig noch eher einem Sportplatz gleiche, und sie werden erfahren, daß sich hier am 9. Mai zum Staatsfeiertag der Aufmarsch zur großen Truppenschau abspielt. Romantiker werden Ihnen von dem Park erzählen und der materialistisch veranlagte Sachkenner von der ausgezeichneten Pilsner Gaststätte, die anläßlich der Weltausstellung EXPO 58 in Brüssel eine Goldmedaille gewonnen hat, und jeder von ihnen, oder genauer gesagt, alle samt und sonders haben Ihnen die Wahrheit gesagt. Wenn Sie nur ein wenig achtgeben, werden Sie es alles selbst bemerken und außerdem noch jene Stelle auf dem Letná-Plateau, wo das riesige Stalin-Denkmal stand und wo in naher Zukunft ein neues Kulturhaus entstehen soll. Sie werden auch das hochragende Gebäude des technischen Museums sehen, und es wird Ihnen nicht entgehen, daß eine der Brücken am Fuß der Letná — die Šverma-Brücke — unmittelbar in den Hang des Hügels hineinmündet. Alle ihre Bemühungen werden dadurch belohnt, daß Sie sich bereits gerade in unmittelbarer Nähe

★112 der erwähnten **Brüsseler Gaststätte „Praha"** befinden; ihre geradezu schwerelos anmutende Glas- und Aluminiumkonstruktion gewährt eine wundervolle Aussicht auf das Stadtbild. Dieser Anblick wird unentgeltlich geboten, — und Sie erhalten hier ebensowohl Pilsner Urquell wie auch etwa Schweinebraten mit Kraut und Knödeln. „Praha" ist trotz modernster Eleganz ein typisches Beispiel behaglicher tschechischer Gastlichkeit. Unter der Letná hindurch führt der sogenannte Rudolfsstollen, ein Tunnel, durch den in einen anderen großen Park, in die Stromovka, Wasser für den dort angelegten Fischteich geleitet wird. Der unterirdische Stollen, der in der zweiten Hälfte des 16. Jahrhunderts gehauen wurde, ist mehr als einen Kilometer lang. Wenn nun wohl Ihr Bedarf an Parkwanderungen für den heutigen Tag schon gedeckt ist, können Sie durch die Skalecká ulice zur Straßenbahnhaltestelle Státní plánovací úřad in der třída Dukelských hrdinů hinabgehen. Die Straßenbahnlinien Nr. 3 oder 11 bringen Sie ohne Umsteigen auf den Wenzelsplatz.

Sonst jedoch können Sie vom Restaurant Praha aus noch auf zwei verschiedenen Wegstrecken die Stromovka sowie den Kultur- und Erholungspark Julius Fučík besuchen. Sie können entweder durch die Straßen Nad štolou und durch die Korunovační, von hier sodann auf den parkähnlichen Platz Pod kaštany unmittelbar nach rechts oder, sich zunächst nach links wendend, über die třída Dukelských hrdinů am ehemaligen Messepalast (in dessen Erdgeschoß eine Tuzex-Verkaufsstelle besteht) zum Julius-Fučík-Park gelangen.

Die **Stromovka** ist ein ehemaliger königlicher Baumgarten, den schon der Vater Karls IV., der böhmische König Johann von Luxemburg, angelegt hat. Während der Hussitenkriege wurde er verwüstet. Hier hatte zum Beispiel das vom Kaiser herangeführte riesige Kreuzheer, das dann am Vítkov-Berge (S. 250) von Žižkas Streiterschar vernichtet wurde, sein Lager aufgeschlagen. Eine Zeitlang verband den Baumgarten mit der Burg eine prächtige Kastanienbaumallee, die jedoch schon im 18. Jahrhundert beseitigt wurde. Die Parkfläche umfaßt mehr als eine Million Quadratmeter. In der ursprünglichen Königshalle — dem sogenannten Alten Restaurant — fand im Revolutionsjahre 1848 ein gemeinsames Festbankett der Tschechen und Deutschen statt, bei dem die Brüderschaft und die Freiheit beider

★★114 Nationen gefeiert wurde. Das von Jakob Steinfels im Jahre 1691 gemalte Fresko im Großen Saal stellt Apollo auf dem Sonnenwagen und andere mythologische Erscheinungen dar. Zu dem an den Baumgarten anschließenden **Kultur- und Erholungspark Julius Fučík** gehören sowohl ein Planetarium als auch verschiedene Gesellschafts-, Bühnen- und Konzerträume, Marolds Rundgemälde der Hussitenschlacht bei Lipany, ein panoramatisches Rundkino und zahlreiche Sporteinrichtungen. Hier steht auch der neue für verschiedene Ausstellungen dienende Ausstellungspavillon, der von der EXPO 58 hierher übertragen wurde. Der Kulturpark ist ein stark frequentierter Ort. Jährlich empfängt er mehr als Million Besucher, und weitere Zehntausende kommen hierher anläßlich bedeutender Sportereignisse. (Näheres hierüber auf Seite 264.) Auf dem Areal dieser Kultureinrichtung befanden sich früher die Hallen und Ausstellungsflächen der Prager Mustermesse, die sich jedoch in eine spezialisierte Maschinenbaumesse verwandelt hat und als solche nach Brno übertragen wurde. Vom Julius-Fučík-Park bringt uns die Straßenbahnlinie 3 ohne Umsteigen zum Wenzelsplatz bzw. die Straßenbahnlinie 6 zum Nationalmuseum.

2. In den Botanischen Garten und auf den Vyšehrad

(einigermaßen besinnliche Wanderung, etwa 7 km, davon nahezu 2 km mit dem Obus)

DIE INTERESSANTESTEN OBJEKTE

★ **115** — Neustädter Rathaus mit Rathausturm (erster Prager Fenstersturz)
★ **116** — Ignatius-Kirche mit wertvoller künstlerischer Ausschmückung
★★ **117** — Cyrill-und-Method-Kirche, in der 1942 tschechoslowakische Fallschirmkämpfer — die Urheber des Attentates auf Heydrich —, den Tod fanden
★ **118** — Das Faust-Haus
★ **119** — Barockkirche St. Johannes Nepomuk am Felsen
★★ **120** — Emaus-Kloster Na Slovanech, eines der ältesten kirchlichen Bauwerke Prags
★ **123** — Romanisches St.-Martins-Rundkirchlein
★ **124** — Peter-Pauls-Kirche auf dem Vyšehrad, Festungskasematten
★★ **125** — Slavín — Ehrenfriedhof auf dem Vyšehrad mit Gräbern bedeutender tschechischer Männer und Frauen

Diese Wanderung hat mehr noch Erkenntnis als Erholung zum Ziel, obwohl auch sie vorwiegend über alte und neue Grünflächen verläuft. Wenn Sie sich jedoch nur entspannen wollen, kommen Sie diesmal nicht mit, und überspringen Sie ganz einfach die nächsten Seiten.

Wiederum gehen wir vom Wenzelsplatz aus, von dessen Mitte wir uns durch die Vodičkova ulice an der Chinesischen Gaststätte (Nr. 19) vorbei, zum Karlovo náměstí — Karlsplatz — begeben. Am Ende der Straße ragt über dem parkähnlichen Platz der Turm des **Neustädter Rathauses** — Novoměstská radnice — empor. Seit der Gründung der Prager Neustadt im Jahre 1348 bestand hier das Verwaltungszentrum dieses Teiles von Prag, bevor die vier Prager Städte sich zu einer gemeinsamen Stadt zusammen-

115★

schlossen. Gegen dieses Rathaus, das zu Beginn der hussitischen Revolutionsbewegung der Sitz der reaktionären Kräfte war, führte am 30. Juli 1419 der Priester Jan Želivský — vor dem Eingang ins Rathaus steht sein im Jahre 1960 von Jaroslava Lukešová geschaffenes Denkmal — von der Maria-Schnee-Kirche her eine Prozession, die die Freilassung der eingekerkerten Angehörigen der Hussitenbewegung forderte. Želivskýs Aufforderung beantworteten die Ratsherren aus den Fenstern mit Spott und einer von ihnen warf sogar einen Stein herab. Dies rief einen erbitterten Angriff der Volksmassen hervor, die in das Gebäude eindrangen und die Ratsherren aus den Fenstern auf die heraufstarrenden Spieße hinabstürzten. Daraufhin wurde das Neustädter Rathaus zum radikalen Flügel der Hussitenbewegung, was später Anlaß zu einem Angriff der konservativen Altstädter auf die Neustadt führte, wobei es ihnen gelang, die im Rathaus aufbewahrten Urkunden der Stadtprivilegien zu vernichten. Nach dem Zusammenschluß der Prager Städte war im Rathaus seit Ende des 18. Jahrhunderts ein Gericht samt Gefängnis untergebracht, in dem zum Beispiel auch viele Teilnehmer der Revolution vom Jahre 1848 in Haft gehalten wurden. Von der ursprünglichen Gestalt des Rathauses ist der Turmbau und ein Teil der Gebäudefront am Karlsplatz mit Renaissancefenstern und Renaissanceportal sowie von der Gotik beeinflußten Giebeln erhalten geblieben. Am Turm sieht man das Stadtwappen der Prager Neustadt und an der der Vodičkova ulice zugewandten Seite auch eine böhmische Elle, an der jedermann nachprüfen konnte, ob er von den Händlern ordentliches Maß erhalten hatte. Man sieht hier auch noch Reste einer jener Ketten, mit denen die Straßen oftmals gesperrt wurden. Im Turm befindet sich eine mit vergoldeten Schnitzereien und einer allegorischen Deckenfreske („Recht und Gerechtigkeit") geschmückte Kapelle. Am Altar sieht man ein bemerkenswertes St.-Georgs-Bild aus der zweiten Hälfte des 17. Jahrhunderts. Im gegen-

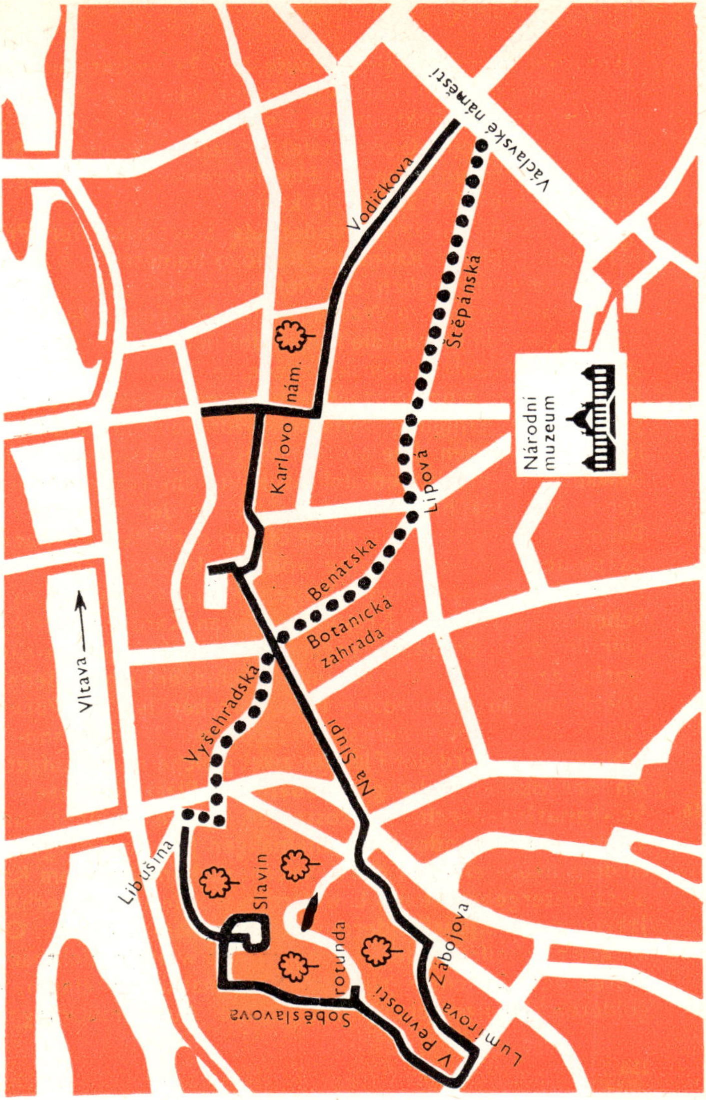
Václavské náměstí
Vodičkova
Štěpánská
Národní muzeum
Karlovo nám.
Lipová
Benátská
Botanická zahrada
Vyšehradská
Vltava
Na Slupi
Libušina
Slavín
rotunda
Soběslavova
V Pevnosti
Zábojova
Lumírova

überstehenden Salmschen Hause Nr. 24 wohnte und starb der hervorragende Barockbildhauer Matthias Braun, und in dem zweiten Eckhaus am Eingang in die Řeznická ulice bemerken wir eine Gedenktafel für den tschechischen Reformator und Freund von Jan Hus Hieronymus von Prag, der hier im Jahre 1370 zur Welt kam.

Der von seinem Gründer als Stadtplatz der Prager Neustadt geplante Raum des Karlovo náměstí — Karlsplatz — diente ursprünglich als Viehmarkt und später auch als Marktplatz für andere Waren, namentlich Fische. Im 15. Jahrhundert wurde hier in die Mauer der in der Mitte des Platzes stehenden Fronleichnamskapelle eine Tafel mit den Basler Kompaktaten eingesetzt, durch deren Artikel die Bedingungen der Einigung zwischen Hussitentum und Kirche festgelegt wurden. Die aus der längst abgetragenen Kapelle bewahrte Kompaktatentafel ist heute im Nationalmuseum deponiert. Vor hundert Jahren wurde der Karlsplatz mit Bäumen bepflanzt und in einen öffentlichen Park verwandelt. Es stehen hier eine Reihe von Denkmälern zur Erinnerung an den lyrischen Dichter Vítězslav Hálek, an die Schriftstellerin Eliška Krásnohorská, an Karolina Světlá, die hier in dem Eckhause gegenüber der St.-Ignatius-Kirche starb, an den Botaniker und Orchideensucher Benedikt Roezl und an den großen Naturforscher Jan Ev. Purkyně. Durch die Hauptverkehrsader Ječná mit Straßenbahn- und Obusverkehr wird der Platz in zwei gleiche Flügel aufgeteilt. An der oberen Ecke gegenüber der Platzmitte steht die

★116 **St.-Ignatius-Kirche** — kostel sv. Ignáce —, in früheren Zeiten ein Bestandteil des ehemaligen Jesuitenkolleghauses, in dem heute ein Teil des Krankenhauskomplexes am Karlsplatz untergebracht ist. Die Kirche wurde in den sechziger Jahren des 17. Jahrhunderts von Carlo Lurago erbaut. Oben an der Giebelfront der Kirche strahlt weithin sichtbar die Statue des Ordensbegründers St. Ignatius in einem vergoldeten Heiligenschein. Die innere Ausschmückung der

Kirche mit Gestalten von Heiligen aus dem Jesuitenorden schuf Antonio Soldati. Auf dem Hauptaltar sieht man das von Heintsch im Jahre 1688 gemalte Ignatius-Bild. Von demselben Maler ist auch das Bild der Überführung des hl. Wenzel in der Kapelle der böhmischen Schutzheiligen sowie ein weiteres St.-Ignatius-Bild in der Kapelle des hl. Borgia. Man findet dort auch ein Altarbild und ein bereits stark mitgenommenes Fresko von Ignaz Raab, von dem auch das Altarbild des St. Liber in der Kapelle der böhmischen Patrone stammt. Unter der Empore ist eine Kalvariengruppe von J. A. Quittainer untergebracht.

Wenn man längs der Straßenbahnlinie den Park durchquert, gelangt man an dem Eckgebäude der tschechischen Technischen Hochschule mit von J. V. Myslbek geschaffenen Frontplastiken vorbeigehend in die zur Moldau hinabführende Straße Resslova ulice, wo am Ende des ersten Häuserblockes zur rechten Seite die **St.-Cyrill-und-Method-Kirche** — kostel sv. Cyrila a Metoděje — steht. Die innere Ausschmückung samt den Fresken erhielt die Kirche von Karl Schöpf, den Barockbau schuf K. I. Dientzenhofer. Mehr noch als wegen seiner architektonischen Schönheit und seines künstlerischen Schmuckes ist dieses Gotteshaus dadurch bekannt, daß hier das letzte Gefecht zwischen den Fallschirmkämpfern, die im Mai 1942 das Attentat auf den Naziprotektor Böhmens und Mährens Reinhard Heydrich durchgeführt hatten, und SS-Abteilungen ausgetragen wurde. Die Männer verbargen sich nach dem vollzogenen Attentat in der unterirdischen Krypta der Kirche, doch wurde ihr Versteck durch Verrat entdeckt. Obwohl die SS-Abteilungen in der Nacht alle umliegenden Gebäude besetzt hatten, gelang es ihnen auch nach mehrstündigem Kampf nicht, in die Kirche einzudringen. Sie riefen die Feuerwehr zur Hilfe, die die Krypta unter Wasser setzen sollte, und nahmen die einzige schmale Fensteröffnung, die in die unterirdischen Räume hinter der Kirche hinabführte, unter Feuer. Die steinerne Leibung des Fensters zeigt noch deutlich die Spuren der Einschläge. Erst als mehrere der Verteidiger schwer verwundet und gefallen waren und die übrigen, die den Belagerern empfindliche Verluste beigebracht hatten, sich in die verlassenen Grabnischen zurückziehen mußten, wo sie die letzte Kugel für sich selbst verwendeten, konnte die SS die Kirche besetzen, ohne daß ihr ein einziger der Rächer lebendig in die Hände gefallen wäre. Die hierauf durchgeführten Repressalien, denen Hunderte von Tschechen zum Opfer fielen, die zum Teil grundlos hingerichtet wurden, hob eine tiefe blutgetränkte Furche zwischen dem tschechischen Volke und den Okkupanten aus. Sie führten auch zur Ausrufung des Kampfes auf Tod und Leben sowie zur Entstehung zahlreicher Partisanenabteilungen und in Prag schließlich zu dem in den letzten Tagen des Krieges entflammenden Aufstand.

Von der Kirche kehren wir wieder zum Karlsplatz zurück, an dessen unterem Rande wir bis zur Einmündung der Vyšehradská ulice weitergehen. An der linken unteren Platzecke steht neben dem schönen zur Kirche St. Johann Nepomuk am Felsen führenden Dientzenhoferschen Tor das berühmte **Faust-Haus** — Faustův dům —, das bereits im Zusammenhange mit dem Alchimisten Eduard Kelley (siehe Seite 188) erwähnt wurde. Schon im 14. Jahrhundert hatte hier Fürst Wenzel von Troppau seine Laboratorien, und Kelley, der das Haus im 16. Jahrhundert erwarb, trug mit seinen Versuchen nur zur Festigung der das geheimnisvolle Haus umrankenden Legenden bei. Kelley erlangte Audienz bei Kaiser Rudolf II., dem er die Herstellung von Gold vorführte. Der Verwandlung wohnte angeblich eine große Zahl neugieriger Hofleute bei, deren Aufzeichnungen größtenteils vorhanden sind. Am eingehendsten ist die Beschreibung des französischen Arztes Barnaud abgefaßt, die berichtet, mit einem einzigen Tropfen blutroten Öles habe Kelley ein ganzes Pfund siedendes Quecksilber in pures Gold verwandelt. Gleich erfolgreich stellte er angeblich auch im kaiserlichen Laboratorium Gold her, so daß ihn Rudolf mit dem Ehrentitel Ritter von Iman auszeichnete. Kelley heiratete, gewann eine reiche Mitgift, und obwohl er mit einer Prise seines roten Pulvers hätte Goldbarren hervorzaubern können, legte er das Vermögen seiner Frau zur Sicherheit in einer Bierbrauerei, einer Mühle und mehreren Anwesen in dem Städtchen Jílové bei Prag an. Als Inhaber der Obrigkeitsrechte machte er den Verkauf unentbehrlicher Lebensbedarfsartikel zu einem Monopol. Bald kaufte er auch in Prag zwei Häuser; eines davon war gerade unser Faust-Haus am Karlsplatz. Kelleys Karriere endete, sobald im Kaiser der Verdacht aufkam, dem Engländer sei die Bereitung des Steines der Weisen bekannt und er wolle sie nur nicht verraten. Als später Kelley im Duell den kaiserlichen Kammerherrn Dunkler erstach, erließ Rudolf gegen ihn einen Haftbefehl. Man bemächtigte sich des fliehenden Kelley und warf ihn in das Kerkerverlies im Burgturm von Křivoklát. Alle seine Pulver, Tinkturen, Tiegel und Rezepte wurden beschlagnahmt und auf die Prager Burg geschafft. Die königlichen Alchimisten wurden begreiflicherweise aus den Aufzeichnungen nicht klug, und sobald Kelley erkannte, daß der Kaiser alles tun werde, ihn zur Herausgabe des Rezeptes des Wunderpulvers zu zwingen, begann er im Kerker zu trotzen. Er lehnte jede Nahrung ab, seine Kräfte schwanden, und er erkrankte. Auch auf der Folter verriet er nichts, und als sich selbst die Fürbitte der englischen Königin Elisabeth, die Kelleys Freilassung befürwortete, als Fehlschlag erwies, gab er scheinbar nach und erbat die Bewilligung zur Durchführung von Experimenten. Der Kaiser wurde davon augenblicklich verständigt und erteilte sofort seine Zustimmung. Die verhältnismäßig größere Freiheit nutzte jedoch Kelley dazu, sich ein Seil zu beschaffen, an dem er sich bei Nacht in den Burggraben hinablassen wollte, um zu entfliehen. Bei dem Fluchtversuch riß das Seil, und der auf einen Felsblock abstürzende Alchimist erlitt außer schweren inneren Verletzungen einen Beinbruch, so daß man ihn mühelos festnehmen konnte. Man amputierte ihm das Bein und ersetzte es durch eine hölzerne Prothese; später wurde er angeblich begnadigt, doch mußte er sein Leben durch Aufnahme von Darlehen fristen, was am besten beweist, daß er weder das berühmte Pulver noch Gold zu erzeugen vermochte. Als er seine Schulden nicht begleichen konnte, wurde er neuerdings verhaftet und im nordböhmischen Most ins Gefängnis gesetzt. Auch von hier unternahm er einen Fluchtversuch, aber wiederum riß das Seil, und der Engländer brach sich das zweite Bein. In Prag war man von seiner Kühnheit verblüfft. Man schaffte ihn nach Prag, doch hier vergiftete sich Kelley. Nach seinem Tode gehörte das Haus um die Mitte des 18. Jahrhunderts dem Ferdinand Antonín Mladota aus Solopysky. Auch er befaßte sich mit dem Studium der Chemie und mit chemischen Versuchen und stattete das Haus mit verschiedenen technischen Einrichtungen, wie zum Beispiel selbsttätig öffnenden Türen und ähnlichem aus, was zusammen mit der bisherigen Geschichte des Gebäudes zur Entstehung derselben Legenden führte, die J. W. Goethe aus anderen Quellen in seinem Faust bearbeitete, und die auch von dem tschechischen Schriftsteller Jirásek in einer seiner Alten tschechischen Sagen geschildert wurde. Im Kern stellt das Faust-Haus einen mit barockem Außenschmuck verzierten Renaissancebau dar.

An das Faust-Haus schließt eine imposante barocke Gartenmauer an, die einen Parkstreifen einfaßt, der mit der in den dreißiger Jahren des 18. Jahrhunderts von K. I. Dientzenhofer erbauten **Kirche St. Johann Nepomuk am Felsen** — kostel sv. Jana Na skalce — zusammenhängt. Am besten gelangt man in die Kirche durch den Haupteingang von der Vyšehradská ulice aus, der über eine prächtige Freitreppe führt. In der Kirche findet man das Holzmodell zur Bronzestatue des hl. Johann Nepomuk von J. Brokoff aus

★119

dem Jahre 1628, die auf der Karlsbrücke aufgestellt wurde. Das die Aufnahme des kanonisierten Märtyrers in die Schar der Heiligen darstellende Fresko ist um 66 Jahre jünger und wurde von Karel Kovář gemalt.

Wenn man über die Freitreppe auf die Straße zurückkehrt, befindet man sich genau gegenüber dem Eingang zum **Emaus-Kloster** — klášter Na Slovanech — und zur anliegenden Kirche, die zu den bedeutendsten von Karl IV. in Prag errichteten Baudenkmälern gehört. Das Kloster wurde im Jahre 1347 für Benediktinermönche des slawischen Ritus gegründet, die hier aus allen slawisch sprechenden Gebieten zusammengefaßt werden sollten, um auf die Überbrückung des Risses zwischen der West- und Ostkirche hinzuwirken. Bis in die Hussitenzeit hinein war das Kloster ein Sitz der Bildung und der Künste. Von hier stammen zahlreiche berühmte Bildwerke, wie z. B. die aus dem 14. Jahrhundert stammende Kreuzigungsgruppe, die jetzt in der Nationalgalerie aufbewahrt wird, und hier entstand im Jahre 1395 auch der kirchenslawisch abgefaßte Teil des sogenannten Evangelienbuches von Reims, auf das bis zum Jahr 1782 die französischen Könige bei der Krönung den Eid ablegten. Im Jahre 1419 traten die Benediktiner von Emaus zum Hussitentum über, und so blieb das Kloster samt den ursprünglichen gotischen Malereien im Kreuzgang erhalten, die bis auf die Gegenwart zu den kostbarsten Andenken der böhmischen gotischen Wandmalerei gehören. Diesen hussitischen Mönchen wurde 26 Jahre später sogar das Recht zur Erneuerung der Ordensregeln zugestanden, und so entstand im Slawenkloster zu Emaus das einzige hussitische Kloster der Welt. Während der gewaltsamen Rekatholisierung wurden hier (1636) spanische Benediktiner aus Montserrat eingeführt. Sie barockisierten teilweise das Klostergebäude, führten zwei Kirchtürme auf und schmückten das Innere mit Barockfresken und -altären. Im Jahre 1880 erhielten das Kloster aus Deutschland vertriebene

120★★

Beuroner Benediktiner, die die Bauten wiederum regotisierten und bis in viele Einzelheiten im Sinne ihres von F. Desiderius Lenz begründeten Beuroner Kunststils einrichteten. Nach dem Jahre 1918 kamen in das Kloster wieder tschechische Benediktiner, die jedoch im Jahre 1939 von den Naziokkupanten wiederum vertrieben wurden. Wenige Wochen vor dem Ende des zweiten Weltkrieges fiel das Kloster dem Angriff eines angloamerikanischen Bomberverbandes zum Opfer; das Kloster brannte nieder, und die Kirche wurde in Trümmer verwandelt.

Es gelang jedoch im Verlaufe von 14 Jahren den Klostergebäudekomplex zu renovieren, und heute sind hier wissenschaftliche Institute der Tschechoslowakischen Akademie der Wissenschaften untergebracht. Von den historischen Baudenkmälern ist der Kreuzgang mit kostbaren, um 1360 entstandenen gotischen Wandgemälden erhalten geblieben, die Begebenheiten aus dem Alten und Neuen Testament zum Gegenstand haben. An der Vorderfront blieb das nach einem Beuroner Karton von V. Förster ausgeführte Bild des hl. Josef vom Jahre 1906 bewahrt. Der dreischiffige gotische Bau der zerbombten Emaus-Kirche wird zur Zeit noch renoviert, um sein ursprüngliches Aussehen wiederzuerhalten. Im Vorhof zum Kloster steht heute auch die barocke Kosmas- und Damian-Kapelle, die im Jahre 1658 mit sehenswertem Stuckdeckenschmuck umgestaltet worden war.

Wenn man durch die Vyšehradská ulice weiter hinabgeht, kommt man an der Straßenkreuzung auf einen kleinen Platz hinaus. Links an der Ecke beginnt der im Jahre 1845 gegründete **Prager Botanische Garten** — Botanická zahrada. Hier finden entsprechend den Jahreszeiten Ausstellungen von blühenden Kaktusarten oder anderen Pflanzen sowie von exotischen Vögeln statt. Durch die Straße Na slupi weitergehend gelangt man zur Kirche der Elisabethinerinnen, einem der zahlreichen Werke K. I. Dientzenhofers und wenige Schritte weiter zur gotischen Marien-Kirche mit mäßig in die Straße vorgeneigtem spitzem Turm. Auf der rechten Straßenseite begibt man sich durch die Unterführung in die Neklanova ulice, nach links weiter zur steil ansteigenden Lumírova ulice, die sich im oberen Teil nach rechts aufwärts wendet. Hier weitergehend kommt man zum äußeren Tor der Festung Vyšehrad, in die vom Plateau her die Straße Na Pankráci einmündet. Die hohen Backsteinmauern der Zitadelle haben Sie sicher schon von der Marien-Kirche aus und auch während Ihres Aufstieges durch die Lumírova ulice bemerkt.

Und nun stehen Sie vor dem Eingang in die Befestigungen am sogenannten **Táborer Tor** — Táborská brána — aus den Jahren 1655—1656. Das Tor bildete einen Vorbau der Festung, von der es durch einen Graben getrennt war. Das Innenareal beginnt beim Leopolds-Tor, von dem aus man über den Festungsgraben in die Kasematten kommt. Es ist mit von Giovanni B. Allio geschaffenen Wappen geschmückt und wurde nach Plänen von Carlo Lurago um das Jahr 1670 errichtet. Gleich hinter dem Tor, heute bereits im Park, steht ein weiteres Prager Rundkirchlein, die romanische **St.-Martins-Rotunde** — rotunda sv. Martina. Sie dürfte bereits unter König Vratislav I. gegen Ende des 11. Jahrhunderts erbaut worden sein und hat in späteren Zeiten den verschiedensten Zwecken gedient. Sie bildet gleichzeitig das älteste gänzlich bewahrte Andenken an die ruhmvolle Vergangenheit des Vyšehrad. Wenn man von der Hauptstraße vor der Rotunde noch links abbiegt, gelangt man auf den Südteil der Befestigungen hinauf, wo sich ein überwältigender Ausblick auf die Moldau mit dem Sporthafen eröffnet, und wo Sie nachmittags sehr gelungene Aufnahmen machen können. Die Schanzen setzen sich weiter als Krone des steilen Felshanges über der Moldau fort — die Uferstraße führt am Fuße des Felsens durch einen Tunnel.

Und irgendwo an dieser Stelle erhob sich die ursprüngliche Burg, die den Namen Vyšehrad trug. Wenn auch die archäologischen Forschungen bisher nur gezeigt haben, daß die Burg auf dem Vyšehrad nicht älter war als der Fürstensitz über dem linken Moldauufer auf dem Hradschin, so ist der Ort doch von einer ganzen Reihe alter Legenden und Sagen umwoben.

Wir stehen an jener Stelle, wo zu einer historisch noch kicht festgelegten Zeit die Fürstin Libuše als Seherin Prags nünftigen Ruhm kündete und die Gründung der Stadt befahl. Von hier aus soll sie auch ihren gesattelten Schimmel ausgesandt haben, damit er ihr den Gemahl bringe, denn bei einem Rechtsspruch, den sie über zwei verfeindete Brüder aussprach, hatte der schuldig Gesprochene grob die Männer geschmäht, über die eine Frau herrschte. Libuše war jedoch keine gewöhnliche Frau, sondern eine Seherin und weise Herrscherin, die ihre Untertanen zu behandeln wußte: sie sandte ihr Pferd aus, mit dem sie oftmals zu Zusammenkünften mit Přemysl geritten war, und der kluge Schimmel, der den Weg sehr wohl kannte, verirrte sich begreiflicherweise nicht und brachte der Fürstin eben den richtigen Mann — den Pflüger Přemysl — zurück. So wurde die Dynastie der Přemysliden gegründet. Es war mindestens ebenso romantisch, wie es auch heute noch anmutet und es läßt sich schwer sagen, was Legende und was Wahrheit ist. Noch eine zweite Begebenheit soll sich hier abgespielt

VYŠEHRAD

haben: gerade von diesem Felsen aus soll auf seinem guten Roß Šemík der tschechische Wladika Horymír hinabgesprungen sein, als er ungerecht verurteilt worden war. Es konnten demnach die Schanzmauern nicht allzu hoch gewesen sein, wenn ein Reiter mit dem Pferd darüberzuspringen und dann über die Moldau zu setzen vermochte.

Und wenn man Legenden anzweifeln kann, so sind sie doch oft mit über jeden Zweifel erhabenen Tatsachen verknüpft. Und eine Tatsache ist es, daß dem Vyšehrad außerordentliche Wichtigkeit zukam und daß er vorübergehend auch königliche Residenz war. Es stand hier eine gewaltige mittelalterliche Feste, die in der Hand der Kaiserlichen sogar die Prager Hussiten ernstlich bedrohte, so daß sie die Besatzung durch Hunger zur Übergabe zwingen mußten. Später wurde der Vyšehrad von neuem befestigt, und zwar im 17. Jahrhundert, wo ihm eine Reihe von Baumeistern — C. Pierroni, C. Lurago und S. Bossi — barocke Backsteinschanzen verliehen. Seit dem Ende des 19. Jahrhunderts bestehen hier Parkanlagen, die Peter-Pauls-Kapitelskirche, zwei Kapellen, die Kanonikerresidenzen, mehrere Profangebäude und die berühmte Ehrengruft.

In der Nähe der Kirche sieht man im Park drei von Myslbek geschaffene Statuengruppen aus der tschechischen Mythologie („Lumír und das Lied", „Ctirad und Šárka" sowie „Záboj und Slavoj"). Sie wurden nach einem Bombenangriff von der beschädigten Palacký-Brücke hierher überführt und stehen an der Stelle, wo sich der ursprünglich romanische und später gotische Palast der tschechischen Fürsten befand und wo nach der Krönungsordnung die Krönungsfeierlichkeiten beginnen sollten, und zwar zur Erinnerung an ihre bäuerliche Herkunft durch Anlegen der alten Bastschuhe des Pflügers Přemysl. Unweit von hier befinden sich in den Fundamenten der alten Dechantei noch die ursprünglichen Grundmauern der im 11. Jahrhundert errichteten dreischiffigen romanischen St.-Laurentius-Basilika. Auf der gegenüberliegenden Seite des Parkes kommt man zum Gebäude des kleinen Vyšehrad-Museums, das die auf dem Areal des Vyšehrad gemachten archäologischen Funde birgt.

★124 Die heutige dominierend emporragende **Peter-Pauls-Kirche** — kostel sv. Petra a Pavla — ist ein pseudogotischer Neubau von der letzten Jahrhundertwende, während die ursprüngliche, den beiden Aposteln geweihte Kirche hier schon im 14. Jahrhundert stand. Über dem Hauptportal sieht man das kunstvolle Relief des Jüngsten Gerichtes (Štěpán Zálešák, 1901); die Figural- und Ornamentalgemälde im Inneren der Kirche schufen František Urban und Marie Urbanová in den Jahren 1922—1923. Im linken Seitenschiff zeigt ein Barockgemälde das vermutliche Aussehen des Vyšehrad im Jahre 1420, im Augenblick der Kapitulation vor den Hussiten. Aufmerksamkeit verdient in der ersten Kapelle rechts ein romanischer aus Stein gehauener Sarg vom Anfang des 12. Jahrhunderts und ein Tafelbild der Madonna Ara coeli auf dem Altar in der dritten

Kapelle zur rechten Seite, das angeblich aus den Rudolfinischen Sammlungen stammt und von einem gotischen Künstler im 14. Jahrhundert gemalt wurde.

Neben der Vorderfront der Kirche befindet sich der Haupteingang zum Friedhof und zur Ehrengruft auf dem **Slavín,** in der hervorragende Persönlichkeiten der tschechischen Nation beigesetzt werden. Als erster wurde hier im Jahre 1901 der Dichter Julius Zeyer bestattet. Die Gruft faßt 64 Särge; bisher sind noch 29 Plätze unbesetzt. An den Wänden sind die Namen, und es handelt sich fast durchweg um solche, von denen die Inschrift sagt, sie seien „obwohl dahingeschieden, dennoch nicht verstummt". Viele berühmte Personen sind jedoch auch in der Nähe des Slavín auf dem kleinen Friedhofe beigesetzt, von dem rührende Volkslieder singen. Hier steht der schlichte Pyramidenstumpf am Grabe der Schriftstellerin Božena Němcová, der wir das unsterbliche Großmütterchenbuch verdanken, hier ist das Grab des Dichters Jan Neruda, das Grab des Malers Mikoláš Aleš mit seiner Büste von B. Kafka; ein aufschlagenes Buch bezeichnet das Grab Karel Čapeks (von ihm stammen „Die Weiße Krankheit", „Der Krieg mit den Molchen" und andere Romane, die die eigentliche Grundlage der tschechoslowakischen Science fiction mit ihrem großen humanistischen Inhalt bilden), das Grab Karel Hynek Máchas, des Dichters des Versromanes „Máj", der mit einem gewaltigen Begräbnisgeleit hundert Jahre nach seinem Tod von Litoměřice nach Prag überführt wurde, als die Okkupanten die Grenzgebiete besetzt hatten. Hier sind Smetana und Dvořák beigesetzt, der Dichter Vítězslav Nezval — und nahezu jedes Grab kommt einem spannenden Roman gleich.

Entweder durch die Mauerpforte oder über die Hauptstraße kann man vom Vyšehrad zum Fluß hinabsteigen und von der Haltestelle bei der Eisenbahnbrücke mit dem Obus 138 oder 148 zum Wenzelsplatz zurückgelangen.

125★★

3. Auf den Spuren der Hussitenschlacht und zum größten Prager Friedhof

(4 km, davon 2 km mit der Straßenbahn)

DIE INTERESSANTESTEN OBJEKTE

★ **126** — Zoologischer Garten
★★ **127** — Nationale Gedenkstätte auf dem Hügel Vítkov mit Reiterstandbild Žižkas von B. Kafka
★ **128** — Jüdischer Friedhof in Prag-Vinohrady
★ **130** — Friedhöfe von Olšany

★126 Am rechten Moldauufer erstreckt sich eine Reihe zerstückelter Parkanlagen, beginnend im Norden mit dem **Zoologischen Garten** — Zoologická zahrada —, dessen größte Sehenswürdigkeit ein Rudel von Przewalski-Urpferden bildet (man fährt vom Wenzelsplatz mit der Straßenbahnlinie Nr. 3 bis zur Haltestelle hinter der Brücke Most barikádníků und steigt hier in den Autobus, der bis zum Eingang des Tierparks führt), und abschließend im Süden mit dem Waldareal von Krč (mit Straßenbahnlinie Nr. 14 oder 3 vom Wenzelsplatz und in der Endstation in den Autobus umsteigen).

Für Sie als Besucher von Prag haben wir jedoch einen Spaziergang auf die Anhöhe Žižkov gewählt, denn von hier bietet sich am Morgen ein verlockender Blick auf Prag, und außerdem war der Hügel der Schauplatz einer dramatischen Schlacht. Man steigt also in der Mitte des Wenzelsplatzes (Ecke Vodičkova) in die Straßenbahn 21 ein und läßt sich auf die Haltestelle in der Husitská ulice bei der Nationalen Gedenkstätte — Národní památník — aufmerksam machen. Man geht einige Schritte zum Viadukt zurück und biegt auf den breiten, steil ansteigenden kurzen Zugangsweg zum Museum der tschechoslowakischen Armee — Muzeum čs. armády (S. 149) — ab, wo Ausstellungsstücke zusammengefaßt

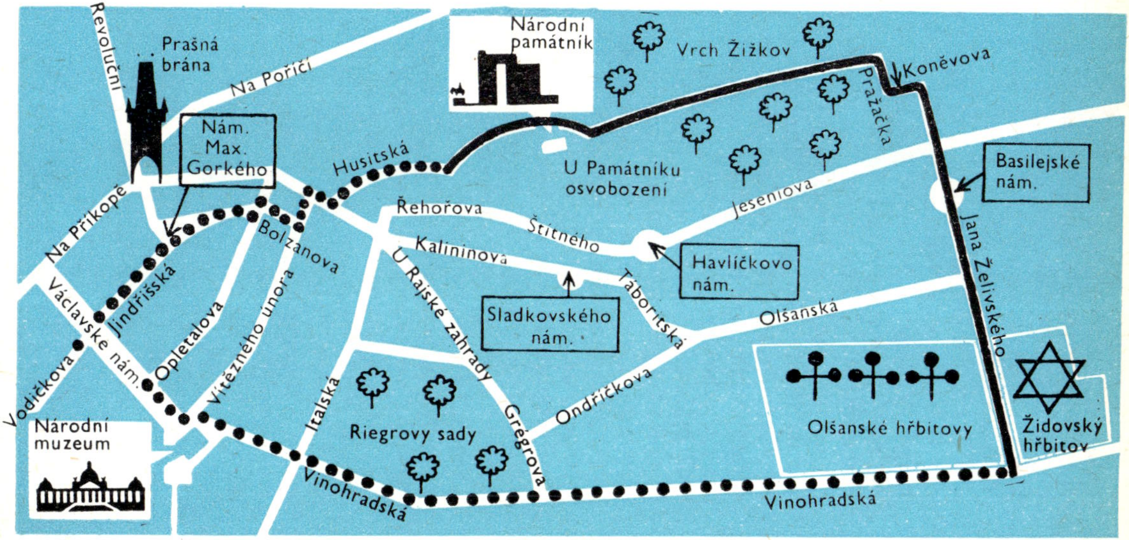
Revoluční
Prašná brána
Na Poříčí
Národní památník
Vrch Žižkov
Koněvova
Pražačka
Nám. Max. Gorkého
Husitská
U Památníku osvobození
Basilejské nám.
Jeseniova
Řehořova
Štítného
Havlíčkovo nám.
Na Příkopě
Bolzanova
Kalininova
Jana Želivského
Václavské nám.
Jindřišská
U Rajské zahrady
Táboritská
Sladkovského nám.
Olšanská
Vítězného února
Opletalova
Vodičkova
Italská
Ondříčkova
Riegrovy sady
Grégrova
Olšanské hřbitovy
Židovský hřbitov
Národní muzeum
Vinohradská
Vinohradská

sind, die den tschechoslowakischen Befreiungskampf während des ersten Weltkrieges und die Widerstandsbewegung sowie die Kämpfe um die Befreiung der Republik im zweiten Weltkriege betreffen.

★★127

128

Etwas höher, auf dem Gipfel des Hügels erhebt sich das Gebäude der **Nationalen Gedenkstätte auf dem Hügel Vítkov** — Národní památník na hoře Vítkově — vor dem die monumentale **Reiterstatue des hussitischen Heerführers Žižka** steht. Das Denkmal ist 9 m hoch, 10 m lang und 5 m breit, sein Gewicht beläuft sich auf 16,5 t. (Es ist das größte Reiterstandbild der Welt.) In der Gedenkstätte ist das Grab des Unbekannten Soldaten untergebracht, und es sind hier revolutionäre Arbeiterführer des tschechoslowakischen Volkes beigesetzt. Bis zum Jahre 1962 bildete einen Bestandteil der Gedenkstätte auch das Klement-Gottwald-Mausoleum, in dem sich die balsamierten Überreste des ersten aus der Arbeiterbewegung hervorgegangenen Präsidenten der Republik — Klement Gottwald — befanden; sie wurden später bei den übrigen Repräsentanten der Revolutionsbewegung bestattet. Der mit Granitplatten ausgekleidete, von Jan Zázvorka entworfene Bau wirkt von außen ebenso wie auch von innen gesehen imposant und feierlich. Die Bronzetüren sind mit Reliefs von Josef Malejovský geschmückt, die die Revolutionskämpfe während der Befreiung darstellen; der der Sowjetarmee gewidmete Saal — sie hatte während der Befreiungskämpfe der Republik im zweiten Weltkriege das Hauptgewicht der Kämpfe zu tragen — ist mit Mosaiken von Sowjetsoldaten nach den einzelnen Waffengattungen (von Vladimír Sychra) geschmückt. Den Sarkophag des Unbekannten Soldaten schuf Karel Pokorný, die Kartons zu verschiedenen Plastiken malte Max Švabinský, die Statue der Republik ist von Ladislav Kofránek, das Reiterstandbild Žižkas von Bohumil Kafka.

Žižkas Denkmal steht genau an jener Stelle, wo von der Wagenburg der Hussiten die Angriffe der Kreuzheere des

Kaisers Sigismund während der Schlacht abprallten, die sich hier im Juli 1420 abspielte. Sigismund hatte damals die Prager Burg auf dem Hradschin besetzt, und seine Besatzung behauptete auch den Vyšehrad. Um Prag zur Kapitulation zu zwingen, mußte er die Stadt noch vom Osten her einschließen. Jedoch gerade auf der Anhöhe, die damals den Namen Vítkov trug, stand Žižka mit seinen Berittenen. Er hatte hier gezimmerte Befestigungen errichtet, zu deren Ausbau man sogar die Eichenholzbänke aus der Michaels-Kirche (unweit der Melantrichova ulice) benützte. Die Kreuzheere waren den Hussiten an Zahl um ein gewaltiges Vielfaches überlegen: Es waren hier Truppen aus Bayern und aus dem Rheinland, Sachsen, Österreich, Ungarn, wohl aus ganz Europa, außer Italien und Skandinavien. Der Kaiser hatte ihnen in Prag reiche Beute zugesagt. Aber die Stadt trotzte, und das kaiserliche Heer grollte, denn es wartete auf den Sold; deshalb erteilte Sigismund den Befehl zum Angriff. Žižka hatte die Befestigungen an der schmalsten Stelle errichtet, und so konnten von den Wällen aus einige Hunderte von Verteidigern das Zehntausende Mann zählende kaiserliche Heer in Schach halten. Die angreifenden Reiter konnten höchstens fünfzehn Mann starke Reihen bilden und wurden von den Hussiten mit

Leichtigkeit geschlagen. Da jedoch von rückwärts weitere Reihen nachdrängten, und die Spitze nicht vorwärts kam, brach Gedränge und Verwirrung aus, in die die hussitische Reiterschar von der Flanke her einbrach. Der wutschnaubende Kaiser mußte machtlos zusehen, wie seine Ritter von den Felshängen stürzten und mit gebrochenem Genick liegen blieben. Es war ein so gewaltiger Sieg, daß die Prager ihn als Wunder betrachteten und einen Dankchoral verfaßten. Zum erstenmal in der Geschichte wurde die Anhöhe nach einem lebendem Menschen benannt, und sie heißt heute noch Žižkov. Werfen Sie von hier aus einen Blick über die Prager Türme: Sie werden verstehen, wofür die Hussiten mit solchem Löwenmut kämpften.

Vom Gipfel des Žižkov gehen wir auf der Kammstraße an das östliche Ende und von dort nach rechts durch die ulice Jana Želivského, die uns ein kleines Stück weiter zwischen die beiden größten Prager Friedhöfe führt: Links liegt der **Prager jüdische Friedhof** — Pražský židovský hřbitov —, wo z. B. Franz Kafka und seine Eltern sowie Vorfahren des Dichters R. M. Rilke begraben sind, rechts die **Friedhöfe von Olšany** — Olšanské hřbitovy —, eine ausgedehnte Totenstadt. Hier ruhen die Gründer des Sokol — Tyrš und Fügner —, der Komponist Vilém Blodek, der Maler Jaroslav Čermák, der Schriftsteller Karel Jaromír Erben, der hervorragende Journalist und Satiriker Karel Havlíček Borovský, die Malerfamilie Mánes und viele weitere. In der Perspektive wird mit der Umwandlung der Friedhöfe in Parkanlagen gerechnet.

In der Hauptverkehrsader Vinohradská třída besteigen Sie die Straßenbahnlinie 20 oder 11, um in wenigen Minuten zum Wenzelsplatz zurückzukehren.

Wohin am Abend?

Václavské náměstí — der Wenzelsplatz — ist kein Broadway und auch kein Kurfürstendamm, und die Straße Na příkopě kommt weder der Karl-Marx-Allee noch der Wiener Kärtnerstraße noch auch den Champs Elysées gleich. Aber Prag bleibt Prag, und es gibt auf der Welt nur einen einzigen Wenzelsplatz. Die Hauptstadt der Tschechoslowakei hat ihren ganz eigenständigen Charakter, in mancher Hinsicht übertrifft Prag andere Städte, in anderen bleibt es um einiges zurück. Wenn man abends von einer der Prager Anhöhen aus die Stadt betrachtet, wird man nicht vom Feuerwerk schreiender Neonlichter oder von grellen Farbeffekten geblendet. Aus dem blinkenden Lichtermeer steigen als ausgeprägte Massen die von Flutlicht erhellten Konturen bedeutender Baudenkmäler empor, und vom Grundriß der Stadt heben sich strahlend nur die Züge der großen Verkehrsadern und Geschäftzentren ab, denn in Prag ist eine Reihe von Geschäften auch noch am Abend geöffnet. Die Stadt Prag tritt nicht als auffallend modisch gekleidete Schönheit auf, sondern eher als eine Dame, die unaufdringliche Eleganz vorzieht. Deshalb betont sie auch mehr das Nationalmuseum und die Brückentürme als Prager Delikateßwürstchen oder Damenwäsche. Womit der Autor keineswegs behaupten will, daß nicht doch noch weit mehr Licht vorhanden sein sollte; Prag wird bisher am Abend noch nicht so ins Licht gerückt, wie es seine Schönheit eigentlich verdiente, und vor allem geschieht hier den Uferstraßen Unrecht, die zu den schönsten der Welt gehören könnten.

Aus all dem, was wir hier sagen, begreift der Leser vielleicht, warum es in Prag möglicherweise mehr Theater und Konzertsäle gibt als Nachtlokale, und warum man sich unter Umständen leichter nach einem historischen Denkmal durchfragt als nach der Adresse einer bestimmten Bar. Lassen Sie deshalb nicht den Kopf hängen, auch solche Dinge gibt es hier, und von allem sei hier für Sie wenigstens auszugsweise das Wichtigste aufgezählt:

BÜHNENHÄUSER

Nationaltheater — Národní divadlo, Nové Město, Národní třída 2, Tel. 231251 37
die bedeutendste tschechoslowakische Bühne; hier werden jetzt Opern, Schauspiele, Balletts und Konzerte tschechoslowakischer und ausländischer Autoren aufgeführt

Smetana-Theater — Smetanovo divadlo, Nové Město, třída Vítězného února 8, Tel. 223938 101
führt als Opernszene Opern und Balletts auf

Tyl-Theater — Tylovo divadlo, Staré Město, Železná ulice 11, Tel. 223295 41
führt Schauspiele und Mozart-Opern auf, von denen der Don Giovanni hier seine Weltpremiere erlebte

Laterna Magica, Nové Město, Jungmannova 31, Tel. 238512 131★
Experimentalstudio des Tschechoslowakischen Films, das hier Programme zeigt, die eine Kombination von Theater, Ballett und Film sowie verschiedenen technischen Tricks darstellen. Das Programm der Laterna Magica wurde anläßlich der Brüsseler Weltausstellung EXPO 58 mit der höchsten Punktezahl gewertet. Das neue bemerkenswerte Experimentalprogramm rief auch auf der Expo 67 in Montreal außerordentliche Aufmerksamkeit hervor.

Dieselbe Anschrift und Telefonnummer gehört auch dem Theater hinter dem Tor — Divadlo za branou — zu, einer Schauspiel-Kleinbühne.

Theater auf den Weinbergen — Divadlo na Vinohradech, náměstí Míru, Tel. 252452 132
bringt Schauspiele tschechoslowakischer und ausländischer Autoren zur Aufführung

133 **Kammertheater — Komorní divadlo, Hybernská 10, Tel. 222819**
bringt Dramen und Schauspiele

134 **Komödie — Divadlo komedie, Nové Město, Jungmannova třída 1, Tel. 231026**
bringt Lustspiele und Schwänke

135 **ABC, Nové Město, Vodičkova 28, Tel. 248860**
hauptsächlich Lustspiele und Schwänke

136 **Realistisches Theater — Realistické divadlo Zd. Nejedlého, Smíchov, S. M. Kirova 57, Tel. 545027**
bringt Schauspiele und Dramen

137 **S.-K.-Neumann-Theater — Divadlo S. K. Neumanna, Libeň, třída Rudé armády 34, Tel. 822992**
führt Schauspiele und Dramen auf

138 **Musiktheater in Karlín — Hudební divadlo, Karlín, Křižíkova ulice 10, Tel. 220895, 227073**
Operetten und satirische Lustspiele

139 **Musiktheater in Nusle — Hudební divadlo, Nusle, Křesomyslova ulice, Tel. 933590**
führt satirische Komödien auf

140 **E.-F.-Burian-Theater — Divadlo E. F. Buriana, Nové Město, Na poříčí 26, Tel. 241219**
Schauspielbühne mit Avantgardetradition

141 **Jiří-Wolker-Theater — Divadlo J. Wolkera, Staré Město, Dlouhá 39, Tel. 67121**
bringt Jugendprogramme

142 **Kleinbühne Rokoko — Divadélko Rokoko, Nové Město, Václavské náměstí 38, Tel. 241239**
satirische Schauspiele, Kabarett

143 **Zentrales Puppentheater — Ústřední loutkové divadlo, Nové Město, náměstí Maxima Gorkého, 28, Tel. 223637**
Puppen-Märchenspiele

144 **Puppentheater Spejbl und Hurvínek, Vinohrady, Římská 45, Tel. 251058**
satirische Puppenspiele mit den weltbekannten Figuren des durchtriebenen Hurvínek und seines spießerischen Vaters Spejbl

145 **Theater am Geländer — Divadlo Na zábradlí, Staré Město, Anenské náměstí 5, Tel. 248131**
ein junges Spezialtheater für Estraden und Chansons, Satire und Panto-

mime mit dem hervorragenden Pantomimenspieler Ladislav Fialka, Schwarzes Theater

Schauspielklub — Činoherní klub, Nové Město, Smečky 26, Tel. 247761 146

Kleinbühne Semafor, Nové Město, Václavské náměstí, Passage ALFA, Tel. 239349 147
literarisch-musikalische Programme, satirische Schauspiele mit Chanson

Alhambra, Nové Město, Václavské náměstí 5, Tel. 223355 148★
literarisch-musikalisches Kabarett, Revuen, mit Gaststättenbetrieb

DISK, Staré Město, Karlova 8, Tel. 233915 149
Bühnenstudio der Akademie der Musischen Künste, in dem die Hörer klassische und Gegenwartsstücke aufführen

KONZERTSÄLE

Haus der Künstler — Dům umělců, Staré Město, náměstí Krasnoarmejců, Tel. 69393 95

Smetana-Saal — Smetanova síň, náměstí Republiky 5, Obecní dům, Tel. 63001 3

Städtische Volksbibliothek — Městská lidová knihovna, Staré Město, náměstí primátora dr. Václava Vacka 1, Tel. 215 19

Nationalgalerie — Národní galerie, Sternberg-Palais, Hradčanské náměstí, Tel. 62867 78

Musiktheater — Divadlo hudby, Nové Město, Opletalova 5, Tel. 224537 98

Schallplatten- und Tonbandkonzerte — Musikalische Programme

In den Sommermonaten werden Konzerte auch in den Kleinseitner Palastgärten veranstaltet, in der Bertramka (81), im Waldstein-Garten (97), Maltesergarten (77), im Hofraum des Clementinums (20) und in dessen Spiegelkapelle, im Lapidarium des J.-Fučík-Kultur- und Erholungsparkes (114), in der Skulpturengalerie auf Schloß Zbraslav (79) und an anderen Stellen.

WEINSTUBEN UND RESTAURANTS

★103   Zum Kelch — U kalicha, aus Hašeks Roman „Abenteuer des braven Soldaten Schwejk" bekanntes Wirtshaus, Nové Město, Na bojišti 12, Tel. 230771

150   Terrassenrestaurant am Barrandov mit Trilobit-Bar bei den Filmateliers von Barrandov, bewaldete Anhöhe über der Moldau, im Winter geschlossen, Tel. 545409

151   Bulgarisches Restaurant Sofia, Nové Město, Václavské náměstí 33, Tel. 226098

152   Barockbar, Václavské náměstí 25, Tel. 235575

★153   Chinesisches Restaurant — Čínská restaurace, Nové Město, Vodičkova 19, Tel. 233398

154   Embassy-Bar, Václavské náměstí 5, Tel. 220664

155   Lucerna-Bar, Vodičkova 36, Tel. 247112

156   Mánes-Restaurant und -Café an der Moldau, Uferstraße Gottwaldovo nábřeží 250, Tel. 231808

157   Meteorclub-Bar, Nové Město, Hybernská 6, Tel. 224771

★158   Moskva, Gaststätte und Weinrestaurant mit Spezialitäten der Völker der UdSSR, Staré Město, Na příkopě 29, Tel. 236516

111   Nebozízek, Gartenrestaurant am Petřínhügel, Tel. 532206

159   Klosterweinstube — Klášterní vinárna, Nové Město, Národní 8 Tel. 230596

★160   „Lebendiggewordenes Holz"— Oživlé dřevo, mit Naturplastiken ausgeschmückte Gaststätte beim Museum der Tschechischen Literatur am Strahov, Tel. 531897

★112   Praha, Brüssler Weltausstellungsgaststätte im Letná-Park, Tel. 374546

161   Savarin, Café, Weinstube und Restaurant, Nové Město, Na příkopě 10, Tel. 222066

162   Srdíčko-Bar, Hybernská 24, Tel. 223771

163   Varieté mit Gaststättenbetrieb, Vodičkova 30, Tel. 243889

164   Tatran-Bar, Václavské náměstí 22, Tel. 248213

★165   U Fleků, historisches Bräuhaus mit interessanten Sälen und geschnitzten Möbeln, Nové Město, Křemencova 11, Tel. 232446

U Malířů, Weinstube mit Freskenschmuck, Malá Strana, Maltézské náměstí 11, 531883   **166**

Thomas-Brauerei — Kabaret u sv. Tomáše, historisches Bräuhaus mit Kabarettprogramm, Malá Strana, Letenská 33, Tel. 531632   **167**

Waldsteinrestaurant — Valdštejnská hospoda, Malá Strana, Valdštejnské nám. 7, Tel. 62095   **168**

Vikárka, romantisches Gasthaus auf der Burg, gegenüber dem Veits-Dom, Vikářská 7, Tel. 649910   **169**

Vysočina — Restaurant mit Holzphantasien, Nové Město, Národní třída 28, Tel. 225773

Goldenes Brünnel — Zlatá studně, Terrassen-Weinrestaurant unter der Burg, mit schönem Ausblick auf Prag, Malá Strana, U zlaté studně 4, Tel. 631165   *35*

U piaristů, Weinstube, Nové Město, Panská 1, Tel. 220603   **170**

Zur Goldenen Kanne (Zlatá konvice) — Staré Město, Melantrichova 20, Tel. 237 892
Stilweinstube in ursprünglichem romanischem Kellergeschoß

Außerdem gibt es Nachtbars in nahezu allen größeren Hotels, und im Telefonbuch können Sie unter dem Stichwort vinárny (Weinrestaurants) unter mehr als hundert Unternehmen dieser Art eine Auswahl treffen, die Sie gewiß zufriedenstellen wird.

An Stadien,

Sportflächen

und Schwimmbädern

vorüber

Die Zahl der Besucher, die alljährlich dem Sport zuliebe nach Prag kommen, ist sehr beachtlich. Wurden doch hier seit Kriegsende eine ganze Reihe von Weltmeisterschaften ausgetragen: in Eishockey, Eiskunstlauf, Tischtennis, Sportgymnastik, Volleyball, künstlerischer Gymnastik und Kanusport — es wäre eine lange Übersicht, wenn man sie einzeln aufzählen wollte. Ein unvergeßliches Erlebnis für jeden Besucher sind vor allem die Spartakiaden, gymnastische Massensportveranstaltungen, wie man sie sonst an keiner anderen Stelle der Welt sieht. Obwohl von den mehr als hundert Weltrekorden, die die tschechoslowakischen Sportler seit dem Ende des zweiten Weltkrieges errungen haben, nur ein kleiner Teil in Prag selbst erkämpft wurde — von den nicht weniger als 21 Weltrekorden Zátopeks hat Prag nur vier selbst gesehen —, war und bleibt die Hauptstadt der Tschechoslowakei doch der ausschlaggebende Schwerpunkt des Sportes und der Körperkultur überhaupt. Hier wurde das größte Stadion der Welt für gymnastische Massenauftritte angelegt, es gibt nur wenige so ausgezeichnete Regattastrecken wie die des neuen Rudersportstadions auf der Moldau, Prag besitzt drei Kunsteislaufplätze, davon zwei in Hallen; die große Sporthalle ist ein ästhetischer Genuß auch für den, der nicht leidenschaftliche Zuneigung zum Sport empfindet — und begreiflicherweise stehen zur Verfügung Hunderte von Sportplätzen, Sportstadien, Schwimmbädern und Bassins sowie Sportsälen und Turnhallen, die für groß und klein zugänglich sind.

Hat ja doch der Sport in der Geschichte der Tschechoslowakei auch eine bedeutende Rolle gespielt: als die Tschechen und Slowaken noch nicht ihren gemeinsamen selbständigen Staat erreicht hatten, gründeten Fügner und Tyrš in Prag die Turnvereinigung Sokol, aus der sich später eine Massenorganisation entwickelte, die nicht nur körperliche Tüchtigkeit und Geschmeidigkeit, sondern auch aufrechtes nationales Bewußtsein pflegte. Die Sokolkongresse stärkten gewaltig das Volksbewußtsein der breiten Massen; sie erbrachten den Beweis, daß das Volk selbst sich zu einer bedeutenden Kraft zu organisieren und seinen Willen durchzusetzen vermag. Der Sport wurde zu einer noch überzeugenderen Macht, als nach dem zweiten Weltkriege die einheitliche Körpererziehungsorganisation geschaffen wurde, die alle aktiven Sportfreunde von den Spitzensportlern bis zu den allerjüngsten Anfängern und von den Fechtern bis zu den Hockeyspielern zusammenschloß. Die imposanten Spartakiaden der Jahre 1955, 1960 und 1965 mit ihrer gesamtstaatlichen Massenbeteiligung von Sportlern, die ideenmäßig an die Massenauftritte der Föderation der proletarischen Körpererziehung anknüpften, ließen klar erkennen, daß dieser Gedanke dauernd weiterlebt. Sport wird nicht im luftleeren Raum betrieben, seine Erfolge werden auf den Kampfbahnen und Sportplätzen errungen, und mit einigen davon möchten wir Sie bekanntmachen.

★★171 **Das Große Sportstadion auf dem Strahov** — Velký strahovský stadión — erstreckt sich unweit der Prager Burg und ist mit der Straßenbahnlinie 22 erreichbar, wobei man in der Haltestelle Dlabačov oder Královka aussteigt. Man geht dann wenige Minuten durch die Parkanlagen hinauf.

Es ist, wie wir bereits sagten, das größte Stadion der

Die in diesem Kapitel besprochenen Sporteinrichtungen bilden keinen zusammenhängenden Spaziergang, sondern bieten eine allgemeine Übersicht über die bedeutendsten Objekte.

Welt für gymnastische Massenauftritte. Sein Übungsgelände umfaßt 60 000 Quadratmeter. Auf dem 200 × 300 m messenden Rechteck seiner Fläche haben schon 16 400 Sportler gleichzeitig Freiübungen vorgeführt. Die Tribünen samt den Umgängen, die den Platz umgeben, nehmen 250 000 Personen auf. Weil das Stadion für Massenauftritte bestimmt ist, zu denen noch ein geordneter und ästhetisch gelöster Aufmarsch Tausender von Gymnasten gehört, muß sich vor dem Haupteingang — dem Kämpfertore — noch ein ausgedehnter Antrittsraum befinden. Unter den Tribünen angeordnete Garderoben könnten auf keinen Fall für all die Tausende von Übenden ausreichen, die an einem einzigen Spartakiadetag auftreten, und deshalb wurden rings um den Antrittsplatz herum besondere mehrstöckige Garderoben errichtet. Der Reiz dieser Auftritte beruht in ihrer großartigen Massenwirkung. Die Fläche des Stadions verwandelt sich in eine aus menschlichen Antlitzen und Körpern bestehende blühende Wiese. Gerade dieses Stadion hat es ermöglicht, daß hier während einer Spartakiade auf der Übungsfläche nahezu eine halbe Million Kinder, Jungen und Mädchen, Männer und Frauen einander ablösen konnten. Stellen Sie sich sechzehntausend hübsche Mädchen auf einmal vor! Sechzehntausend Sinnbilder von Schönheit und Jugend! Die Spartakiade-Übungen beeindrucken vor allem durch ihre imposante Mächtigkeit: Die auf sechshunderttausend Quadratmeter schwellenden Reihen halten mit tadelloser Selbstzucht präzise Deckung ein und wirbeln dabei in überraschenden Wendungen. Deshalb gehen auch die Farbfilme von der Spartakiade in die ganze Welt hinaus. Bereits im Jahre 1862, vor mehr als hundert Jahren, wurde der Sokol gegründet. Und 1882 wurde in Prag der erste Sokolkongreß abgehalten. Schon im Jahre 1921 spielte sich auf dem Prager Stadion Na Maninách die erste proletarische Spartakiade ab. Es ist also eine alte Tradition, die ständig weiterlebt. Die Spartakiaden sind stets ein großes nationales Fest, sie werden zuvor in den einzelnen Gemeinden im gesamten Staatsgebiet abgehalten, sodann in den Kreis- und Bezirkstädten, um ihren imposanten Gipfelpunkt gerade hier in Prag in dem Stadion von Strahov, dem größten der Welt, zu finden. An diesen Tagen beherbergt Prag mindestens noch eine weitere Million Menschen. Und diese zweite Million ist gleichfalls von Begeisterung hingerissen. Auch Sie sollten einmal diese Tage miterleben!

In dem Stadion finden außerdem Wehrspiele statt, Flachbahnrennen und Motorrad-Geländefahrten mit künstlichen Hindernissen.

(Unmittelbar gegenüber befindet sich das Stadion der Tschechoslowakischen Armee, siehe Seite 265.)

★172 Die **Sporthalle** im Prager Kultur- und Erholungspark Julius Fučík befindet sich unmittelbar bei der gleichnamigen Straßenbahnhaltestelle (Strecke 3).

Es ist die prachtvollste sowie modernst und vor allen Dingen zweckmäßigst eingerichtete Sporthalle der Tschechoslowakei. Mehr als dreißig Eingänge ermöglichen raschen und reibungslosen Zugang und Abgang, die Farbe der Eintrittskarten entspricht sowohl den zugehörigen Kleiderablagen als auch Sitzplätzen und Erfrischungseinrichtungen, es können hier Eishockey und Hallenhandball, Volleyball und Basketball gespielt werden, es wurden hier bereits Weltmeisterschaftskämpfe im Eiskunstlauf, in Sportgymnastik und im Tischtennis ausgetragen. Diese und zahlreiche weitere Sportereignisse wurden von hier über die Fernsehsendernetze der Eurovision und der Intervision in die Welt übertragen. Für die Fernsehkameras wurden hier zweckmäßig gewählte Standplätze geschaffen, und von der großen, über der Spielfläche befindlichen Beleuchtungsbrücke aus können automatisch Lehrfilme aufgenommen werden. Die Sporthalle faßt rund 20 000 Besucher. Bemerkenswert ist auch die architektonische Lösung des Hallenbaues, und selbst wenn Sie persönlich nicht sportbegeistert sind, lohnt sich eine kurze Besichtigung der Halle im Rahmen Ihres Prager Besuches. Die seit dem Beginn der sechziger Jahre in Betrieb stehende Halle wird ausgiebig auch für kulturelle Veranstaltungen benutzt: Filmfestwochen, Tanzmusikkonzerte, Revueprogramme und andere Darbietungen.

Das **Winterstadion auf der Moldauinsel Štvanice** — Zimní stadión na Štvanici — war das erste Kunsteisstadion in der Tschechoslowakei. Erreichbar ist es mit der Straßenbahn 14 und 18 (Haltestelle Mitte Hlávkabrücke). Das im Jahre 1932 errichtete Objekt bedeutete eine große Hilfe für alle Anhänger der Eissporte. Es gab Winter, wo die Hockeyspieler auf Natureis kaum zu Worte kamen. 173

Heute gibt es in der ČSSR mehr als 30 Winterstadien, aber dem Prager Winterstadion kann keines den Rang streitig machen. Hier schlug die tschechoslowakische Eishockeymannschaft bei den Weltmeisterschaftkämpfen das Team Kanadas, und auch heute noch erschallt immer wieder von 15 000 Zuschauern skandiert die Anfeuerung „Do toho — do toho!" (Vor — ein Tor! Vor — ein Tor!). An den Winternachmittagen steht das Stadion den Kindern zur Verfügung, vormittags üben hier die jungen Eiskunstlauf-Adepten.

Das **Stadion der tschechoslowakischen Armee auf dem Strahov** — Stadión čs. armády na Strahově — erstreckt sich unmittelbar gegenüber dem großen Strahover Sportstadion und ist mit der gleichen Straßenbahnlinie (Nr. 22) erreichbar. Es ist gegenwärtig das größte Fußballstadion in Prag, und hier werden die meisten internationalen Fußballspiele ausgetragen. Dieses Stadion, das 45 000 Zuschauer aufnimmt, ist gleichfalls mit allen für athletische Wettkämpfe sämtlicher Disziplinen erforderlichen Einrichtungen ausgestattet. Hier hat z. B. Kuc seinen 5000-m-Weltrekord errungen. 174

Die Armee-Fußballmanschaft Dukla-Praha, wohl der berühmteste tschechoslowakische Klub der Nachkriegszeit, hat seinen **Sportplatz auf der Juliska** in Prag-Dejvice. 175

Zum Dukla-Sportplatz gelangt man mit den Straßenbahnlinien 7 oder 18, indem man an der vor dem Hotel International befindlichen Endstation aussteigt. Der Dukla-Mannschaft, die auf diesem Stadion spielt, gehören auch Pluskal und Masopust an, zwei von den drei Tschechoslowaken, die im Oktober 1963 in die gegen Englands Auswahl aufgestellte Weltmannschaft eingereiht wurden. Einen Bestandteil des Sportareals auf der Juliska bildet auch die Schwimmhalle, die modernste in Prag.

177 Das **Stadion Sparta ČKD Praha** befindet sich auf dem Plateau der Anhöhe Letná, gegenüber dem Gelände, auf dem am 9. Mai anläßlich des Staatsfeiertages der ČSSR der Aufmarsch zur Truppenschau stattfindet. An der Mauer dieses Stadions ist die Ehrentribüne angebaut, auf der der Präsident der Republik der Truppenschau beiwohnt. Das Stadion wurde von dem früher sehr bekannten AC Sparta errichtet. Im Zuschauerraum finden 45 000 Besucher Platz. Hier ist auch der Start, ein Etappenziel oder das Endziel der bekannten Friedensfahrt, des größten Amateur-Straßenrennens der Welt, das über mehr als 2000 km verläuft und sich zwischen Prag, Warschau und Berlin abspielt. Zum Spartastadion führen die Straßenbahnlinien 11 und 18.

176 **Axa,** Na poříčí 42, ein in der Stadtmitte befindliches Hallenschwimmbad, erreicht man vom Wenzelsplatz aus am besten mit den Straßenbahnlinien 19 oder 15.

Das **Institut für Körperkultur und Sport,** die höchste Sportschule der Tschechoslowakei, befindet sich in der Straße Na Újezdě Nr. 40. Zur Ausstattung dieser achtsemestrigen Hochschule gehören nicht nur Schwimmbassin und Turnhalle, sondern auch eine Laufbahn, ein Kino zur Vorführung von Lehrfilmen und Trainingsräume. Mit dem Institut ist das interessante **Staatliche Museum für**
★74 **Körperkultur und Sport** — Státní muzeum tělesné výchovy a sportu — verbunden. Es ist in dem auch architektonisch bemerkenswerten Michna-Palast untergebracht. Der

Besucher findet hier einen fesselnden Überblick über die gesamte Geschichte des tschechoslowakischen Sports einschließlich der Gründer der Turnbewegung Sokol, der proletarischen Turn- und Sportorganisationen und der Arbeiter-Turnvereinigung. Man sieht hier historische Modelle von Schlittschuhen, Skiern, ein altes Laufrad sowie Velozipeds mit riesigem Vorder- und winzigem Hinterrad, auf dem die Strecken Prag—München oder Prag—Wien zurückgelegt wurden; die Bilder von diesen Leistungen lassen erkennen, mit welcher Begeisterung solche Taten vollbracht wurden. Weiter sind hier denkwürdige Banner von Turn- und Sportvereinigungen, Trophäen des Tschechoslowaken Karel Koželuh, der nach dem ersten Weltkriege Berufs-Tennisweltmeister wurde, und Trophäen anderer Rekordler, Sportabzeichen, von der tschechoslowakischen Postverwaltung herausgegebene Briefmarken mit Sportmotiven, Sporttrachten, viele Aufnahmen von nahezu legendären Sportlern, wie der Tormann Plánička, oder die „Lokomotive" Zátopek, Olympiasieger, Weltmeister und Europameister, Aufschluß über die Organisation der tschechoslowakischen Körpererziehung, die außer den beiden grundlegenden Instituten für Körperkultur und Sport in Prag und in Bratislava weitere 21 Lehrstühle für Körperkultur an pädagogischen Instituten und 7 Lehrstühle für Sportmedizin besitzt, — versäumen Sie nicht, die Gelegenheit zu nutzen: nicht jedes Land hat ein Sportmuseum!

Die **Tennisplätze auf der Štvanice** — gegenüber dem alten auf derselben Moldauinsel errichteten Winterstadion — erreicht man mit der Straßenbahn Nr. 14 oder 18 (Haltestelle Mitte Hlávkabrücke). Dort besteht ein Komplex von Tennisplätzen. Auch wenn sie noch nicht zu den modernsten gehören, werden hier internationale Turniere ausgetragen, und die ČSSR trägt hier ihre Davis-Cup-Heimspiele aus. Die Anlagen können 3500 Zuschauer aufnehmen. 178

Das **Wassersportstadion auf der Smíchover Mol-** 179

dauinsel wurde zur Abhaltung der Kanurennssport-Weltmeisterschaft im Jahre 1958 erbaut: es faßt 10 000 Besucher und zählt zu den modernsten der Welt. In seine Nähe gelangen Sie vom Kaufhaus des Kindes — Dětský dům — in der Straße Na příkopě mit der Straßenbahnlinie Nr. 5.

Links am rechten Moldauufer erhebt sich nunmehr an der Uferstraße Podolské nábřeží das **Wassersportstadion** — Plavecký stadión — mit gedeckten und offenen Bassins, Dampfbädern usw. Die einfachste Verbindung ist mit der Straßenbahnlinie 21. Weitere Sommerschwimmbäder befinden sich an mehreren Stellen des Moldauufers, z. B. unter den Felsenterrassen von Barrandov, rechts von der Straße nach Zbraslav. Am östlichen Ende Prags ist ein Strandbad mit künstlich geschaffenem See im Stadtteil Hostivař (Straßenbahnlinie 1 und Autobusstrecke 101).

180 Die **Sporthalle Vinohrady** — Vinohradská tělocvična — bietet mit ihren Trainingssälen und ihrer Schwimmhalle die Möglichkeit zu Hallenhandball, Basketball, Boxsport, Leichtathletik und Schwimmen. Zu diesem Objekt führen die Straßenbahnlinien 10, 11 und 20 (Haltestelle Tržnice).

181 Zur **Pferderennbahn in Chuchle** — závodiště v Chuchli — gelangt man von der Station Zlíchov der Straßenbahnlinie 5 (man steigt beim Dětský dům — Kaufhaus des Kindes, Příkopy, ein) mit dem Autobus. Chuchle ist die größte Rennbahn Prags, und auf den Tribünen finden 10 000 Besucher Platz.

182 Das **Zentralkomitee des Tschechoslowakischen Verbandes für Körperkultur** — Československý svaz tělesné výchovy — hat seinen Sitz in Prag, Na poříčí 12, Telefon 249840, 249451-5, Haltestelle der Straßenbahn Bahnhof Praha-střed (Prag-Mitte), Strecke 14, 18. Der Verband für Körperkultur ist das oberste Organ der vereinigten tschechoslowakischen Körpererziehung und gleichzeitig der Sitz der einzelnen Körperkultur- und Sportverbände. Die Internationale Abteilung erteilt bereitwillig allen Sport-

freunden und Sportlern aus dem Auslande sämtliche erwünschten Informationen über die Organisation der tschechoslowakischen Körpererziehung und ihre Einrichtungen. Im Gebäude befinden sich mehrere Turnhallen sowie ein Trainingschwimmbecken für Prüfungswettkämpfe tschechoslowakischer Spitzensportler.

Wir haben in Kürze für Sie die hauptsächlichen Sportplätze und Sporteinrichtungen aufgezählt, die von ausländischen Sportlern in Prag besucht werden. Das Verzeichnis ist freilich keineswegs lückenlos, denn eine vollständige Liste würde eine eigene Broschüre füllen. Zum Schluß nur noch ein kleiner Hinweis: Es wird der Bau eines zentralen Nationalstadions sowie eines Sportzentrums. auf der Moldauinsel Na Maninách (zwischen den Stadtteilen Libeň und Bubny) in Angriff genommen — vor allem deshalb, weil von hier aus der Strom der Tausende von Sportbegeisterten sich verkehrstechnisch besser bewältigen läßt. Es steht noch nicht fest, wann das Stadion eröffnet werden soll, aber Sie werden es bald daran erkennen, daß Sie bei der Fahrt über die Brücke das von unten dröhnende „Do toho — do toho" (Vor — ein Tor! Vor — ein Tor!) — bei Fußballspielen oder „Deset, deset!" (wenn bei Hockeytreffen die heimische Mannschaft in Führung gehen und volle „zehn Tore" schießen soll) vernehmen werden.

Rings um Prag gibt es viele interessante Orte

Das böhmische Becken kann als uraltes Kulturland angesehen werden. Hier siedelten, Kelten, Germanen (z. B. Markomannen, Quaden) und Slawen. An den Thermen wurden auch römische Münzen gefunden. Von der Völkerwanderung und allen anderen Wirren in Mitteleuropa wurde unausweichlich fast immer auch das böhmische Land betroffen. Heute ist Böhmen ein hochstehendes Industrieland. Die Tschechoslowakei gehört zu den zehn industriereichsten Staaten der Erde, und mit der Marke „Made in Czechoslovakia" sind zahllose Erzeugnisse bezeichnet, die überall in der Welt guten Ruf genießen. Deshalb hat man oft die Vorstellung, daß hier nur verbaute Flächen mit Fördertürmen und Fabriksschornsteinen zu sehen sind, und Gegenden, deren landschaftliche Schönheit vom technischen Aufschwung in Mitleidenschaft gezogen wurde.

Diese Vermutung ist jedoch irrig. Nahezu ein Drittel der Republik bedecken Wälder und unweit der Hauptstadt beginnen mit Buchen und Fichten bestandene Höhenzüge, die sich ununterbrochen Dutzende von Kilometern weit erstrecken. Der industrielle Aufstieg gefährdet zumeist die alten Denkmäler, und in der Tschechoslowakei spielt sich tatsächlich eine äußerst rege industrielle Entwicklung ab.

In Nordböhmen — im Gebiet von Most — verschlingen die Tagebaubetriebe der Braunkohlengruben eine Gemeinde nach der anderen, und sogar die Stadt selbst soll ihnen zum Opfer fallen. Jedoch inmitten der Kohlengruben, die die

Stadt verzehren werden, bleibt die Kirche als altes Kulturdenkmal bestehen. Jeder historisch interessierte Besucher der Tschechoslowakei ist verblüfft, wenn er bemerkt, wie viele wohlerhaltene Burgen, Schlösser und mittelalterliche Stadtkerne sowie pietätvoll gepflegte Gotteshäuser es hier gibt. Reisen Sie in jeder beliebigen Richtung von Prag auf das Land hinaus — überall werden Sie bald Beispiele dafür finden.

Wälder, Berge und wundervolle Landschaften inmitten eines Kulturlandes, unberührte Flüsse und Staubecken, Bäche — Forellengewässer —, Schönheiten, die von den vergangenen Generationen, aber auch von den Händen der den Sozialismus aufbauenden Menschen hervorgebracht wurden — das ist die Tschechoslowakei. Der Urvater Čech, von dem die Sage berichtet, er habe den Stamm der Tschechen in dieses Land geführt, soll von Entzücken erfüllt gewesen sein, als er vom Gipfel des Říp, der sich aus der Elbeniederung nördlich von Prag gleich der Brust einer reifen Frau erhebt, die anmutige Landschaft ringsumher betrachtete. Kommen Sie selbst. Sie werden sehen, daß er sich keiner Täuschung hingab und daß seine Wahl richtig war.

Lassen sich nicht die Gelegenheit entgehen, und nutzen Sie Ihren Aufenthalt in Prag wenigstens zu einem Ausflug in die weitere Umgebung der Hauptstadt. Wir haben für Sie drei besonders interessante Trassen gewählt. Jede davon wird Ihnen gewissermaßen als stenographische Notiz das Wesen des Landes erschließen, über das so viele geschichtliche Ereignisse hinweggezogen sind. Manche dieser Orte — wie z. B. Burg Karlštejn, Terezín, Schloß Veltrusy und Dvořáks Geburtsort Nelahozeves oder Kutná Hora — können Sie mit dem Zug erreichen. An andere Stellen bringt Sie der Dampfer: zum Stausee von Slapy auf der Moldau, in die Weinbaugebiete von Mělník am Zusammenfluß von Moldau und Elbe; an jede beliebige Stelle können Sie mit dem Autobus gelangen, die größte Zeitersparnis sichert ihnen allerdings eine Reise mit dem Wagen. Es empfiehlt sich deshalb, (für 10 Kčs) eine Autokarte der ČSSR zu erstehen. Sie gewährt Ihnen eine gute Orientierung auf diesen Ausflügen, und Sie können die vorgeschlagenen Strecken nach eigenem Wunsch abändern.

1. Prag — Lidice — Kladno — Slany — Louny — Libochovice — Burgruine Hazmburg — Třebenice — Lovosice — Litoměřice — Terezín — Nelahozeves — Schloß Veltrusy — Prag (Insgesamt 175 km)

Wenn Sie sich die Autokarte beschafft haben, schlagen Sie bitte Blatt 11 auf, um dann die Stadt auf der Straße Nr. 7 zu verlassen, die am Prager Flughafen Ruzyně vorüber in der Richtung Slaný verläuft. Nach 20 Kilometern zweigt links eine Betonstraße nach Lidice ab. Allein der Name sagt Ihnen gewiß viel. Dennoch werden Sie beim ersten Besuch in **Lidice** überrascht sein, denn die Straße führt durch Rosenhaine in die neuerrichtete Gemeinde mit Familienhäusern und Gärten, die keineswegs an die furchtbaren Ereignisse erinnern, die sich hier am 9. und 10. Juni 1942 abspielten. Es ist ein ganz anderes Lidice als jenes, das dem Wüten der Okkupanten zum Opfer fiel. Die damalige Dorfgemeinde erstreckte sich über den flachen Hang vor den jetzigen Häusern, und auch die Häuschen waren enger aneinandergedrängt. Als sie am 9. Juni jenes entsetzlichen Jahres gegen Mitternacht von Gestapo und SS-Abteilungen umzingelt wurden, war das ganze kein großes strategisches Problem. Die Frauen wurden sofort von den Männern und die Kinder von den Müttern weggerissen. In den frühen Morgenstunden wurden sie auf Lastkraftwagen nach Kladno gebracht; die Männer durften das Dorf nicht verlassen. Auf dem Hofe des Bauern Horák wurden 173 Männer erschossen — alle männlichen Einwohner von 15 Jahren aufwärts. Die Frauen wurden in

★★★

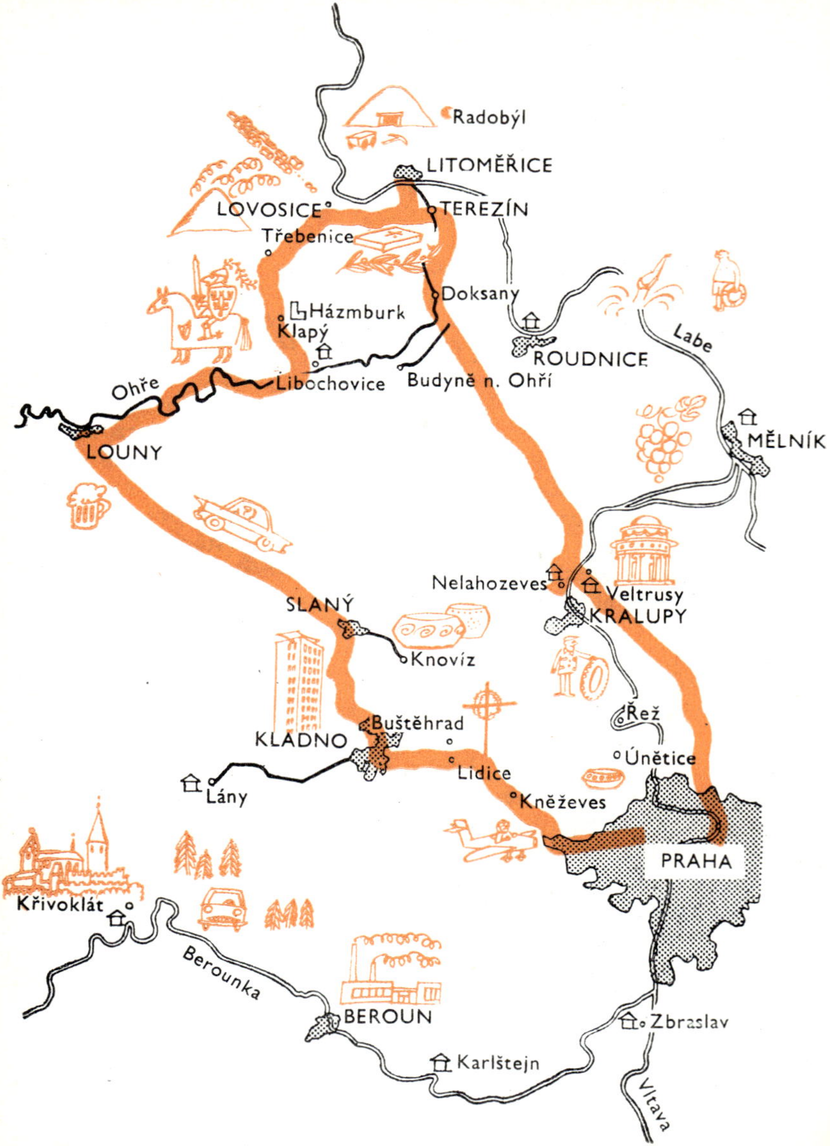
Radobýl
LITOMĚŘICE
LOVOSICE
TEREZÍN
Třebenice
Doksany
Házmburk
Klapý
ROUDNICE
Labe
Ohře
Libochovice
Budyně n. Ohří
LOUNY
MĚLNÍK
Nelahozeves
Veltrusy
SLANÝ
KRALUPY
Knovíz
Řež
Buštěhrad
KLADNO
Únětice
Lidice
Lány
Kněževes
PRAHA
Křivoklát
Berounka
BEROUN
Zbraslav
Karlštejn
Vltava

verschiedene Konzentrationslager gebracht, und die Kinder, soweit sie nicht den herrschenden Vorstellungen über Zugehörigkeit zur nordischen Rasse entsprachen, kamen in Gaskammern um. Von 105 Kindern wurden 89 ermordet. Lidice war eine Bergarbeiter-, Hüttenwerker- und Kleinbauerngemeinde. Wer in den nahen Gruben Nachtschicht hatte, und von der SS nicht an Ort und Stelle erschossen werden konnte, wurde nach Verlassen der Arbeitstätte verhaftet und in Prag hingerichtet. Die Zahl der hingemordeten Erwachsenen stieg dadurch auf 192. Um die Mittagsstunde des 10. Juni war kein einziger männlicher Bewohner des Dorfes mehr am Leben. Auch der Ortspfarrer Josef Štemberka, dem Begnadigung angeboten wurde unter der Bedingung, daß er sich von seiner Gemeinde lossagt, wurde erschossen, als er erklärte: „Ich habe meine Schäflein 35 Jahre lang betreut, ich werde sie auch im Tode nicht verlassen". Noch am selben Tage wurden die Häuser von Lidice geplündert, niedergebrannt und gesprengt. Bulldozer machten die Grundmauern der Gebäude dem Erdboden gleich, so daß kein Stein auf dem andern blieb und wörtlich geschah, was die amtliche Meldung der Hintlerfaschisten berichtete, d. h., daß Lidice nicht nur aus allen Karten und amtlichen Verzeichnissen, sondern im wahren Sinne des Wortes vom Erdboden ausradiert wurde. Später in die Naziarchive unter dem Stichwort „Lehr- und Kulturfilme" eingereihte Filmaufnahmen zeigten, wie die Hitlerfaschisten in Lidice wüteten, wie sie selbst vor Gräber- und Leichenschändung nicht zurückschreckten, den Toten noch Fingerringe raubten, die Zähne einschlugen usw. Damit kein Andenken an Lidice zurückblieb, wurde sogar der Teich aufgeschüttet, und zuletzt wurde der ganze Ort mit Stacheldraht abgesperrt. Wenige Tage nach dem Massenmorde von Lidice, schon am 12. Juli 1942, entstand ein neues Lidice in den Vereinigten Staaten. Die Gemeinde Stern Park Gardens in Illinois nahm den Namen Lidice an. Ein weiteres Lidice entstand in Mexiko, in Peru und an anderen Stellen, sogar Kinder in den verschiedensten Teilen der Welt erhielten bei der Taufe den Namen Lidice. In Großbritannien wurde das Komitee „Lidice must live" („Lidice muß leben") gebildet.

Gleich nach dem Kriege kamen junge Amerikaner, Franzosen, Jugoslawen, Briten, Angehörige der Sowjetjugend, unge Menschjen aus Indien und Italien, aus Kanada. Polen und Vietnam und weiteren Ländern, um den tschechischen Jungen und Mädchen beim Aufbau eines neuen Lidice zu helfen. Am 10. Juni 1945 wurde ein öffentlicher Wettbewerb um den besten Entwurf für den Wiederaufbau der Gemeinde Lidice ausgeschrieben, und im Oktober 1945 wurden von 58 Entwürfen die beiden besten ausgewählt, die als Grundlage zu dem Plan benützt wurden, nach dem die heutige Gemeinde wieder aufgebaut wurde. Den Grundstock der Einwohnerschaft bildeten 143 Frauen, die die Befreiung aus Konzentrationslagern erlebten, und einige wenige Kinder, die bereits völlig germanisiert aufgefunden wurden. Das Schicksal mancher Kinder konnte bis auf den heutigen Tag noch nicht geklärt werden. Aus der Initiative des britischen Ausschusses „Lidice must live" wurde der Rosenpark der Freundschaft angelegt, für den aus allen Teilen der Welt Zehntausende von Rosenstöcken gewidmet wurden. Der ausgedehnte Rosenpark erstreckt sich zwischen der heutigen Gemeinde und dem Orte, wo das alte Lidice stand. Die Stelle, an der die Männer von Lidice fielen, ist heute durch ein schlichtes Holzkreuz bezeichnet. Am anderen Ufer des Baches, gegenüber der Gemeinde, ist ein kleines Museum mit Andenken, die von Lidice aufgefunden wurden. In einer schlichten Steinmauer unter dem Rosenpark sind Denkmäler mit den Namen und Wappen von Orten eingesetzt, die während des Krieges von einem ähnlichen Geschick wie Lidice betroffen wurden, aber auch von Märtyrerstädten wie Coventry, Hiroschima, Nagasaki und Dresden.

Wenn wir auf der Straße, die uns hierhergeführt hat, 6 km weiterfahren, kommen wir nach **Kladno**, einem alten Gruben- und Hüttenwerkszentrum. Die Stadt bildete seit jeher einen Mittelpunkt der Revolutionsbewegung und war als das „rote Kladno" bekannt. Die Randviertel von Kladno reichen bis in die Wälder hinein, und die neuen Kumpelwohnungen in den Hochhäusern sind mit modernster Ausstattung versehen.

Über das Städtchen Slaný geht unser Weg weiter nach **Louny,** das bereits an den südlichen Ausläufern des vulkanischen böhmischen Mittelgebirges liegt. Der Ort gehört zur böhmischen Hopfenregion, deren bekanntester Mittelpunkt das westlich von hier liegende Žatec ist. Louny liegt in einem ungemein fruchtbaren Streifen des Landes, und seine Umgebung ist durch die besonders hochstehende Landwirtschaft berühmt. Der Ort ist seit dem 13. Jahrhundert eine königliche Stadt, und damals wurde auch die Nikolauskirche gegründet, die ihre auf den Anfang des 16. Jahrhunderts zurückgehende spätgotische Gestalt bewahrt hat. Man erkennt sie von weitem an dem dreiteiligen Zeltdach. Die Kirche ist ein Werk der Vladislav-Gotik; ihr Schöpfer, Benedikt Rejt, ist auch unter seinem Künstlernamen Beneš von Louny (oder Beneš von Rieth) bekannt. Besonders prächtig sind die beiden schönen Portale und der mächtige zinnengekrönte Turm mit Spitze und vier Ecktürmchen. Die Kühnheit des auf sechs Pfeilern ruhenden gotischen Gewölbes kommt sehr deutlich zum Ausdruck, denn die Kirche weist eine schlichtere Ausschmückung auf als etwa der gotische Veits-Dom auf der Prager Burg. (In dieser Kirche ist auch der Baumeister Beneš von Louny beigesetzt.) Zu den interessanten gotischen Denkmälern der Stadt gehört das mit Zinnen bewehrte und mit dem Stadtwappen geschmückte Stadttor Žatecká brána. Sofern Ihr Programm es Ihnen erlaubt, möchten wir Ihnen einen kurzen Besuch des Museums ans Herz legen, in dessen Sammlungen man sehenswürdige illuminierte Kantionale aus dem 16. Jahrhundert sowie Zunftandenken und Stadtprivilegien findet.

★ Aus Louny führt unser Weg durch das Tal der Ohře weiter nach dem 21 km entfernten **Libochovice,** einer Stadt mit bewegter Geschichte. In der Hussitenzeit ließ Jan Žižka vier Priester auf dem Stadtplatz verbrennen, die sich hier an Frauen vergangen hatten; später lebte hier der von Kaiser Rudolf II. besiegte Fürst Báthory von Siebenbürgen, der eine Verschwörung gegen den Habsburger angezettelt hatte. Das weitläufige, gegen Ende des 17. Jahrhunderts von Antonio della Porta erbaute Schloß steht zwischen dem Fluß und dem Stadtplatz. An das Gebäude schließt eine große Kapelle mit Turm an. Im Schloßhof kann man die prachtvoll geschmückte Salla Terrena bewundern, von der ein Balkon auf den Park hinausführt. Das erste Stockwerk enthält historische Möbelstücke aus dem 19. Jahrhundert, Porzellan, einen Barockofen und sonstige Einrichtungen. Außerdem sieht man hier verschiedene Sammlungen, die die verschiedenen Besitzer des Schlosses von verschiedenen Weltreisen nach Libochovice zusammentrugen. Sehenswert ist vor allem eine beachtliche Galerie von Gemälden italienischer und deutscher Meister des 17. und 18. Jahrhunderts. Im Erdgeschoß des Schlosses ist ein dem Forscher Jan Ev. Purkyně gewidmetes Museum untergebracht, der hier im Jahre 1787 geboren wurde. Purkyně, der eng mit Goethe befreundet war, und als Gründer der modernen tschechischen medizinischen Wissenschaft gilt, ist in der Welt u. a. als Schöpfer der Zellentheorie bekannt. Sein von Josef Strakovský im

Jahre 1887 geschaffenes Denkmal steht auf dem Platz vor dem Schloß. Interessant ist auch der Stadtpark und der vom Platz aus zugängliche, im französischen Stil mit geometrischen Blumenmustern über einem toten Arm des Flusses Ohře angelegte Schloßpark. In den Gewächshäusern werden tropische Pflanzen gezüchtet, exotische Bäume und Sträucher findet man jedoch auch im Schloßpark.

Aus Libochovice biegen wir (nach links) in Richtung nach Třebenice ab; ungefähr in der Mitte des Streckenabschnittes (nach 5 km) sieht man links die auf einem Basaltkegel erbaute Burgruine **Hazmburk**. Sie stammt aus dem 14. Jahrhundert und gewährt einen bezaubernden Rundblick über die weite Umgebung. Im Westen sehen wir in der Richtung unserer Fahrt die typischen kegelförmigen Erhebungen des Böhmischen Mittelgebirges. Die sechskantigen Säulen des erstarrten Basaltes ragen kahl aus dem Massiv hervor, und da die Basalthänge sehr glatt sind, ereignen sich nicht selten umfangreiche Erdrutsche, wobei zuletzt im Jahre 1900 nicht weniger als 52 Häuser vernichtet wurden. Die an der Berglehne des Basaltkegels unter Hazmburk liegende Gemeinde Klapý mußte infolgedessen bereits zweimal weiterverlegt werden.

Wir verfolgen nun die Straße nach **Třebenice** und gelangen hier an die Fundstellen der bekannten böhmischen Granate. Sie werden in flachen Gruben auf Feldern gewonnen, wobei die Erde durch Siebe mit 1 cm weiten Maschen gesiebt wird, während strömendes Wasser den durchfallenden Granatsand wäscht. Die böhmischen Granate gehören zur Reihe der ideal reinen Edelsteine, sie erreichen zwar nur geringe Größe, zeichnen sich jedoch durch feurige tiefrote Färbung aus. Sie stammen aus den Ergußgesteinen dieses ehemals vulkanischen Gebietes, in dem auch schon kleinere Diamanten aufgefunden wurden. Die gewonnenen Edelsteine werden in den Steinschleifereien von Turnov in Nordböhmen bearbeitet.

In Třebenice besteht auch ein bekanntes der Granatgewinnung gewidmetes Spezialmuseum. Hier sieht man a. u. Granatschmuck von Goethes Ulrike von Levetzow.

Von hier sind es 5 km nach Lovosice. Unterwegs beachte man, wiederum zur linken Seite, den im Winter „rauchenden" Hügel **Boreč**, aus dessen Erdspalten warme Luft strömt. In der Umgebung dieser Spalten setzt sich auch bei den grimmigsten Frösten kein Schnee fest, und es wächst dort immergrünes Moos.

Lovosice kündigt sich schon aus der Ferne durch den farbigen Rauch seiner Chemiebetriebe an. Es ist eine langgezogene Stadtgemeinde, deren Ausdehnung längs der Straße die tschechische Redensart „lang wie Lovosice" begründet hat; von den historischen Denkwürdigkeiten sei nur erwähnt, daß hier im Jahre 1756 eine Schlacht zwischen preußischen und österreichischen Truppen ausgefochten wurde, die, obwohl Tausende von Soldaten fielen, unentschieden blieb. Beide Seiten behaupteten, die Schlacht gewonnen zu haben; die preußische Armee beging den Sieg mit einem feierlichen Tedeum in Lovosice, die Österreicher mit einem nicht weniger feierlichen Dankgottesdienst in Budyně. Im Schloßobjekt von Lovosice — einem Renaissancebau aus dem 16. Jahrhundert — wurden vor 400 Jahren Stierkämpfe abgehalten.

In Lovosice biegt man auf die nach Prag führende Straße ein und 6 km später nach links in Richtung nach Litoměřice

★★★ ab. **Litoměřice** ist eine der bedeutendsten historischen Stadtreservationen der Tschechoslowakei, denn hier befinden sich zahlreiche sehenswürdige Baudenkmäler. Die älteste schriftliche Erwähnung der Gemeinde stammt bereits aus dem Jahre 993. Ihr ältestes Bauwerk ist der Glockenturm, ein hochragender gotischer Turmbau, der schon im 13. Jahrhundert einen Bestandteil der Stadtbefestigungen bildete. An ihn schließt die zu Beginn des 13. Jahrhunderts gegründete, jedoch Anfang des 18. Jahrhunderts durch O. Broggio im Barockstil umgestaltete Allerheiligenkirche an. Der in der zweiten Hälfte des 17. Jahrhunderts von Giulio Broggi unter Mitwirkung des bekannten Prager Baumeisters Dominico Orsi erbaute dem hl. Stephan geweihte Bischofsdom, steht an der Stelle des ältesten ursprünglichen Gotteshauses von Litoměřice, das im Jahre 1057 errichtet wurde. In der Kirche verdienen Beachtung die kostbare Gemäldeausschmückung (Cranach, Škréta), weiter die schöne barocke Kanzel und der kunstvoll gestaltete Hauptaltar. Bemerkenswert ist auch die zum ehemaligen Dominikanerkloster aus dem 17. Jahrhundert gehörende Jakobskirche, ferner die im 18. Jahrhundert erbaute Wenzelskapelle und die aus derselben Zeit stammende Kirche Mariä Verkündigung mit hervorragenden Fresken von Jan Hyebel aus der ersten Hälfte des 18. Jahrhunderts. In den meisten kirchlichen Bauwerken der Stadt findet man Skulpturen von J. W. Hennevogel, einem Bildhauer des 18. Jahrhunderts. Als einzigartiges Baudenkmal gilt das an der Ecke des Platzes stehende Rathaus mit Giebeln und Laubengang und einem sehr interessanten Museum. Litoměřice ist auch eng mit dem Namen des Dichters Karel Hynek Mácha verbunden. der hier wirkte und starb. Er wurde 1836 auf dem Friedhof von Litoměřice beigesetzt und zu Beginn der Okkupation nach Prag überführt.

Aus Litoměřice kehren wir durch die Stadt zurück über die Elbebrücke auf die nach Prag führende Straße und gelangen bald darauf zu der ehemaligen österreichischen (in den achtziger Jahren des 18. Jahrhunderts errichteten) Festung **Terezín**, die jedoch niemals militärisch umkämpft ★★★ wurde.

Terezín, in der ganzen Welt auch als Theresienstadt bekannt, hat als alter Massenkerker traurige Berühmtheit erlangt. Schon während des ersten Weltkrieges darbten hier rund 20 000 Kriegsgefangene. Hier war bis zu seinem Tode der Urheber des Attentates von Sarajevo, Gabrilo Princip, eingekerkert. In Terezín schmachteten italienische Revolutionskämpfer, schmählichsten Weltruf erwarb es jedoch während des zweiten Weltkrieges, als die ganze Stadt samt den Festungsverliesen von den Naziokkupanten in ein Getto umgewandelt und zu einem riesigen Konzentrationslager gemacht wurde. Auf dem schlichten Friedhof an der Straße vor dem Eingang in die Kleine Festung sind in Reihen und Gruppen Grabtafeln eingesetzt. Hier waren Menschen aus nahezu allen Ländern Europas in Haft gehalten worden.

★★ Aus Terezín reisen wir auf derselben Straße weiter in der Richtung nach Prag, biegen jedoch knapp vor der Moldaubrücke rechts nach **Nelahozeves** ab, wo man das kleine Museum in Antonín Dvořáks Geburtshaus besichtigen kann. Über der Gemeinde ragt das dunkelgraue Massiv eines Renaissanceschlosses empor, das im Jahre 1550 Florian Gryspek von Gryspach, der Nachkomme eines verarmten bayrischen Ritters, erbauen ließ. Von außen erinnert der Bau an eine norditalienische Feste. In das Schloß kann man auch über eine Steinbrücke gelangen, an die eine Fallbrücke anschloß. An dem Schloß baute man nicht weniger als 70 Jahre lang, dafür wurde es jedoch später nicht mehr renoviert und zeigt somit sein unverfälschtes ursprüngliches Äußeres. Im Schloßinneren findet man eine Unikatsammlung alter spanischer und holländischer Meister nebst Familienbildnissen böhmischer Adelsgeschlechter — Pernštejn, Rožmberk und Lobkowitz — sowie ein Musikinstrumentenmuseum.

★ Wir kehren auf die Prager Straße zurück und fahren von Nelahozeves über die Moldaubrücke nach **Veltrusy** weiter. Hier lockt ein ausgedehnter Naturpark sowie ein Barockschlößchen mit interessantem Grundriß: von dem von einer Kuppel überragten zylindrischen Zentralbau gehen strahlenförmig vier Flügel aus. Das Schloß entstand erst im 18. Jahrhundert, und es wurde fortschreitend um neue Bauten im Park erweitert. In dem ganzen ausgedehnten Park zerstreut sind zahlreiche Empirepavillons, Tempel, künstliche

Ruinen, eine Sphinxgestalt, ein Marstempel, eine neugotische Mühle an einem toten Flußarm und noch viele andere Bauten. Der Park mit dieser Architektur hat zuletzt das eigentliche Schloß, auf dessen Freitreppe man Plastiken von Hundeführern und Pferdeknechten mit Hengsten sieht, in den Schatten gesetzt. In der Salla Terrena bemerkt man verschiedenartige Reliefs mit gemalten Darstellungen von Ruinen. Auch die Säle des Schlosses mit ihrer mannigfaltigen Ausschmückung lohnen die Besichtigung.

Von hier sind es nur mehr 25 km nach Prag, wohin wir von Norden her zurückkehren.

2. Prag — Bad Poděbrady — Kolín — Schloß Kačina — Tierpark Žehušice — Čáslav — Kloster Sedlec mit Beinhaus — Kutná Hora mit St.-Barbara-Kirche — Prag (insgesamt 132 km)

Aus Prag reisen wir ostwärts auf Straße Nr. 11 nach Bad **Poděbrady** (auch bequem mit der Eisenbahn erreichbar) in der Elbeniederung, die wegen ihrer Fruchtbarkeit auch als Goldene Rute oder Goldener Streifen des böhmischen Landes bezeichnet wird. Der heutige Kurort ist eine alte historische Stadt, die zu Beginn des 12. Jahrhunderts als mit Wällen befestigte und durch das Flußbett der Elbe geschützte Burg gegründet wurde. Die Herrscher aus der Dynastie der Přemysliden weilten hier oft zu Besuch, und deshalb war die Burg prunkvoll ausgestattet. Georg von Poděbrady, dessen Eigentum diese Herrschaft und die nach Magdeburger Recht verwaltete Stadt geworden war, wurde im Jahre 1458 zum böhmischen König gewählt. Seit dem Jahre 1839 gehörte der Herrschaftsbesitz Poděbrady einem Wiener Bankier. Damals, und noch zu Beginn dieses Jahrhunderts, war Poděbrady ein ganz unbedeutendes kleines Städtchen, dessen Entfaltung erst durch die Eröffnung des

★★

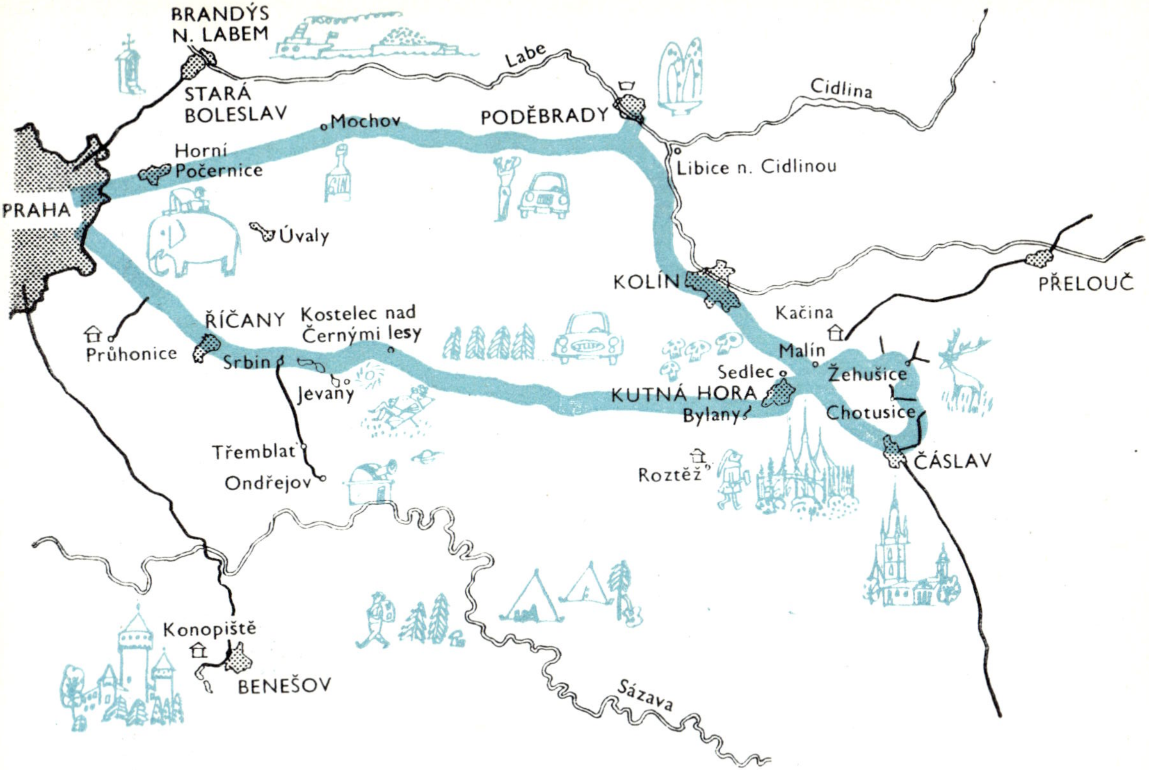
BRANDÝS N. LABEM
STARÁ BOLESLAV
Labe
Mochov
PODĚBRADY
Cidlina
Horní Počernice
Libice n. Cidlinou
PRAHA
Úvaly
KOLÍN
PŘELOUČ
Kačina
ŘÍČANY
Kostelec nad Černými lesy
Průhonice
Srbín
Malín
Jevany
Sedlec
Žehušice
KUTNÁ HORA
Bylany
Chotusice
Třemblat
Ondřejov
Roztěž
ČÁSLAV
Konopiště
BENEŠOV
Sázava

Kurbetriebes angeregt wurde. Die Entstehung des Kurortes geht auf einen Zufall zurück: der nachmalige Inhaber des Schlosses Poděbrady, Fürst Hohenlohe-Schillingsfürst, sah es nicht gern, daß die Bevölkerung aus dem Schloßbrunnen Wasser holte, und beschloß deshalb, für sie auf dem äußeren Burghof einen neuen Brunnen anzulegen; der als Rutengänger bekannte deutsche Graf Bülow hatte ihm nämlich versichert, es sei hier kaum 19 m unter dem Erdboden Wasser vorhanden. Dies war ein gründlicher Irrtum, denn Wasser wurde erst in 94 m Tiefe vorgefunden; als das Naß jedoch endlich aus dem Boden quoll, stellte sich heraus, daß es prickelndes Mineralwasser war. Der Schloßbesitzer wußte es sehr gewandt anzustellen, daß sich die auf die Bohrungen aufgewandten Beträge rasch wieder bezahlt machten: er eröffnete im Jahre 1908 in Poděbrady mit geladenen Gästen aus den Reihen der oberen Zehntausend die Badesaison und den Verkauf des Mineralwassers. Als später die Stadtgemeinde von ihm das Bad kaufte, ließ sie weitere Quellen erschließen, es entstanden Kurhäuser, und nach dem zweiten Weltkriege wurde ganzjähriger Kurbetrieb aufgenommen. Heute strömt in Poděbrady Mineralwasser bereits aus 18 Heilquellen, und es werden hier besonders Herzkrankheiten, Hochdruckkrankheit und Buergersche Krankheit geheilt; außerdem besteht hier eine besondere Kuranstalt für Kinder, die infolge rheumatischen Fiebers an Herzaffektionen leiden. Die guten Erfolge beruhen auf der komplexen Heilbehandlung, die durch Ruhe, angenehmes Milieu und kulturelle Genüsse vervollständigt wird und die, ebenso wie die gesamte Heilpflege in der Tschechoslowakei, von jedem Bürger unentgeltlich in Anspruch genommen werden kann.

Außer den Kureinrichtungen ist in Poděbrady besonders interessant das Schloß mit dem Burgturm, dem Geburtsgemach König Georgs von Poděbrady und der Burgkapelle; auf dem ersten Burghof entsprang auch die älteste Heilquelle. Eine weitere interessante Quelle, die J. A. Komenský bereits im 17. Jahrhundert als „blutigen Brunnen" beschrieb, befindet sich bei dem Bergmannskirchlein aus dem Jahre 1516. Sie entstand an der Hinrichtungsstätte von zehn Bergleuten aus Kutná Hora, die in den letzten Jahren des 15. Jahrhunderts als Aufrührer verurteilt worden waren. Eine Tafel an der Kirche gemahnt an diese Begebenheit. Das Wasser der Blutquelle ist allerdings nicht deshalb rötlich, weil das vergossene Bergmannsblut in die Erde gesickert war, sondern weil es Eisenverbindungen enthält.

Auf dem Stadtplatz erhebt sich eine Reiterstatue Georgs von Poděbrady, ein Werk des Bildhauers B. Schnirch aus dem Jahre 1891. Im Stadtmuseum kann man zahlreiche Andenken an die Geschichte der Stadt Poděbrady und des nahen Libice besichtigen, des Sitzes des von den Přemysliden gestürzten und durch Meuchelmord ausgerotteten Fürstengeschlechtes der Slavnikinger. Poděbrady ist aber weithin auch durch das weltbekannte böhmische geschliffene Glas bekannt, das die hiesigen Glashütten erzeugen. Überdies wird hier optisches Glas erzeugt. Die Stadt ist auch der Geburtsort des Nationalkünstlers Ludvík Kuba (1863—1956), der nicht nur zu den bedeutendsten tschechischen Malern zählt, sondern auch als Musiker, Schriftsteller und Ethnograph Bedeutendes geleistet hat.

Von Poděbrady führt uns die Straße längs der Elbe weiter südwärts nach **Kolín**. Diese Stadt ist ein namhafter Eisenbahnknotenpunkt und ein wichtiges Industriezentrum. Sie wurde im Jahre 1257 im Zusammenhang mit der Aufnahme deutscher Kolonisten gegründet und hieß ursprünglich Colonia nova, zum Unterschied vom nahen alten Kolín mit slawischer Einwohnerschaft. Schon während der Hussitenzeit war jedoch auch dieses neue Kolín tschechisch und blieb unbeirrt eine tschechische Stadt. Hier wirkte und starb auch der bekannte Blasmusik-Komponist František Kmoch, von dem zahlreiche Märsche mit Liedbegleitung stammen. Seine Marschkompositionen werden auch heute noch in vielen Ländern, besonders anläßlich von Militärparaden, gespielt. Im Mittelalter war Kolín unter anderem der Sitz einer starken jüdischen Minderheit. Es ist hier ein alter und ein neuerer jüdischer Friedhof, deren älteste Grabmäler aus dem Jahre 1418 stammen, und auf dem Friedhofe ist auch der Sohn des bakannten Prager Rabbi Löw bestattet, der angeblich in Kolín jäh vom Tode hingerafft wurde, als er gegen das Geheiß seines Vaters einen Brief öffnete, den er unversehrt nach Ungarn schaffen sollte. Das wertvollste Baudenkmal Kolíns ist die im Jahre 1260 gegründete Bartolomäuskirche, die allerdings (nach einem Brande) im gotischen Stil umgebaut wurde, und zwar durch denselben Peter Parler, der den Prager Veitsdom errichtete. Die dreischiffige Kirche hat zwei 70 m hohe Türme, zu denen im Jahre 1504 ein besonderer Glockenturm hinzukam, weil sich herausgestellt hatte, daß die Kirchturmmauern nicht dem Gewicht der im Jahre 1442 gegossenen Glocken gewachsen waren. Die schönen Reliefplastiken an den Pfeilern der Kirche stammen von Mönchen des Klosters Sázava und der wundervolle neuzeitliche geschnitzte Kreuzweg vom Prager Bildhauer František Bílek. Seine geschnitzte Darstellung der Kreuzwegstation „Jesus nimmt das schwere Kreuz auf sich" rief im Jahre 1935 auf der Austellung kirchlicher Kunst in Paris eine wahre Sensation hervor. Das kostbarste Gemälde der Kolíner Bartholomäuskirche ist Peter Brandls „Martyrium des hl. Bartholomäus". Gegenüber der Sakristei erhebt sich ein aus Plänerkalk und Sandstein gehauenes gotisches Sanktuarium. Unterhalb der Kirche verlaufen ausgedehnte Krypten, in denen Hunderte von bedeutenden Kolíner Bürgern zur letzten Ruhe bestattet wurden. Manche der farbigen Fenster wurden bei dem Fliegerangriff auf Kolín während des zweiten Weltkrieges beschädigt und sind vorläufig noch durch weißes Glas ersetzt. Zur Kirche gehört auch ein Beinhaus mit auf dem anliegenden ehemaligen Friedhof gefundenen Gebeinen.

In der Nähe von Kolín erinnert ein Denkmal an die folgenschwere Niederlage Friedrichs II. im Jahre 1756. Bekannt ist der Ausspruch eines narbenbedeckten Soldaten, der auf des Großen Fritz' Frage, in welcher Kneipe er so zugerichtetet worden sei, schlagfertig antwortete: „Bei Kolín, wo Euer Majestät die Zeche bezahlt haben". Der von Daun besiegte Friedrich mußte die Belagerung Prags aufheben, ganz Böhmen räumen und aus der Offensive in die Defensive übergehen.

Von Kolín reisen wir in der Richtung nach Brno weiter und biegen hinter der Ortschaft Malín nach links auf die Straße Nr. 33 ein. Übersehen Sie hier nicht Schloß **Kačina,** das ein kleines Stück links von der Straßenkreuzung im Schoß eines Parkes liegt. An Kačina wurde zu Beginn des 19. Jahrhunderts zwanzig Jahre lang gebaut, und es gehört zu den schönsten Empireschlössern Böhmens. Die langgezogene Gebäudefront schmücken ionische Säulen mit Kolonnadenflanken. Im Inneren des Schlosses ist ein prächtiger kreisrunder Ehrensaal. Heute beherbergt der ausgedehnte Bau ein Landwirtschaftsmuseum mit vielen interessanten Dokumenten aus der Zeit des Feudalismus, des Kapitalismus und des Sozialismus, mit den historischen ersten Modellen von Landwirtschaftsmaschinen und mit aufschlußreichen Belegen über das Leben der Landbevölkerung. Zum Schloß gehört auch ein 20 Hektar großer Park mit Gatterrevier. Das Museum ist in der Wintersaison (November — März) geschlossen.

Nach der Besichtigung können wir entweder nach Malín zurückfahren oder uns weiter in Richtung Pardubice begeben, um etwa 10 km weiter (nach rechts) zum Gatterrevier **Žehušice** abzubiegen, das Hunderte von Arten seltener Hölzer und einzigartige Rudel weißer Hirsche birgt. Dieses ursprünglich aus Indien stammende Wild wurde in seiner Heimat längst ausgerottet, und außer in Žehušice leben nur noch wenige Stück in einem englischen Tierpark.

Wir reisen weiter nach **Čáslav**, dessen Wahrzeichen, der hochragende Turm der Peter-Pauls-Kirche, weithin sichtbar ist. Der Tradition zufolge soll in dieser Kirche der hussitische Heerführer Jan Žižka begraben sein, der unweit von hier, bei Přibyslav, starb. Seine Gebeine wurden jedoch bei keiner der wissenschaftlichen Nachforschungen aufgefunden.

In Čáslav kehren wir in der Richtung nach Prag um und befinden uns nach 9 km wiederum in Malín, einem ehemals bedeutenden Verwaltungszentrum der Slavník-Dynastie, die hier eine romanische Kirche gründete. Fürst Soběslav schlug hier sogar eigene Münzen mit der Aufschrift „Malin civitas". Von hier biegen wir in der Richtung nach Kutná Hora ab.

Wir gelangen zunächst zur Gemeinde **Sedlec,** wo schon im Jahre 1142 von Mönchen aus dem oberpfälzischen Waldsassen ein Zisterzienserkloster errichtet worden war. Im Weinberg dieses Klosters wurde vermutlich auch die erste Silbererzader entdeckt, was zur Gründung des nahen Kutná Hora führte, während die Gegend zum Schauplatz eines Silberrausches wurde, denn alle, die sich rasch bereichern wollten, strömten hierher. Das Kloster von Sedlec wurde im Jahre 1784 aufgehoben, und in seinen Räumen besteht heute eine Tabakfabrik. Im Refektorium sind jedoch noch riesige Freskogemälde von Thaddäus Supper erhalten. Die Klosterkirche, die während der Hussitenkriege niedergebrannt worden war, wurde im 17. Jahrhundert renoviert. Das Deckenfresko der hl. Dreifaltigkeit entstand kurz darauf; sein Urheber ist Jakob Steiner. In den Chorkapellen befinden sich drei hervorragende Gemälde von Peter Brandl. — Auf dem Friedhof steht die ursprüngliche gotische Zisterzienserkapelle aus dem Jahre 1400 (umgebaut im Jahre 1661), unter der sich ein geräumiges Beinhaus befindet. Aus vielen Tausenden von Schädeln und Knochen sind hier Kronleuchter, Wappen, Säulen und andere schauerliche Dekorationen zusammengesetzt.

★★★ Baulich hängt Sedlec mit der Stadt **Kutná Hora** (Kuttenberg) zusammen, die ihre Entstehung der Gründung der ersten Silbergruben verdankt. Im 14. Jahrhundert war Böhmen tatsächlich eine Silbergroßmacht, denn nirgends wurde in solchen Mengen Silbererz gewonnen wie hier. König Wenzel II. erließ für Kutná Hora ein besonderes Bergrecht, das „Jus regale montanorum" und faßte hier in den Münzschmieden des sogenannten Welschen Hofes die Prägung der berühmten Prager Silbergroschen zusammen. Schon in der ersten Hälfte des 14. Jahrhunderts wetteiferte Kutná Hora mit Prag um die Vorrangstellung in Böhmen. Auf Betreiben von Magister Jan Hus erließ hier im Jahre 1409 der böhmische König Wenzel IV. das denkwürdige Dekret von Kutná Hora, (Kuttenberger Dekret), in dem bei Entscheidungen an der Prager Karls-Universität den Tschechen drei Stimmen und dem Fremden eine Stimme zugesprochen wurde; hier beschlossen die Bürger von Kutná Hora die Errichtung der imposanten Barbarakirche, die durch Pracht und Schönheit dem Prager Veitsdom gleichkommen sollte; hier fand auch eine Königswahl statt (im Jahre 1471 Vladislav Jagello), und Kutná Hora besaß als zweite Stadt nach Prag Stimme im Landtag. Die Stadt zog auch bedeutende Künstler an: hier wurde 1489 die berühmte Kuttenberger Bibel gedruckt, hier wirkten Gradualilluminatoren, Freskomaler und bekannte Schnitzerwerkstätten, Steinmetzhütten und Glockengießer. Und nach der verlorenen Schlacht auf dem Weißen Berge war es außer den böhmischen Adelsherren auch der Primator der Stadt Kutná Hora, der auf dem Altstädter Ring sein Haupt auf das Schafott legte. Später wirkte hier bis zu seinem Tode der hervorragende böhmische Barockmaler Peter Brandl, der in der Magdalenenkirche begraben ist, die aus dem Erlös für den aus den ausgeklopften Erzbeuteln zusammengefegten Silbererzstaub erbaut wurde.

Die großartigste Sehenswürdigkeit von Kutná Hora ist jedoch die imposante fünfschiffige Barbarakirche. Sie wirkt schon von weitem überwältigend durch die Pracht ihrer Strebebögen, Pfeiler und Fialen sowie ihres Außenchores. Das dreifache gegliederte Zeltdach wird durch Türmchen abgeschlossen. Den Bau der Kirche begann Parlers Hütte, weitergeführt wurde er sodann von Matěj Rejsek und Benedikt Rejt. Am Deckengewölbe befinden sich die Wappen jener, die sich um die Erbauung des Gotteshauses verdient gemacht haben. In manchen Kapellen sieht man Überreste wertvoller Fresken aus dem 15. und 16. Jahrhundert, die nicht religiöse Motive, sondern die Arbeit der Bergleute und der Münzschmiede zum Gegenstand haben. Auch die Ratsherrenbänke sind schön geschnitzte gotische Originalarbeiten. Vergeblich bemühte sich seinerzeit das Britische Museum um Überlassung von Kopien. Auf den Emporen ragen vier gewaltige Bildsäulen der Tugenden, und gegenüber der Kanzel steht eine vermutlich vom Ende des 17. Jahrhunderts stammende Bergmannsstatue.

Der schön dekorierte Steinbrunnen auf dem nahen Platz Rejskovo náměstí, eine gotische Steinmetzarbeit mit zwölfeckigem Grundriß, wurde von derselben Bauhütte hergestellt, die an der Errichtung der Barbarakirche beteiligt war. Die umliegenden Barockhäuser haben noch gotische Portale. — Besonders typisch ist das sogenannte Steinerne Haus auf dem Platz náměstí Prvního máje mit prunkvoll gehauenem Dekor im Stile der Vladislav-Gotik. Hier sind Andenken an die Geschichte des Silbererzbergbaues in Kutná Hora zusammengetragen. — Außer der gewaltigen Barbarakirche hat Kutná Hora noch eine Reihe von sehenswürdigen historischen Gotteshäusern. Das älteste davon ist wahrscheinlich die Allerheiligenkirche, deren Turm das Bergmannszeichen schmückt; im Inneren der Kirche schildert ein Gemälde die legendäre Auffindung des Silbers durch einen Zisterziensermönch. Der höchste Turm gehört zur Jakobskirche — er ragt bis zu 82 m empor, während der zweite Turm dieser Kirche unvollendet geblieben ist. Diese dreischiffige gotische Kirche wurde im Jahre 1330 gegründet, ihr Hauptportal ist seitlich angeordnet. Der Hauptaltar gehört dem Barock an. Man sieht Bildwerke von Peter Brandl (Hl. Dreifaltigkeit) und F. X. Balko (Enthauptung des Apostels Jakob). Die prachtvoll geschnitzten Ratsherrenbänke waren im 15. Jahrhundert hinzugekommen. Auch in dieser Kirche wurden Überreste gotischer Fresken aufgefunden. In der unter dem Turm befindlichen Kapelle veranschaulicht eine Schnitzarbeit aus dem 17. Jahrhundert unter anderem das damalige Stadtpanorama. — Das Museum von Kutná Hora ist heute im sogenannten Hrádek, einer ehemaligen Feste, untergebracht. In seiner Kapelle und in anderen Räumen wurden Fresken aus dem 15. und 17. Jahrhundert freigelegt. — Zu den wertvollsten Baudenkmälern der Stadt gehört der sogenannte Welsche Hof, ursprünglich ein Königspalast, später Münzstätte und Silberschmelze. Über den Gelassen der Münzschmieden sind Wappen der Städte angebracht, in denen damals Silber gemünzt wurde, sowie Wappen der von der Dynastie der Luxemburger beherrschten Länder. Groschen wurden hier bis um die Mitte des 16. Jahrhunderts und Taler (von denen auch der Dollar seinen Namen herleitet) bis ins 18. Jahrhundert hinein geprägt. Zu dem Baukomplex gehören außerdem eine sehenswerte Kapelle, eine Kasse mit der Aufschrift „Noli me tangere" (Rühr mich nicht an) sowie eine Jennewein-Bildergalerie.

Die Silbererzschürfung in Kutná Hora wies für die damalige Zeit höchstes Niveau auf: Die Schächte reichten bis in eine Tiefe von 500 m. Nach der Entdeckung überseeischer Silbervorkommen —, hauptsächlich nach der Entdeckung Amerikas — war die Silbergewinnung hier nicht mehr lohnend, und zu Beginn des 17. Jahrhunderts erlosch sie allmählich. Heute wird in Kutná Hora und in der Umgebung der Stadt wiederum Bergbau betrieben, doch werden nunmehr andere Erze gefördert. Die Stadt steht als staatliche Stadtreservation unter Denkmalschutz.

Aus Kutná Hora führt die direkte Fernverkehrsstraße Nr. 333 über Kostelec nad Černými lesy und über Říčany nach Prag. Die abschließende Strecke beträgt 72 km.

3. Prag — Schloß Zbraslav mit Skulpturengalerie — Talsperre Slapy mit Stausee — Nový Knín — Dobříš — Grottenkomplex Koněpruské jeskyně — Burg Karlštejn — Chuchle — Prag (insgesamt 132 km)

Als Ausfallstraße wählen wir die aus Prag nach Süden führende Straße Nr. 4, die unter dem Barrandov-Felsen und den Filmateliers Barrandov — den größten in Mitteleuropa — der Moldau entlang verläuft. Nach 9 km Fahrt biegen wir nach rechts ab und sind nun in **Zbraslav,** wo sich rechts am Platz hinter der Tankstelle der Zugang zum ehemaligen Benediktinerkloster befindet. Dieses war seinerzeit so bedeutend, daß Aeneas Sylvius Piccolomini, der spätere Papst Pius II., von ihm berichtete, es rage ungemein unter den übrigen Klöstern hervor und sei ein erstaunliches Werk. Das Kloster wurde bereits um das Jahr 1291 gegründet. Im Jahre 1420 wurde es jedoch von der aufständischen Prager Bevölkerung unter Führung des Priesters Václav Koranda geplündert, wobei selbst die königlichen Grabmäler nicht verschont wurden. Später brannte das Kloster noch mehrmals nieder. In der ersten Hälfte des 18. Jahrhunderts versuchten Giovanni Santini und nach ihm F. M. Kaňka im Auftrage des Abtes Lechner, das Kloster zu renovieren. Aus der damaligen Zeit stammt das jetzige Gebäude mit wundervollen Bildwerken von V. V. Reiner. Im darauffolgenden Jahrhundert wurde der Bau in ein Schloß verwandelt, und nach dem zweiten Weltkriege hat die Nationalgalerie die Sammlung moderner Bildhauerkunst hierher übertragen. Hier sind unter anderem Aleš' Lünetten aus dem Zyklus „Vaterland" untergebracht.

Nach der Besichtigung des Schlosses biegen wir vom

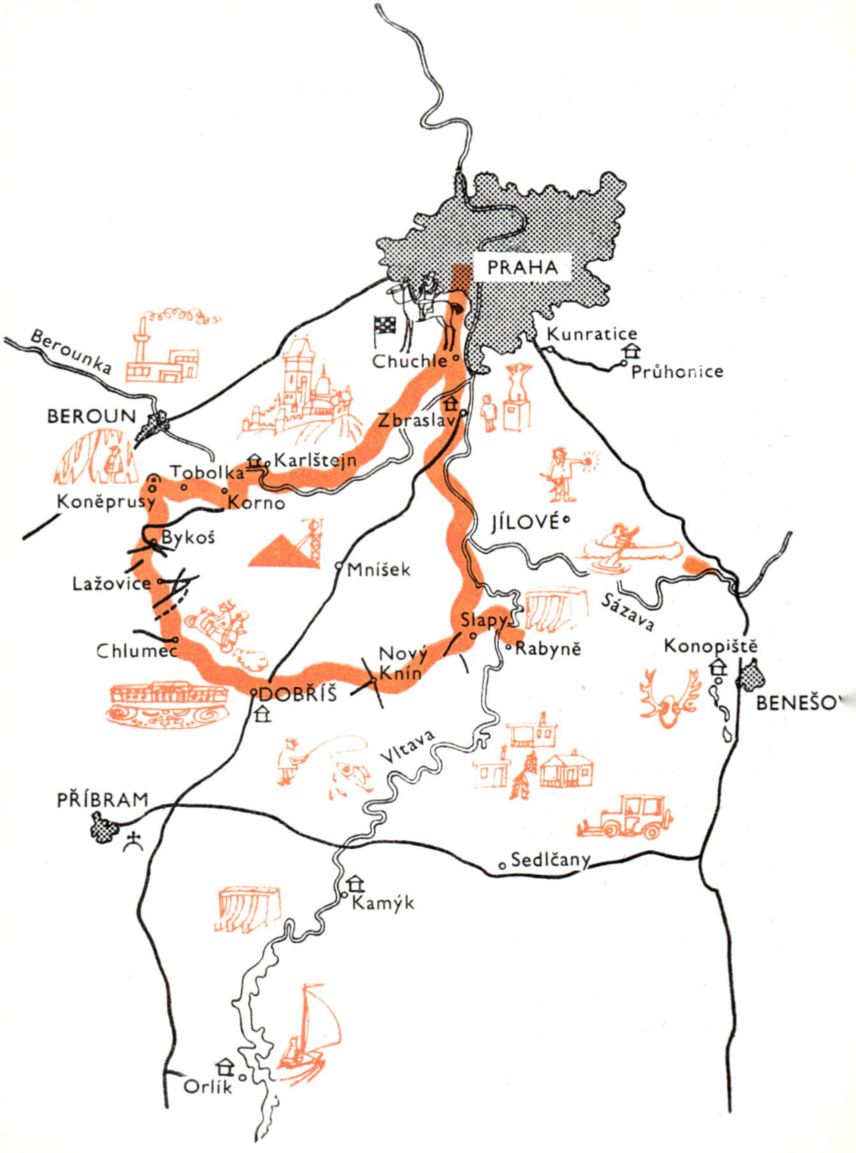

PRAHA
Berounka
BEROUN
Chuchle
Kunratice
Průhonice
Zbraslav
Karlštejn
Tobolka
Koněprusy
Korno
JÍLOVÉ
Bykoš
Mníšek
Lažovice
Sázava
Slapy
Rabyně
Chlumec
Nový
Knín
Konopiště
DOBŘÍŠ
BENEŠOV
Vltava
PŘÍBRAM
Sedlčany
Kamýk
Orlík

Platz nach links ab, um längs des Flusses nach **Slapy** weiterzufahren.) Slapy und Zbraslav sind auch mit dem Dampfer erreichbar.) Hier ist eine interessante Talsperre mit Kraftwerk in der 62 m hohen Staumauer. Dieses künstliche Hindernis staut das Moldauwasser in einem verhältnismäßig schmalen Tal auf und bildet dadurch ein Becken, an dessen Ufern Erholungsobjekte und Weekend-Häuschen errichtet wurden; die Gestade des Stausees sind zum Wochenende ein beliebtes Ausflugsziel der Prager, weshalb man für einen Besuch lieber den übrigen Teil der Woche wählen sollte.

Von der Talsperre kehrt man nach Slapy zurück, um von dort in der Richtung nach Nový Knín abzubiegen; die Fahrt geht dann noch an Fischteichen entlang 9 km bis nach Dobříš, einem kleinen Städtchen mit traditioneller Handschuhindustrie; in der letzten Zeit ist es dank der in der Umgebung vorgenommenen Grubenproduktion stark angewachsen. Sehr romantisch gelegen ist das rote Schloß mit dem Park, das heute den tschechoslowakischen Schriftstellern gehört. Der Park ist zugänglich.

Unser weiterer Weg verläuft nun etwas komplizierter auf Bezirksstraßen über Trnová, Malý Chlumec, Velký Chlumec, Lážovice und Byhoš nach **Koněprusy.** In der Nähe befinden sich die vor kurzem erschlossenen Tropfsteinhöhlen. Sie bilden einen Bestandteil des sogenannten Böhmischen Karstes, eines Kalksteinkammes, der in diesem Teil den Namen Zlatý kůň (d. h. Goldenes Roß) führt. Die Höhle wurde bei Steinbrucharbeiten im Jahre 1950 entdeckt. Der Weg, der in das Innere des Hügels führt, erweiterte sich und gab den Zugang zu Schluchten und Räumen mit interessant geformtem Tropfsteindekor frei. Die Tropfsteine sind exzentrisch geformt, und ihre Menge und Mannigfaltigkeit stellen eine europäische Besonderheit dar. Sie sind glasartig durchsichtig und wachsen schräg aus den Grottenwänden heraus; dabei bilden sie seitliche Auswüchse und verflechten sich gegenseitig. Außer diesen kleineren Tropfsteinen kommen in den einzelnen Höhlen auch größere Stalaktiten und Stalagmiten vor, die aufeinander zuwachsen, sowie eine Reihe von verschwimmenden Tropfsteinen, die sehr treffend nicht nur wegen ihres Aussehens, sondern auch wegen des Klanges, den sie beim Beklopfen abgeben, als Orgeln bezeichnet werden. Diese tönenden Tropfsteine sind bereits „tot", d. h. ihr Wachstum ist bereits abgeschlossen. Auf dem Grunde der unterirdischen Schlucht befindet sich auch ein kleiner See. Die Höhlen waren in ferner Vergangenheit von Tieren und zeitweise sogar von Menschen bewohnt. Weil die Skelette in dem Kalksteinboden nicht verwesen, sondern sich im Gegenteil verfestigen, finden sich hier wertvolle Belege vor, die über die Geschichte der Höhlen Aufschluß erteilen. So wurden zum Beispiel Teile von Tierskeletten festgestellt, die bis zu 150 000 Jahre alt sind und aus denen hervorgeht, daß hier in großen Mengen Höhlenbären und Höhlenhyänen, ja Nashörner vorkamen. Daneben wurden auch Überreste des Urmenschen aufgefunden, so zum Beispiel Schädelbasisfragmente, Stirnbeinteile eines Schädels und der gut erhaltene Unterkiefer eines dem älteren Quartär angehörenden Menschen, der hier vor rund 70 000 Jahren lebte. Interessante Entdeckungen ergab das

Eindringen in die sogenannte Räubergrotte oder Münzgrotte, in der eine Menge von Funden bewiesen, daß hier zu Beginn des 15. Jahrhunderts Falschmünzer tätig waren, die Scheidemünzen aus versilbertem Kupferblech schmiedeten. Rings um die Feuerstätte wurden mehr als hundert Stück dieser Fälschungen aufgefunden. Die Verbrecher glaubten sich bei ihrer Tätigkeit sehr sicher, denn der Zugang zu ihrer Werkstatt war äußerst kompliziert, und führte sogar über eine unterirdische Schlucht, über die sie einen Steg geschlagen hatten. Durch die Entdeckung dieser Falschmünzerwerkstätte bestätigte sich die Richtigkeit einer alten Sage, nach der einst ein Schafhirte aus einem Erdloch im Goldenen Roß Rauch aufsteigen sah. Der Hirte sei — so erzählt die Sage — durch die Öffnung tief ins Erdinnere hinabgestiegen, bis zu einer Höhle, wo er einen auf einem Geldhaufen sitzenden Räuber gesehen habe. Um sein Schweigen zu erkaufen, habe ihm der Mann eine Handvoll Münzen gegeben. Nach der Rückkehr ins Dorf habe der Hirte trotzdem die Bauern zusammengerufen und sie auf die Kuppe des Goldenen Rosses geführt. Sie fanden jedoch die Öffnung im Boden nicht mehr und glaubten, der Hirte habe sie absichtlich irregeführt. Vermutlich hatte jedoch der Falschmünzer inzwischen den Zugang in das Innere des Berges mit einem Felsblock verdeckt.

Die Grotten von Koněprusy sind nicht die einzige Besonderheit dieser Gegend; in der Umgebung gibt es noch eine ganze Reihe von Naturspielen. So hat sich an einer Stelle zum Beispiel durch Erosion im Kalkstein eine natürliche Felsbrücke gebildet. An einer anderen Stelle sieht man eine auf ähnliche Art entstandene Pforte, die in die gleichnamige Höhle führt, und eines der zahlreichen bizarren Felsengebilde hat die Gestalt eines riesigen Elefantenschädels angenommen.

★★★ Vom Höhlenkomplex von Koněprusy begeben wir uns weiter über Tobolka und Korno zu der am gegenüberliegenden Ufer der Berounka emporragenden Burg **Karlštejn**. Der gewaltige Bau wurde von Karl IV. nicht nur als imposante Feste, sondern vor allem als sicherer Aufbewahrungsort für die Heiligenreliquien gegründet, von deren wundertätiger Macht der Kaiser überzeugt war. Deshalb nimmt Burg Karlštejn auch in der Geschichte Böhmens und in der Entwicklung des böhmischen Burgbaues eine Sonderstellung ein. Hier wurden die böhmischen Krönungskleinodien sowie die Reichskleinodien verwahrt, und die ganze Gliederung der Burg, ebenso wie auch ihre Innenausschmückung waren dieser Sendung untergeordnet und entsprechend ihrer Bedeutung abgestuft. Von der höchsten Stelle aus ragt der große Turm empor, den man bereits von weitem sieht, und dessen Bau sowie Innenausschmückung Karl IV. persönlich überwachte und leitete. In dem großen Turm waren nämlich gerade die Reliquien der Heiligen sowie die Reichskrönungskleinodien verwahrt. In diesem Turme wurden auch die der Jungfrau Maria geweihte Kapitelkirche (Szenen aus der Apokalypse und Verherrlichungen von Karls Heiligenreliquiensammlung) sowie die Hl.-Kreuz-Kapelle gegründet, in der die Reliquien und die Krönungskleinodien des Römischen Reiches aufbewahrt wurden. Deshalb zählt dieser Raum auch heute noch zu den prächtigsten; seine Wände strahlen vom Glanz der polierten Halbedelsteine und der Goldfassungen.

Hier wurde auch ein von Meister Theodoricus ausgeführter Tafelgemäldezyklus untergebracht. Die Aufbewahrungsstätte der Krönungskleinodien wurde von dem für die Gläubigen bestimmten Raume durch ein goldenes Gitter abgeteilt. Mit der Marienkirche war die der hl. Katharina geweihte Privatkapelle Karls IV. verbunden. Auch sie ist mit einzigartiger Pracht ausgeschmückt, die Kapellendecke ist vergoldet, und die Wände sind mit in vergoldetes Putzwerk eingesetzten Halbedelsteinen ausgekleidet. Die Wandmalereien stellen die sieben Landespatrone dar, und in der Altarnische ist ein Gemälde der Madonna mit dem Kinde, die sich huldvoll den Gestalten Karls IV. und seiner Gattin zuneigen. Ein weiteres Bild des Kaisers sieht man über dem Kapelleneingang, wo sich auch das Bildnis seiner dritten Gemahlin, Anna von Schweidnitz, befindet.

Die Feste war für ihre Zeit unbezwingbar, und als sie im Jahre 1422 von den Hussiten belagert wurde, hielt sie mühelos den Angriffen stand. Manche Teile der Burg wurden später umgebaut. Ihr ursprüngliches Aussehen haben nur der Audienzsaal und das sogenannte Schlafgemach Karls behalten. Von Karl IV. wird erzählt, auf der Burg sei ihm jede Störung unerwünscht gewesen, und er habe deshalb Frauen den Zutritt zur Burg untersagt. Da seine Gemahlin Elisabeth von Pommern, an den reinen Absichten ihres Gatten zweifelte, schlich sie sich als Page verkleidet in die Burg ein. Der tschechische Dichter Jaroslav Vrchlický hat dieses Begebnis in seinem Lustspiel „Eine Nacht auf Karlštejn" behandelt, das oft im Sommer unmittelbar im alten Burgmilieu aufgeführt wird. Und, nahezu den Absichten des Gründers zum Trotz, finden auf Burg Karlštejn Hochzeiten romantischer junger Paare statt, wahrscheinlich mit dem Wunsche, daß der Ehebund allen Anfechtungen gleich erfolgreich widerstehen möge wie die Mauern dieser ruhmvollen böhmischen Burg.

Von Karlštejn kehren wir dem Flußlauf der Berounka

entlang über das früher von den großen Zementwerken verstaubte Radotín zurück, vorüber an der Pferderennbahn von **Chuchle** (von wo aus nach Prag auch der normale Stadtautobus verkehrt). Der letzte Abschnitt unserer Reise fällt mit dem Anfang zusammen: unter den Barrandov-Terrassen kehren wir nach Prag zurück.

* * *
*

    Rings um Prag herum liegen noch zahlreiche andere verlockende Orte. Vor allem möchten wir einen Besuch in
★ **Průhonice** (20 km südöstlich von Prag) empfehlen, wo die botanische Abteilung des Prager Nationalmuseum einen wundervollen Park mit Teichen und exotischen Bäumen betreut, der ein interessantes Landschloß umgibt und den Besucher besonders in den Frühjahrs- und Sommermonaten durch seine ungeahnte Pracht und Schönheit überrascht.
    Auf Straße Nr. 3, die nach České Budějovice führt,
★★ gelangt man zu dem 44 km von Prag entfernten Schloß **Konopiště**, dessen heutige Gestalt auf das 18. Jahrhundert zurückgeht, wobei bedeutende Teile des Objektes viel älter sind. Das Schloß bewohnte der österreichische Thronfolger Franz Ferdinand d'Este, der kurz vor Ausbruch des ersten Weltkrieges in Sarajevo ermordet wurde. Zu dem Schloß gehörten auch ein aufschlußreiches Forst- und Jagdmuseum sowie ein schöner Park mit zwei Teichen. Interessant ist der Gobelinschmuck und das St.-Georgs-Museum, in dem eine Unzahl von Plastiken und Bildern des Drachentöters zusammengetragen sind.
    Nördlich von Prag — 50 km von der Hauptstadt entfernt — erstreckt sich bei Mělník das romantische Felsental
★ von **Kokořín** mit der gleichnamigen Burg und malerischen, vom Wasser geschaffenen Felsgebilden.

Prag und die ČSSR im Spiegel der eigenen Geschichte und der Weltgeschichte

um 250 000 v. u. Z.
Älteste Werkzeuge des Neandertalmenschen auf böhmischem Siedlungsgebiet
um 25 000 v. u. Z.
Feuersteinwaffen und andere von Mammutjägern in Südmähren verwendete Gegenstände
5000—2700 v. u. Z.
Erste landwirtschaftliche Zivilisation in den böhmischen Ländern (Jungsteinzeit)
1800—900 v. u. Z.
Bronzezeit in den böhmischen Ländern
um 700 v. u. Z
Beginn der Eisenzeit in den böhmischen Ländern
400—200—v. u. Z.
Die Kelten in den böhmischen Ländern. Es werden Produktions- und Wehrzentren — sogenannte Oppida — gegründet.
1. Jahrhundert v. u. Z.
Blütezeit der keltischen Zivilisation
zweite Hälfte des ersten Jahrhunderts v. u. Z.
Germanische Stämme dringen in die böhmischen Länder ein
1. Jahrhundert
Germanische Stämme bilden unter Führung der Markomannen und ihres Herrschers Marbod

um 600 000 v. u. Z.
Erster Neandertalmensch
um 20 000 v. u. Z.
Tierzeichnungen in den Höhlen von Altamira in Spanien und Lascanx in Frankreich
um 3000 v. u. Z.
Anfänge der Schrift in Mesopotamien
um 2600 v. u. Z.
Cheopspyramide
um 1200 v. u. Z.
Zerstörung Trojas
753 v. u. Z.
Gründung Roms
322 v. u. Z.
Aristoteles †
214 v. u. Z.
Beginn der Errichtung der chinesischen Großen Mauer
73 v. u. Z.
Sklavenaufstand unter Spartakus
50. v. u. Z.
Errichtung des Limes
58—50 v. u. Z.
Caesar in Gallien
9
Niederlage der Römer im Teutoburger Wald
30
Kreuzigungstod Jesu Christi
1. Jahrhundert
Vindobona-Wien römisches Heerlager

auf dem böhmischen Gebiet einen geschlossenen Verband
166—170
Kämpfe zwischen Römern und Germanen in der Slowakei
179
Römische Inschrift am Felsen unter der Trenčíner Burg
5.—6. Jahrhundert
Vordringen der Slawen in die böhmischen Länder
6.—7. Jahrhundert
Awarische Vorherrschaft in Mitteleuropa
624—658
Das Reich Samos in Böhmen
631
In der Schlacht bei Wogastisburg schlägt Samo den Angriff des Frankenreiches zurück
um 830
Entstehung des Großmährischen Reiches
863
Ankunft der byzantinischen Mission in Mähren
874
Friedensschluß zwischen Svatopluk und Ludwig dem Deutschen in Forchheim
zweite Hälfte des 9. Jahrhunderts
Gründung der Prager Burg
906
Untergang des Großmährischen Reiches
935—950
Kämpfe zwischen Fürst Boleslav I. und Kaiser Otto I. um die Unabhängigkeit des böhmischen Staates
965
Der arabische Kaufmann Ibrahim

161—180
Kaiser Marcus Aurelius
220
Ende der Han-Dynastie in China, Beginn langjähriger Zersplitterung Chinas
375
Hunneneinfall in Europa
5.—6. Jahrhundert
Völkerwanderung
476
Untergang des Weströmischen Reiches
629
Rückkehr Mohammeds nach Mekka
711
Mohammedanische Araber dringen aus Afrika in Spanien ein
786—809
Harun al Raschid Kalif in Bagdad
800
Kaiserkrönung Karls des Großen
843
Zerfall des Karolingerreiches
865
Russische Flotte vor Konstantinopel
955
Kaiser Otto I. schlägt die Ungarn auf dem Lechfeld
962
Otto I. zum Kaiser des Hl. Römischen Reiches Deutscher Nation gekrönt
987
Hugo Capet gründet in Frankreich die Herrscherdynastie der Kapetinger
1066
Schlacht bei Hastings, der Normannenfürst Wilhelm der Eroberer beherrscht England

Ibn Jakub schildert in seiner Reisebeschreibung Prag als reiche Handelsstadt
973
Gründung des Prager Bistums
995
Ausrottung des Slavníkinger-Geschlechtes. Die Přemysliden beenden die Zentralisierung des Landes unter ihrer Herrschaft
1038
Der böhmische Fürst Břetislav beherrscht Polen
1085
Vratislav erster König v. Böhmen
1126
Der böhmische Fürst Soběslav schlägt in der Schlacht bei Chlumec den deutschen Kaiser Lothar III.
um 1170
Errichtung der ersten Steinbrücke in Prag
1212
Durch die sogenannte Sizilianische Bulle bestätigt und vermehrt Kaiser Friedrich II. die Rechte des böhmischen Staates
um 1230
Die Prager Altstadt erhält Stadtordnung und Befestigungen
1241
Tatareneinfall in Mähren
1257
An einer alten Siedlungsstätte wird durch Kolonisierung die Civitas minor Pragensis, die spätere Malá Strana — Kleinseite — gegründet
1260
König Přemysl Otakar II. schlägt bei Kressenbrunn den ungarischen König Bela IV.

1077
Bußgang Kaiser Heinrichs IV. nach Canossa zu Papst Gregor VII.
1096—1099
Erster Kreuzzug und Eroberung Jerusalems
1122
Wormser Konkordat
1187
Der ägyptische Sultan Suladin erobert Jerusalem
1206
Entstehung des Mongolenreiches
1215
Gründung der Universität Paris
1215
Durch die englische Magna Charta kommt die Einigung zwischen dem Herrscher und dem Adel bezüglich der Rechtsverhältnisse zustande
1240
Fürst Alexander von Nowgorod besiegt an der Newa die Schweden
1241
Sieg der Tataren in der Schlacht bei Wahlstadt
1278
Rudolf I. von Habsburg legt nach dem Sieg über Přemysl Otakar II. von Böhmen in den österreichischen Ländern die Grundlagen zur habsburgischen Hausmacht
1291
Die schweizerischen Waldkantone Uri, Schwyz und Unterwalden gründen die Eidgenossenschaft — Beginn der Unabhängigkeit der Schweiz
1265—1321
Dante Alighieri

1278
Otakar II. wird von Rudolf von Habsburg bei Dürnkrut (auf dem Marchfeld) geschlagen
1300
Die Prägung des böhmischen Groschen, der hochwertigsten Münzeinheit des damaligen Mitteleuropa, wird aufgenommen. Das gleichzeitig herausgegebene Bergrecht wird zum Muster für das übrige Europa.
1310
Johann von Luxemburg wird böhmischer König. Die Luxemburger-Dynastie besteigt den böhmischen Königsthron
1338
Die Prager Altstadt erwirbt das Recht zur Errichtung eines eigenen Rathauses
1344
Das Prager Bistum wird zum Erzbistum erhoben; Beginn des Baues der St.-Veits-Kathedrale auf der Prager Burg
1346—1378
Karl IV. König von Böhmen
1348
Gründung der Prager Neustadt. Prag größte Stadt in Mitteleuropa
1348
Gründung der Prager Universität, der ersten in Mitteleuropa
1356
Die Goldene Bulle Karls IV; bestätigt die Rechte und die Unabhängigkeit des böhmischen Staates
1328
1402
Jan Hus Prediger an der Bethlehemskapelle

Beginn des Hundertjährigen Krieges zwischen Frankreich und England
1348
Große Pest in Europa
1358
Aufstand der Jacquerie in Frankreich
1360
Thronbesteigung der Ming-Dynastie in China
1365
Gründung der Universität Wien
1378
Großes Kirchenschisma
1389
Sieg der Türken über die Serben auf dem Amselfelde
1409
Gründung der Universität Leipzig
1410
Schlacht bei Grunwald; Polen gebietet der Expansion des Deutschritterordens Einhalt
1429
Jeanne d'Arc befreit Orleans
1450
Johann Gutenberg erfindet den Buchdruck mit beweglichen gegossenen Lettern
1453
Eroberung von Byzanz durch die Türken
1492
Erste Reise Christoph Columbus' zu den Antillen
1452—1519
Leonardo da Vinci
1517
Martin Luther tritt in Wittenberg mit den 95 Thesen auf

1409
König Wenzel IV. erläßt das Dekret von Kutná Hora, durch das der böhmischen Nation Stimmenmehrheit an der Prager Universität zuerkannt wird
1415
Jan Hus vom Konzil verurteilt und auf dem Scheiterhaufen hingerichtet
1419—1437
Hussitische Revolutionsbewegung
1419
Erster Prager Fenstersturz — das Prager Volk stürzt die Ratsherren aus den Fenstern des Neustädter Rathauses
1420
Die Hussiten schlagen unter Führung Jan Žižkas von Trocnov das Kreuzheer Sigismunds auf dem Vítkov-Berg vor Prag
1431
Die Hussiten besiegen das fünfte Kreuzheer in der Schlacht bei Domažlice
1458—1471
Georg von Poděbrady König von Böhmen
1468
Das erste tschechisch gedruckte Buch
1526
Die Dynastie Habsburg besteigt den böhmischen Königsthron
1547
Auflehnung der böhmischen Stände gegen die Habsburger
1579—1588
Erscheinen der Bibel von Kralice — Grundlage der tschechischen Schriftsprache

1519—1522
Weltumsegelung durch Magalhães
1524—1525
Deutscher Bauernkrieg
1529
Erste Belagerung Wiens durch die Türken
1531
Zwinglis Tod in der Schlacht bei Kappel
1536
Calvin erläßt die Institutio religionis christianae
1473—1543
Nikolaus Kopernikus
1546—1547
Schmalkaldischer Krieg
1555
Augsburger Religionsfrieden
1566
Beginn des Aufstandes der Niederlande
1572
Bartholomäusnacht
1564—1616
William Shakespeare
1618—1648
Dreißigjähriger Krieg
1626
Gründung Neu-Amsterdams (später New York)
1632
Rembrandt: Anatomie des Dr. Tulp
1642
Beginn der englischen Revolution
1682
Newton entdeckt das Gravitationsgesetz

1584—1612
Rudolfs Kaiserhof in Prag. Entstehung der Kunstsammlungen.
Tycho Brahe und Johann Kepler am kaiserlichen Hofe
1609
Bestätigung der Religionsfreiheit durch Kaiser Rudolf II.
1611
Einfall der Passauer in Prag
1618
Zweiter Prager Fenstersturz. Die Statthalter werden auf der Prager Burg aus dem Fenster der böhmischen Hofkanzlei gestürzt. Beginn des böhmischen Ständeaufstandes und des Dreißigjährigen Krieges
1620
Die Schlacht am Weißen Berg. Niederwerfung des böhmischen Ständeaufstandes
1621
27 führende Teilnehmer des Aufstandes werden am Altstädter Ring in Prag hingerichtet
1627
Jan Ámos Komenský geht in die Emigration
1631—1632
Sächsische Okkupation von Prag
1648
Die Schweden besetzen die Prager Burg und die Kleinseite und belagern vergeblich Prag. Plünderung der Rudolfinischen Kunstsammlungen auf der Burg
1680
Massenaufstände der Leibeigenen in Böhmen
2. Hälfte des 17. Jahrhunderts
Prag wird Barockfestung

1683
Zweite Belagerung Wiens durch die Türken
1689—1725
Regierung Peters des Großen in Rußland
1694
Gründung der Bank of England
1697
Schlacht bei Senta
1751
Erster Band der französischen Enzyklopädie
1756—1763
Siebenjähriger Krieg
1776
Entstehung der Vereinigten Staaten von Amerika
1749—1832
Johann Wolfgang von Goethe
1759—1805
Friedrich Schiller
1789
Beginn der französischen Revolution
1799
Anfang der Diktatur Napoleons
1805
Schlacht bei Slavkov (Austerlitz)
1810—1825
Südamerika befreit sich von der spanischen und portugiesischen Kolonialherrschaft

1707
Gründung der Prager Stände-Ingenieurschule

1781
Aufhebung der Leibeigenschaft, Toleranzpatent

1844
Die ersten großen Arbeiterstürme in Prag

1845
Ankunft des ersten Eisenbahnzuges in Prag

1848—1849
Revolutionäre und nationale Gärung in den böhmischen Ländern

1856
Uraufführung von Bedřich Smetanas Oper „Die verkaufte Braut" in Prag

1862
Gründung des Nationaltheaters in Prag

1878
Kongreß der Tschechoslawischen Sozialdemokratischen Arbeiterpartei in Prag-Břevnov

1894
Antonín Dvořáks Sinfonie „Aus der Neuen Welt"

1907
Erste allgemeine Wahlen in den böhmischen Ländern

1812
Napoleons Feldzug nach Rußland
1814—1815
Wiener Kongreß
1815
Schlacht bei Waterloo
1823
Monroedoktrine („Amerika den Amerikanern")
1848
Kommunistisches Manifest von Marx und Engels, Februarrevolution in Paris; Revolutionsbewegung in Prag. Wien, Mailand, Krakau, Budapest usw.
1859
Darwin: „Über die Entstehung der Arten durch natürliche Zuchtwahl"
1860
Garibaldi an der Spitze des Aufstandes in Sizilien
1861—1865
Sezessionskrieg in den USA
1866
Preußen schlägt Österreich bei Königgrätz (Hradec Králové)
1871
Pariser Kommune
1877—1878
Russisch-türkischer Krieg, Befreiung der Balkanvölker
1882
Robert Koch entdeckt den Tuberkelbazillus
1883
Karl Marx stirbt
1899
Marie Curie entdeckt das Radium
1904—1905
Russisch-japanischer Krieg

1918
Entstehung der Tschechoslowakischen Republik

1920
Gesetz über die Schaffung der Stadt Groß-Prag

1921
Konstituierender Parteitag der KPČ

1938
Münchner Abkommen über die Tschechoslowakei. Die Grenzgebiete werden Deutschland zugesprochen, das Gebiet von Těšín kommt zu Polen, die Südslowakei sowie der östliche Teil der Republik an Ungarn

1939
Okkupation der böhmischen Länder, Lostrennung der Slowakei von der ČSR

1944
Slowakischer Nationalaufstand

1945
Prager Maiaufstand; Befreiung der Tschechoslowakei

1948
Februarsieg der fortschrittlichen Kräfte; Annahme der neuen Verfassung

1960
Die Tschechoslowakei wird als sozialistische Republik erklärt

1909
Blériot überquert den Ärmelkanal im Flugzeug

1914—1918
Erster Weltkrieg

1917
Große sozialistische Oktoberrevolution in Rußland

1918
Zerfall Österreich-Ungarns;

1924
W. I. Lenin stirbt

1931
Japanischer Einfall in Mandschukoo

1933
Errichtung der Hitlerdiktatur

1935
Italien überfällt Abessinien

1936—1939
Spanischer Bürgerkrieg

1937
Einfall der Japaner in China

1938
Angliederung Österreichs an Deutschland

1939—1945
Zweiter Weltkrieg

1945
Kapitulation Deutschlands; Atombomben auf Hiroshima und Nagasaki; Kapitulation Japans

1957
Die Sowjetunion startet den ersten künstlichen Erdtrabanten

1963
Ermordung J. F. Kennedys

Wichtige Anschriften

INFORMATIONEN

- Prager Informationsdienst (Pražská informační služba), Auskünfte, Reisebegleiter für Prag — Dispatching — Praha 1, Panská 4, Tel. 226067, 223411, 224311
- Zentraler Informationsdienst, Auskünfte allgemeiner Art — Praha 1, Na příkopě 20, Tel. 544444

VERKEHRSBÜRO

- Čedok (Verkehrsbüro, Wechselstube, Hotelzimmerbuchung, Kraftwagenverleih, Informationen) — Praha 1, Na příkopě 18, Tel. 223440, 224255—9, 224108, 224251, Hotelzimmernachweis, Praha 1, Panská 5. 227004, 226017, 225657

VERKEHRSWESEN

- Hauptbahnhof (Hlavní nádraží) — Praha 3, třída Vítězného února, Informationen Tel. 244441 (Paris, Wien, Zürich, Beograd, Warszawa, Moskau)
- Bahnhof Prag-Mitte (nádraží Praha-střed) — Praha 3, Hybernská ulice. Informationen Tel. 244441 (Berlin, Warzsawa, Moskau, Budapest)
- Čs. aerolinie — Praha 1, Revoluční 1, Tel. 65741—9, 65341—9

HOTELUNTERKUNFT

- Acron — Praha 1, Štěpánská 40, Tel. 24541 bis 49
- Ambassador — Praha 1, Václavské náměstí 5, Tel. 221351 bis 55
- Axa — Praha 1, Na poříčí 40, Tel. 249557
- Esplanade — Praha 1, Washingtonova 19, Tel. 222552, 226056
- International — Praha 6 - Dejvice, náměstí Družby, Tel. 320163, 321050
- Jalta — Praha 1, Václavské náměstí 45, Tel. 237951
- Evropa — Praha 1, Václavské náměstí 29, Tel. 230595
- Flora — Praha 3 - Vinohrady, Vinohradská 121, Tel. 274250
- Palace — Praha 1, Panská 12, Tel. 234242
- Paříž — Praha 1, U Obecního domu 1, Tel. 67251 bis 54
- Slovan — Praha 3 - Vinohrady, třída Vítězného února 12, Tel. 235202
- Solidarita — Praha - Strašnice, Soudružská 1, Tel. 974141—5. 974615
- Tatran — Praha 1, Václavské náměstí 22, Tel. 240541
- Hybernia — Praha 1, Hybernská 24, Tel. 220431 bis 32
- Merkur — Praha 1, Těšnov 9, Tel. 69656
- Meteor — Praha 1, Hybernská 6, Tel. 229241
- Opera — Praha 1, Těšnov 13, Tel. 62944
- Zlatá husa — Praha 1, Václavské náměstí 7, Tel. 236951

TAXI
- Zentraler Taxiruf, Praha 1, Štěpánská 42, Tel. 242441
- Taxi-Standplatz (in Stadtzentrum):
    Praha 1, Václavské náměstí (Wenzelsplatz)
    Praha 1, Hlavní nádraží (Hauptbahnhof)
    Praha 1, Malostranské náměstí
    Praha 1, nádraží Praha-střed (Bahnhof Prag-Mitte)
    Praha 1, Karlovo náměstí

INFORMATIONEN FÜR KRAFTFAHRER
- Motel Stop — Praha-Motol, Plzeňská ul., Telefon 523254
- Autocamping — Praha-Braník, U ledáren 55, Tel. 960432, Straßenbahnlinie 17, 21
- Autocamping — Praha-Motol, V Podhájí, Tel. 521772, Straßenbahnlinie 9
- Autocamping — Großes Stadion Strahov — Velký strahovský stadión, Praha-Strahov, Straßenbahnlinie 22
- Tankstellen — Tag- und Nachtdienst (Stálé benzínové čerpadlo) — Praha 2, Opletalova ulice
  Praha 4, ul. 5. května (am Busbahnhof)
  Praha-Žižkov, Vinohradská (beim Jüdischen Friedhof)
  Praha-Motol, Plzeňská
  Praha-Žižkov, Koněvova 1691 (Garagen)
- Automotoklub ČSSR — Praha 2, Opletalova 29, Tel. 223544
- Autoservice mit Reparaturwerkstätten
  (Wartburg, Moskwitsch) Praha-Žižkov, Koněvova 143, Tel. 825202, 825280
  (Simca) — Praha-Vinohrady, Záhřebská 13, Tel. 254759
  (Renault) — Praha-Žižkov, Křivá 6, Tel. 833916, 839140
  (Wartburg, Moskwitsch) — Praha-Břevnov, Břevnovská 29, Tel. 350619, 352964
  (Volkswagen) — Praha-Žižkov, Sudoměřská 32, Tel. 274309, 276114
  (Hillman, Ford) — Praha-Záběhlice, Záběhlická, Tel. 922649
  (Škoda) — Praha-Vysočany, Spojovací, Tel. 838196, 839883, 838659
  (Fiat) — Praha-Vršovice, tř. SNB 60, Tel. 929197
  Abschleppdienst Havaria — Praha Žižkov, Sudoměřická 1644, Telefon 272727

FUNDBÜRO (Ztráty a nálezy)
- Praha 1, Kaprova 14, Tel. 60144

HAUPTPOST (Hlavní pošta)
- Telefon, Telegraf, Tag- und Nachtdienst — Praha 1, Jindřišská 14, Tel. 231751 bis 57, 230768

TUZEX (vorteilhafter Einkauf für ausländische Valuten)
- Kaufhaus — Praha 1, Palackého 13, Tel. 238061, 2 1726
- Delikatessen — Praha 1, Pařížská 16, Tel. 61736
- Delikatessen — Praha 1, Ovocný trh, Tel. 224284, 223000
- Delikatessen — Praha 1, Tylovo nám. 3, Tel. 254067
- Delikatessen, Glas, Schallplatten — Praha 1, V jámě
- Industrieerzeugnisse, Glas, Schallplatten — Praha 7, třída Dukelských hrdinů 47, Tel. 376157
- Reiseandenken — Praha 1, Štěpánská 40, Tel. 242077
- Kunstgegenstände und Antiquitäten, Praha 1, Národní 43, Tel. 239088

WÄHRUNG — die tschechoslowakische Krone (1 Kčs) hat 100 Heller. Die Ein-, Drei- und Fünfkronenstücke sowie die verschiedenen Hellermünzen bestehen aus Metall. Die höchste Papierbanknote ist die Hundertkronennote, die kleinste der Dreikronenschein.

PORTO — Briefe bis zu 20 g sind in der ČSSR und in die sozialistischen Länder mit 0,60 Kčs, in die übrigen Länder mit 1 Kčs freizumachen; Ansichtskarten in der ČSSR und in die sozialistischen Länder mit 0,30 Kčs, ins übrige Ausland mit 0,60 Kčs ohne Rücksicht auf den Umfang des Textes. Ein einfaches Telefongespräch von einem Münzfernsprechautomaten aus kostet 25 Heller.
Postlagernde Schreiben werden, sofern sie nicht an ein anderes Postamt adressiert sind, beim Hauptpostamt in der Jindřišská ulice 14 hinterlegt.

VERKAUFSZEIT — im Prinzip von 8—18 Uhr; manche Lebensmittelgeschäfte sind bereits ab 6,00 Uhr geöffnet, manche Kaufhäuser schließen erst um 20,00 Uhr, In größeren Geschäften in der Stadt besteht auch an Sonntagen wenigstens Teilbetrieb.

PHOTOGRAPHIEREN — ist überall erlaubt, mit Ausnahme einiger weniger Stellen, die durch ein Schild mit gestrichenem Photoapparat gekennzeichnet sind, oder wo ein andersartiges ausdrückliches Photographierverbot besteht.

Die häufigsten Begriffe tschechisch

		Aussprache
Bahnhof	nádraží	Naadraschie
Bier	pivo	piwo
bitte	prosím	prossiem
Botschaft	velvyslanectví	wellwisslannetztwie
Briefmarke	známka	snaamka
Brot	chléb	chleeb
Brötchen	houska	housska
Brücke	most	mosst
Abendessen	večeře	wetschersche
Abfahrt, Abreise	odjezd	odjest
Anfang	začátek	satschaatek
Ankunft	příjezd	prschiejest
Auf Wiedersehen	na shledanou	nasshleddanou
Ausgang	východ	wiechodd
Arzt	lékař	leekarrsch
Caféhaus	kavárna	kawaarna
danke	děkuji	djekuji
dort	tam	tamm
Einfahrt verboten	vjezd zakázán	wjest sakkaasaan
Eintritt verboten	vstup zakázán	fstupp sakkaasaan
Gesandtschaft	vyslanectví	wisslannetztwie
Gute Nacht	dobrou noc	dobrou notz
Guten Tag	dobrý den	dobrie denn
heute	dnes	dness
hier	zde	sde
ich möchte fahren	chci jet	chzi jett
ja	ano	anno
Kirche	kostel	kostell
Krankenhaus	nemocnice	nemotznjitze
Mittagessen	oběd	objedd
Milchhandlung	mlékárna	mleekaarna
morgen	zítra	sietra
nein	ne	ne
Platz	náměstí	naamjestji
Stockwerk	patro	pattro
Straße	ulice, třída	ullitze, trschieda
Straßenbahn	tramvaj	tramway
Turm	věž	wjesch
verstehen	rozumět	rosumjett
ich verstehe nicht	nerozumím	nerrosummiem
Wasser	voda	wodda
Wein	víno	wieno

312

Verzeichnis der Aufnahmen

- I. Panorama der Prager Burg
- II. Blick vom Letná-Hügel aus auf die Moldaubrücken
- III. Die Karlsbrücke
- IV. Die Altstädter Mühlen am Moldauufer
- V. Pulverturm mit Teynkirche im Hintergrund
- VI. So sieht man die Nikolauskirche vom Vrtba-Garten aus
- VII. Der Altstädter Ring
- VIII. Prag vom Petřín-Hügel gesehen
- IX. Blick auf Prag vom Hauptturm des Veitsdomes aus
- X. Die Karlsbrücke mit dem Altstädter Brückernturm
- XI. Das Nationaltheater durch die Národní třída gesehen
- XII. Auf dem Alten Jüdischen Friedhof
- XIII. Das Restaurant Praha auf dem Letná-Plateau
- XIV. Das Alchimistengäßchen mit seinen winzigen Häuschen
- XV. Im Kunstgewerbemuseum

Namensregister

Adalbert St., böhmischer Bischof 43, 64, 74, 82, 100, 176, 224
Adam von Veleslavín Daniel, Drukker 112
Agnes, sel., Přemyslidenprinzessin, 100, 123, 124
Aleš Mikoláš, Maler 18, 22, 28, 33, 51, 97, 100, 107, 129, 178, 224, 293
Anna, englische Königin böhmischer Abstammung 38
Anna Jagelo, böhmische Königin 70, 81, 162
Anna von Schweidnitz, böhmische Königin 299
Arnošt von Pardubice, Erzbischof 41, 65, 78, 138
Arras Matthias von, Architekt 41, 67, 74, 79, 82
Assam Peter, Maler 127
Augustinus Lucianus von Mirandola, Bischof 27, 117

Balko František Xaver, Maler 52 53, 54, 179, 292
Bassano Giacomo, Maler 63
Bassani, venezianische Malerfamilie 63
Beatrix böhmische Königin 121
Bendl Jan Jiří, Bildhauer 40, 82
Bendl Kajetán, Holzschnitzer 83, 85
Bendl Karel, Musiker 204, 212
Beethoven Ludwig van, Komponist 49, 132, 146, 203, 212
Benedikt XV., Papst 171
Berlioz Hector, Komponist, 202 209, 204, 205, 211
Bílek František, Bildhauer 28, 162, 287
Bismarck, Kanzler 8

Blanka von Valois, Königin 99, 297
Blodek Vilém, Komponist 252
Boleslav I., böhmischer Fürst 72
Boleslav II., böhmischer Fürst 72, 92
Bořivoj, Fürst 63
Bouda Cyril, Maler 24, 70
Böhler Christine, Schauspielerin 205
Brahe Tycho, Astronom 26, 167, 196
Brandl Peter, Maler 50, 85, 121, 165, 166, 168, 174, 287, 289, 290, 292
Brandt Karoline, Opernsängerin 206
Braun Anton, Bildhauer 51, 155, 127
Braun Matthias, Bildhauer 39, 45, 46, 47, 51, 55, 61, 74, 127, 129, 130, 165, 207, 235
Brokoff Ferdinand Maximilian, Bildhauer 45, 46, 49, 50, 54, 103, 121, 123, 126, 140, 148, 184
Brokoff Johann, Bildhauer 140, 240
Brokoff Michael Josef, Bildhauer 56, 140
Brožík Václav, Maler 22, 61, 100, 155
Brueghel, Peter, 167
Brunetti Therese, Schauspielerin 205
Budovec von Budov Václav 119
Bülow H., Komponist 206

Caratti Francesco, Architekt 169
Caravaggio Michelangelo, Maler 69
Casals Pablo, Virtuose 86, 207
Casanova Giovanni Giacomo 55, 200
Chateaubriand François René, französischer Dichter 49, 119
Chopin Fryderyk, Komponist 206, 214

Cranach Lucas, Maler 168, 281
Curie Marie, Forscherin 19

Čapek Karel, Schriftsteller 11, 119, 247
Čech Svatopluk, Schriftsteller 86

Dalibor von Kozojedy 93, 185
Dee John, Alchimist 188
Dientzenhofer Kilian Ignaz, Architekt 28, 52, 126, 173, 207, 213, 237, 240, 242
Dientzenhofer Christoph, Architekt 52, 53, 54, 126
Drahomíra, Fürstin 92, 170
Dušek Fr. Xaver, Komponist 141, 155, 199, 215
Dušková Josefina, Opernsängerin 141, 155, 196, 200, 212, 215
Dvořák Antonín, Komponist 147, 148, 149, 206, 247, 272, 282
Dürer Albrecht, Maler 168

Edlinger Thomas, Geigenbauer 54
Elisabeth, Königin von England 188
Elisabeth von Pommern, Königin von Böhmen 80, 85, 299
Erben Karel Jaromír, Dichter 182, 252
Erasmus von Rotterdam, Philosoph, 112

Falkenštejn Záviš, Edler 61, 64
Faust 238, 240
Ferdinand I., König 76, 81, 89, 164
Ferdinand III., Kaiser 77
Feti Domenico, Maler 63
Fischer von Erlach Josef Emanuel, Architekt 83, 121, 129
Foerster Josef Bohuslav, Komponist 203, 212
Fragner Jaroslav, Architekt 133, 136
Franz Ferdinand d'Este 300

Friedrich von der Pfalz, König 58, 82, 85, 112
Friedrich II. von Preußen 483, 288
Fügner Jindřich, Gründer des Sokol 252, 260, 262
Fučík Julius, Publizist 11, 214
Fürnberg Louis, Dichter 86

Georg von Poděbrady, böhmischer König 22, 24, 80, 100, 119, 120, 283, 285, 286
Gluck Christoph Willibald, Komponist 203
Goethe Johann Wolfgang von, Dichter 240, 278
Gottwald Klement, Präsident 28, 107, 146, 250
Goya Francisco de, Maler 167
Greco, Maler 167
Gustav Adolf, König von Schweden 179

Heisler Josef, Harfenspieler 199
Halvachs Michal, Maler 55
Hašek Jaroslav, Schriftsteller 215
Havlíček-Borovský Karel, Schriftsteller 175, 181, 252
Heintsch J. G., Maler 40, 75, 142, 175, 214, 257
Hieronymus von Prag 110, 236
Holbein Hans, Maler 168
Hollar Václav, Graveur 28
Hrdlička Dr., Anthropolog 150
Hus Jan, Reformator 9, 10, 28, 37, 38, 47, 103, 110, 111, 112, 118, 134, 137, 142, 155, 172, 181, 236, 290
Hynais Vojtěch, Maler 97, 100

Jakoubek von Stříbro, hussitischer Prediger 25
Janáček Leoš, Komponist 86, 202
Jaroš Tomáš, Gießer 70, 87, 194
Jäckel Matthias Wenzel, Bildhauer 40, 45, 46, 56, 126

315

Jessenius, Arzt 110
Jirásek Alois, Schriftsteller 150, 240
Johann XIII., Papst 72
Johann von Luxemburg, böhmischer König 21, 115, 120, 231
Joseph II., Kaiser 112
Jungmann Josef, Sprachforscher 181

Kafka Bohumil, Bildhauer 95, 248, 250
Kafka Franz, Prager Schriftsteller 11, 30, 127, 128, 247, 252
Karl IV., böhmischer König und Kaiser 41, 42, 43, 59, 64, 65, 75, 76, 80, 85, 99, 109, 110, 120, 142, 143, 220, 231, 241, 298, 299
Karo Abigdor, Prager jüdischer Dichter 31
Kaňka Fr. Maximilian, Architekt 40, 169, 293
Kelley Edward, Alchimist 188, 238, 239
Kisch Egon Erwin, Prager Schriftsteller 11, 111, 112, 127 33,
Kmoch František, Komponist 286
Knittel Karel, Musiker 202, 209
Komenský J. Á., Lehrer der Nationen 100, 146, 162, 284
Kracker Johann Lukas, Maler 52, 53
Krásnohorská Eliška, Schriftstellerin 131, 236
Kranner Josef O., Architekt 183, 85
Kuba Ludvík, Maler 286
Kubelík Jan, Geigenvirtuose 205, 211
Kunhuta Äbtissin 92
Kunhuta, Königin 61

Lederer František, Bildhauer 141
Lenin Wladimir Iljitsch 149
Leopold I., 68, 142
Leopold II., 50, 77, 200

Lessing Gotthold Ephraim 107
Libuše, legendäre Fürstin 22, 100, 246
Liebscher Adolf, Maler 97, 225
Liszt Franz von, Komponist 141, 150, 173, 204, 211, 213
Löw Jehuda, Prager Rabbiner 32, 33, 34, 36, 287
Ludmilla hl., böhmische Fürstin 45, 46, 64, 68, 74, 75, 93, 101, 169
Ludwig Jagello 76, 90
Lurago Anselmo, Architekt 28, 40, 49, 52, 169
Lurago Antonio, Baumeister 64
Lurago Carlo, Architekt 40, 41, 50, 236, 243, 245
Luther Martin, Reformator 38, 74, 75, 76

Mácha Karel Hynek, Dichter 221 247, 281
Maisel Mordechai, vornehmer Prager Jude 29
Mánes Antonín, Maler 252
Mánes Josef, Maler 22, 28, 93, 97, 148, 252
Marie Louise, Kaiserin 180, 182
Maria Theresia, Kaiserin 60, 187
Marold Luděk, Maler 232
Martin und Georg von Cluj (Klausenburg), Bildhauer 87
Mathey Jean B., Architekt 40, 46
Matthieli O., Naturforscher 112
Mayer Johann Ulrich, Bildhauer 46, 47, 56,
Max Josef, Bildhauer 39, 45, 96
Maximilian II., Kaiser 81
Milič Jan von Kroměříž, Prediger 132, 138, 142
Martinice Jaroslav von, kaiserlicher Statthalter 79, 168
Mlada, Äbtissin 67, 73, 92, 123
Mosta Ottavio, Bildhauer 121, 183

Mozart Wolfgang Amadeus 11, 20, 40, 55, 103, 107, 141, 146, 155, 192, 197, 108 bis 201, 203, 205, 213, 215
Mucha Alfons, Maler 18, 70
Murillo Bartolomeo, Maler 166
Münzer Thomas, Reformator 133
Myslbek Josef Václav, Bildhauer 19, 97, 98, 101, 154, 221, 237

Napoleon, Kaiser 10, 150, 182
Náprstek Vojta, Museumsgründer 131
Nepomuk Johann hl. 45, 47, 48, 54, 69, 74, 83, 130, 131, 137
Neruda Jan, Dichter 54, 55, 182, 247
Němcová Božena, Schriftstellerin 181, 182, 205, 291
Nezval Vítězslav, Dichter 247
Nikolaus von Dresden, Revolutionsprediger 35
Novák Josef, Maler 142
Novák Vítězslav, Komponist 204

Ondříček František, Violinvirtuose 169
Opletal Jan, Student 214
Orsi Domenico, Architekt 281
Orsi Giovanni, Baumeister 172
Otakar I., böhmischer König 76, 92
Otakar II., böhmischer König 87

Palliardi Ign., Architekt 179
Parler Peter, Architekt 26, 42, 44, 67, 74, 75, 82, 91, 181, 287, 289
Pečka Josef Boleslav, Gründer der tschechischen Sozialdemokratie 178
Pekárek Josef, Bildhauer 19, 218
Peter der Große, Zar 49
Piccolomini Äneas Sylvius, päpstlicher Legat 291
Pieck Wilhelm, Präsident 137
Pius II., Papst 291

Platzer Ignaz Franz, Bildhauer 53, 55, 59, 83, 98, 121, 166, 179, 204
Plečnik Josip, Architekt 71, 87
Pokorný Karel, Bildhauer 205, 209, 250
Prachner Peter, Bildhauer 53, 91
Prachner Richard, Bildhauer 53, 138
Prachner Wenzel, Bildhauer 35, 130
Přemysl, der Pflüger, legendärer Gründer der Přemysliden-Dynastie 243, 244, 245
Pressnitz Loebel, jüdischer Kabbalist 32
Purkyně Jan Evangelista, Naturforscher 236, 278

Quittainer Ant., Johann, Bildhauer 83, 177, 178, 179, 213, 237

Raab Ignaz, Maler 53, 142, 179, 287
Reiner Václav Vavřinec, Maler 40, 91, 98, 121, 135, 132, 138, 168, 170, 178, 175, 183, 213, 214, 293
Rejsek Matthias, Architekt 18, 291
Rejt Benedikt, Architekt 89, 277, 291
Rembrandt van Rijn, Maler 168
Repin I. J., Maler 168
Rilke Rainer Maria 128, 162, 163, 252
Roháč von Dubá Jan, Hussitenführer 24
Rokycana Jan, Kalixtinerbischof 25
Rubens Peter Paul, Maler 63, 168
Rudolf II., Kaiser 26, 54, 60, 61, 81, 90, 163, 186, 188, 238, 278
Santini Giovanni, Architekt 51, 54, 55, 142, 293
Schlick Leopold, Edler 74
Schnirch Bohuslav, Bildhauer 100, 286

Schwarzenberg Friedrich von, Kardinal 84
Schwejk, Hauptgestalt von Hašeks Schwejk-Roman 11, 192, 215
Sigismund, Kaiser 251, 252
Sixt von Ottersdorf, Historiker 20
Smetana Bedřich, Komponist 97, 105, 118, 131, 148, 204, 207, 212
Soběslav I., Fürst 61, 87, 115, 118, 132, 194, 195
Soldati Antonio, Stukkateur 237
Spiro, Rabbiner 32
Spytihněv, Fürst 68, 80, 85
Steinfels J. J., Maler 232
Stokowski Leopold, Komponist 207
Sucharda Stanislav, Bildhauer 36, 68
Suk Josef, Komponist 105
Světlá Karolina, Schriftstellerin 131, 236
Svolinský Karl, Maler 69
Sychra Vladimír, Maler 250

Šafařík Pavel Josef, tschechischer Erwecker 39
Šaloun Ladislav, Bildhauer 19, 28, 36, 205, 211, 222
Šebíř, erster Prager Bischof 84
Škréta Karel, Majer 26, 27, 53, 119, 142, 168, 214
Škroup František, Komponist 107, 173, 205, 213
Španiel Otakar, Bildhauer 68
Špillar Karel, Maler 18
Štursa Jan, Bildhauer 56, 219
Švabinský Max, Maler 18, 28, 68, 74, 85, 250

Theodoricus, gotischer Maler 82, 165, 182, 297
Tintoretto Jacopo, Maler 63
Trnka Jiří, Maler, 132
Třeboň (Wittingau) Meister von, gotischer Maler 167

Tschaikowski Peter Iljitsch, Komponist 200, 204, 206, 211, 214
Tyl Josef Kajetán, Schriftsteller 103, 107, 213
Tyrš Miroslav, Gründer der Turnerorganisation Sokol 252, 267

Veronese Paolo, Maler 62
Vestner, Graveur 169
Vischer Hans, Bildhauer 76
Vladislav Jagello, böhmischer König, 68, 88, 290
Vosmík Čeněk, Bildhauer 45, 56, 59
Vrchlický Jaroslav, Dichter 299
Vries Adrian de, Bildhauer 148, 168, 192, 207

Wagner Richard, Komponist 209
Waldhauser Konrad, utraquistischer Prediger 25, 142
Weber Carl Maria, Komponist 51, 107, 205, 204
Weiskopf F. C., Schriftsteller 86
Wenzel St., Fürst 45, 65, 68, 72, 74, 75, 77, 81, 86, 92, 100, 110, 120, 121, 176, 238
Wenzel I., König 123
Wenzel IV., König 42, 43, 47, 48, 64, 290
Wernher, Baumeister 93
Wohlmut Bonifaz, Architekt 90, 163
Wolfram von Škvorec, Erbischof 71
Wurzelbauer Benedikt Bildhauer 206
Wiclif John, Reformator 38, 39

Zeyer Julius, Schriftsteller 162, 247

Želivský Jan, hussitischer Prediger 24, 99, 233, 234
Ženíšek František, Maler 55, 97, 100
Žižka Jan, hussitischer Heerführer 9, 106, 140, 231, 248, 250, 251, 252, 278, 289

Sachregister

Alchimistengäßchen (Goldenes Gäßchen) 185—188
Altneusynagoge 28, 29
Altstädter Rathaus 20—24, 113, 116, 155
Aposteluhr 21, 22

Barrandov, Terrassenrestaurant 258
Bertramka 155, 200—202, 213
Boreč (rauchender Berg) 280
Bibliotheken
   Prager Zentralbibliothek 36
   Nationalbibliothek 37
   Slawische Bibliothek 37
   Strahover Bibliothek 180—182
   Technische Bibliothek 37
   Universitätsbibliothek 37
Böhmische Konfession 53

Carolinum 108—111
Clementinum 37—39

Čáslav 289

Daliborka (Turm) 93, 185—187
Deylsche Blindenanstalt 49

Denkmäler
   Vítězslav Hálek 236
   Jan Hus 28
   Josef Jungmann 98
   Karel IV. 41
   Hana Kvapilová 219
   Eliška Krásnohorská 36
   K. H. Mácha 221
   Josef Mánes 95
   J. E. Purkyně 236
   Benedikt Roezl 236
   Karolina Světlá 236
   St. Wenzel 100
   Julius Zeyer 162
   Jan Želivský 234
   Jan Žižka 250

Dobříš 295
Domschatz 64—67

Falschmünzerwerkstatt in der Grotte Koněprusy 295
Fausthaus 238
Fensterstürze, Prager 20, 79, 90, 233
Filmateliers Barrandov 293
Friedhöfe
   Alter Jüdischer Friedhof 31—32
   Olšany 252
   Prager jüdischer Friedhof 252
   Slavín 247

Galerien

   Nationalgalerie 167
   Reitschulbau der Prager Burg 166
   Reitschulbau im Waldsteinpalais 96, 213
Zbraslav Galerie 293
Übrige Galerien und Sammlungen 153

Gärten

   Basteigarten 166
   Botanischer Gärten 242
   Kinský-Garten 219
   Kleinseitner Garten 94
   Königsgarten 229

Ledebour-Garten 94, 213
Lobkowitz-Garten 229
Maltesergarten 208
Pálffy-Garten 54
Paradiesgarten 94
Petřín 220—222
Seminargarten 228
Strahov-Garten 229
Stromovka (Baumgarten) 231
Waldstein-Garten 208
Getto 28
Glockenspiel von Loreto 173
Goldenes Gäßchen (Alchimistengäßchen) 185—189
Golem 32—33

Häuser
  Haus der Ausstellungsdienste 19
  Haus der Kunstindustrie 98
  Haus der Künstler 96, 207
  Haus des Schuhwerks 99
  Haus der Tschechoslowakischen Kinder 189
Hazmburg Burgruine 279
Historische Häuser
  Fausthaus 186, 238—239
  Hrzánsches Haus 183
  Häuser in der Nerudagasse 54 bis 56
  Seminářská (Eckhaus) 130, 131
  Sixt-Haus 20
  Haus Zum Goldenen Engel 20
  Haus Zu den Fünf Kronen 112
  Haus Zu den Zwei Bären 111
  Kleinstes Prager Haus 123
  Platýz 140, 213
Hvězda Lustschloß siehe Paläste
Hungermauer 220

Informationen allgemeiner Art 309
Institut für Körperkultur und Sport 266

Kačina 288

Karlsbrücke 43—48
Karlštejn, Burg 78, 298—299
Karls-Universität 96, 108—111
Kampa-Insel (47)

Kapellen
  Andreas 79
  Anna 84
  Barbara 183
  Bethlehemskapelle 133—138
  Cosmas und Damian 241
  Hazmburk-Kapelle 70
  Hl. Kreuz 64, 65, 132
  Johannes der Täufer 83
  Johannes Nepomuk 82—83
  Katharina 179
  Ludmilla 93
  Marienkapelle 83
  Maria Magdalena 82
  Pappenheimsche Marienkapelle 179
  Schwarzenbergkapelle 69
  Sigismund 85
  Spiegelkapelle im Clementinum 208
  Thunkapelle 69
  Ursula 179
  Wenzel 74—76

Kirchen
  Adalbert 204
  Adalbert Pfarrhaus 203
  Ägidius 138
  Allerheiligen 91
  Barbara 123
  Cyrill und Method 237
  Erste christliche Kirche in Prag 38, 40
  Franziskus 40
  Franziskus 123
  Gallus 141, 142
  Georg 72, 91—92
  Hl. Geist 126

Heinrich 214
Ignatius 236—237
Jakob 120, 121
Johannes Nepomuk 240
Kastulus 122
Kreuzherren Franziskus 41
Laurentius 224
Loreto 156, 170—178
Laurentius-Basilika 246

Maria am Anger 243
Maria am Weiher 35
Maria beim Kajetanerkloster 56
Maria beim Elisabethinerinnenkloster 242
Maria 169
Maria de Victoria 50
Maria Schnee 98
Maria unter der Kette 49
Mariä Himmelfahrt Stiftskirche Strahov 179
Martin in der Mauer 139
Michael 112
Nikolaus (Altstadt) 126, 127
Nikolaus (Kleinseite) 51—54
Orthodoxes Holzkirchlein 219
Peter und Paul 246—247
Salvator 40
Spytihněv-Basilika 68, 80
Teynkirche 24—27, 118—119
Thomas 213
Ursula 97

Kladno 277
Klapý, wandernder Berg 279
Klöster
  Agnes 123—125
  Benediktiner 241
  Beuroner Benediktinerinnen 151
  Konvent der Barmherzigen Brüder 125
  Dominikaner 207
  Emauskloster Na Slovanech 241—242
  Franziskaner 123
  Georgskloster 72, 91
  Kapuziner 169
  Paulaner 126
  Stift Strahov 179
  Thomas 213

Kodex von Vyšehrad 37
Kokořín 300
Kolín 286
Kompaktaten 236
Koněprusy 295—297
Konopiště 300
Konservatorium 207
Kronkammer (Krönungskleinodien) 76—79
Kutná Hora (Kuttenberg) 290—292

Libice 286
Libochovice 278
Lidice 275—277
Litoměřice 280—281
Loreto-Schatzkammer 176
Louny 277
Lovosice 280

Malín 288

Museen
  Nationalmuseum 99, 145
  Staatliches Jüdisches Museum 28—35, 125, 146
  Náprstek-Museum 131, 148
  Museum der Hauptstadt Prag 148
  Smetana-Museum 96, 148
  Dvořák-Museum 148
  Technisches Nationalmuseum 150
  Museum der Tschechischen Literatur 179
  Kunstgewerbemuseum 152
  Weitere Museen und Sammlungen 150—154

Nationale Gedenkstätte 250
Nebozízek, Terrassenrestaurant 228
Nelahozeves 282
Nový Knín 295

Paläste
  Bretfeld 55, 196
  Clam-Gallas 129, 130
  Czernin 169
  Collodero-Mansfeld 41
  Palast der tschechischen Fürsten 244
  Erzbischöflicher Palast 16
  Kinský 28
  Kinský-Lustschloß 219
  Liechtenstein 53
  Lustschloß Hvězda 150
  Lustschloß der Königin Anna 163—164
  Michna-Palast 266
  Michna-Lustschloß Amerika 206
  Morczin 54
  Petschek 214
  Schwarzenberg 184
  Schwarzenberg vormals Lobkowitz 184
  Smiřický 53
  Šternberk 167
  Straka 49
  Toskani 183
  Thun 198
  Thun-Hohenstein 51, 54
  Vrtba 51
Waldstein 95, 208
Pantheon 100
Petřín 220—229
Poděbrady 283—284
Prager Burg 56—94, 184—189
Prager Frühling 19, 95, 196
Prager Jesukind 51
Prager Münzstätte 19
Průhonice 300

Rathaus
  Altstädter Rathaus 20—24, 143
  Neustädter Rathaus 233
Reitschulbau der Prager Burg 166
Reitschulbau des Waldsteinpalastes 96, 213
Repräsentationshaus 18—19
Restaurationen 258—259
Rotunden
  Hl. Kreuz 132
  Martin 243
  Wenzel 68, 75, 80
Rudolfinum (Haus der Künstler) 96, 213
Říp 272
Sammlungen 153
Schlacht am Weißen Berg 84
Schuhhaus (Dům obuvi) 99
Schwimmbäder 266—268
Sedlec 289
Seilbahn zum Petřín 223
Singende Fontäne 164
Slaný 277
Slapy, Talsperre 295
Slavín, Ehrengruft auf dem Vyšehrad 247
Smetanasaal 19
Spartakiade 161
Sporthalle 264
Sportstadien 261—268
Stadtarchiv 23

Statuen
  Adalbert 74, 82, 100
  Agnes 100
  Budovec von Budov 119
  Ctirad und Šárka 236
  Eva 56
  Georg 86
  Johannes der Täufer 49
  Johannes Nepomuk 39, 74, 76
  Joseph 56
  Herkules 219

Karl IV. 75
Komenský 162
Kuß 222
Lumír und das Lied 246
Ludmilla 74, 100
Moldau 36, 130, 218
Moses 28
Norbert 74, 178
Pleta 56
Prager Student 39
Prokop 74, 100
Rusalka 220
Sigismund 74
Sehnsucht 222
Veit 74, 82
Vernunft und Gefühl 222
Vierzehnjährige 219
Walroß 219
Wassermann 222
Wenzel 40, 56, 74, 82
Záboj und Slavoj 246
Statuen auf der Karlsbrücke 45—46
Strahov 151, 179—182

Synagogen

Altneusynagoge 28, 29
Hochschul- (Rathaus-) Synagoge 29
Maiselsynagoge 30
Klausensynagoge 30
Pinkassynagoge 34

Terezín 281—282

Theater

Nationaltheater 97, 98, 107, 210, 255
J.-K.-Tyl-Theater (vormals Ständetheater, Nostitztheater) 107, 199, 211, 255
Musiktheater 209, 213, 256
Smetana-Theater 214, 255
Übrige Theater 255—257
Theresienstadt (siehe Terezín) 279, 282
Tropfsteinhöhle Koněprusy 295 bis 297
Třebenice 279—280
Tschechoslowakische Akademie der Wissenschaften 98
Tschechoslowakischer Verband für Körperkultur 268
Tunnel unter der Anhöhe Letná 231
Tunnel unter dem Vyšehrad 242

Türme

Altstädter Brückenturm 41
Daliborka 185—187
Kleinseitner Brückenturm 48
Pulverturm 18
Schwarzer Turm 93
Hauptturm des Veitsdomes 70
Turnov 279

Ungelt 28, 120

Veltrusy 283—284
Vítkov 250
Vladislav-Saal 88—90
Vyšehrad 243—247

Weinstube u Bindrů 113
Weinstuben und Restaurants 258, 259
Winterstadion siehe Sportstadien

Zbraslav 293
Zoo 288
Žatec 277
Žehušice 288
Žižkov 250

323

Alois Svoboda

PRAG

das tausendjährige
hunderttürmige Prag
in Stadtwanderungen —
ein intimer Führer
durch Prags Schönheiten,
Denkmäler, Sehenswürdigkeiten
und romantische Winkel

Übertragung aus dem Tschechischen:
Ferdinand Barták
Umschlag, Buchschmuck und graphische Gestaltung:
Rudolf Mader

Aufnahmen: Josef Ehm, Erich Einhorn, Vilém Heckel, A. Dýcha
Jiří Dobřemysl, František Přeučil, Ladislav Sitenský
Verlag: Sportovní a turistické nakladatelství, Praha
4. ergänzte Ausgabe, Auflagezahl: 25 000 Stück
Verantwortlicher Redakteur: Dr. Irena Rakušanová
Technischer Redakteur: František Morávek
Druck: Rudé právo, Brno
Themat. Gruppe 11—6. Preis gebunden 28,50 Kčs. 505/21/855
1065. Publikation des STN

| 27 - 033 - 67 | Kčs 28,50 |